HARLAN COBEN

Né en 1962, Harlan Coben vit dans le New Jersey avec sa femme et leurs quatre enfants. Diplômé en sciences politiques du Amherst College, il a rencontré un succès immédiat dès ses premiers romans, tant auprès de la critique que du public. Il est le premier écrivain à avoir reçu le Edgar Award, le Shamus Award et le Anthony Award, les trois prix majeurs de la littérature à suspense aux États-Unis. Il est l'auteur notamment de *Ne le dis à personne...* (Belfond, 2002) – qui a remporté le prix des Lectrices de *ELLE* et qui a été adapté avec succès au cinéma par Guillaume Canet –, *Une chance de trop* (Belfond, 2004), et plus récemment de *Temps mort* (Fleuve Noir, 2007), *Dans les bois* (Belfond, 2008), *Mauvaise base* (Fleuve Noir, 2008) et *Sans un mot* (Belfond, 2009).

**Retrouvez l'actualité d'Harlan Coben sur :
www.harlan-coben.fr**

DANS LES BOIS

HARLAN COBEN

DANS LES BOIS

*Traduit de l'américain
par Roxane Azimi*

BELFOND

Titre original :
THE WOODS
publié par Dutton, a member of Penguin Group (USA) Inc.,
New York.

Le papier de cet ouvrage est composé de fibres natu-
relles, renouvelables, recyclables et fabriquées à
partir de bois provenant de forêts plantées et
cultivées durablement pour la fabrication du papier.

ISBN 978-2-266-19194-4

Celui-ci est pour Alek Coben, Thomas Bradbeer, Annie van der Heide, les trois bonheurs que j'ai la chance d'appeler mes filleuls

JE REVOIS MON PÈRE AVEC SA PELLE.

Son visage est baigné de larmes. Un horrible sanglot
guttural monte de ses poumons et s'échappe de ses
lèvres. Il lève la pelle et attaque le sol. Elle s'enfonce
dans la terre comme dans de la chair humide.

J'ai dix-huit ans, et c'est le souvenir le plus vif que
j'aie de mon père, dans ces bois, avec sa pelle. Il ne sait
pas que je l'observe. Caché derrière un arbre, je le
regarde creuser. Il le fait avec rage, comme s'il en
voulait à la terre, comme s'il cherchait à se venger.

Jamais encore je n'avais vu mon père pleurer… ni à
la mort de son propre père, ni après que ma mère est
partie en nous abandonnant, ni même quand il a appris
la nouvelle pour ma sœur Camille. Mais là, il pleure. Il
pleure sans retenue. Les larmes ruissellent en cascade
sur son visage. Les sanglots résonnent sous les arbres.

C'est la première fois que je l'espionne de la sorte. La
plupart des samedis, il fait mine d'aller à la pêche. Ça,
je n'y ai jamais vraiment cru. Au fond de moi, je devais
savoir que ce lieu, ce lieu terrible, était sa destination
secrète.

Car, quelquefois, c'est aussi la mienne.

Debout derrière mon arbre, je le regarde faire. Ça
m'arrivera encore, huit fois en tout. Jamais je ne

9

l'interromps. Je ne me montre pas. Je pense qu'il ne se doute pas de ma présence. J'en suis sûr même. Et puis un jour, en se dirigeant vers sa voiture, mon père me regarde, l'œil sec, et me dit :

— Pas aujourd'hui, Paul. Aujourd'hui, j'irai seul.

Et il part. C'est la dernière fois qu'il se rend dans les bois.

Sur son lit de mort, dix-huit ans plus tard, mon père me prend la main. Il est bourré de médicaments.

Ses mains sont rêches et calleuses. Il s'en est servi toute sa vie – même à l'époque des vaches grasses dans un pays qui n'existe plus. Mon père a un physique de dur à cuire, une peau tannée et épaisse comme une carapace de tortue. La douleur est atroce, mais il n'a pas versé une seule larme. Il se contente de fermer les yeux pour mieux l'évacuer. Avec lui, je me sens en sécurité, même maintenant, à l'âge adulte, alors que je suis à mon tour père de famille. Il y a trois mois, quand il en avait encore la force, on est allés dans un bar. Une bagarre a éclaté. Mon père s'est placé devant moi, prêt à affronter quiconque me frôlerait de trop près. Aujourd'hui encore. Voilà le genre d'homme que c'est.

Je le regarde, couché dans son lit. Je repense aux bois. À cette terre qu'il fouillait sans relâche, jusqu'au jour où ma mère est partie.

— Paul ?

Tout à coup, il a l'air agité.

Je voudrais le supplier de ne pas mourir, mais je me retiens. J'ai déjà vécu cette situation. Ça n'aide personne.

— Tout va bien, papa, lui dis-je. Ça va aller.

Loin de se calmer, il tente de se redresser. Je veux l'aider, il me repousse. Il me regarde au fond des yeux ; j'ai l'impression qu'il est lucide, ou alors c'est ce qu'on a tous envie de croire à l'instant ultime. Un dernier semblant de réconfort.

Une larme solitaire perle sous ses paupières. Je la regarde glisser lentement sur sa joue.

— Paul, dit mon père avec son fort accent russe. Il faut absolument qu'on la retrouve.

— On la retrouvera, papa.

Il scrute à nouveau mon visage. Je hoche la tête, histoire de le rassurer. Mais il ne cherche pas à être rassuré. Pour la première fois, je crois, qu'il veut savoir si je me sens coupable.

— Tu étais au courant ? me demande-t-il d'une voix à peine audible.

Je tremble de la tête aux pieds, mais je ne cille pas, je ne baisse pas les yeux. J'ignore ce qu'il voit, ce qu'il s'imagine. Et je ne le saurai jamais.

Car, là-dessus, mon père ferme les yeux et meurt.

1

Trois mois plus tard

DEBOUT DANS LE GYMNASE D'UNE ÉCOLE ÉLÉMENTAIRE, je regardais ma fille, Cara, six ans, marcher avec appréhension sur une poutre qui se dressait peut-être à dix centimètres au-dessus du sol, sans me douter que, dans moins d'une heure, j'allais me trouver face au cadavre d'un homme brutalement assassiné.

Ce qui n'avait rien de choquant en soi.

J'ai appris au fil des années – de la pire manière qui soit – que la cloison entre la vie et la mort, entre la beauté ineffable et la laideur sans nom, entre le plus idyllique des paysages et le plus effroyable carnage, est mince. Une seconde suffit à la faire tomber. Vous êtes là, en pleine béatitude, dans ce temple de l'innocence qu'est le gymnase d'une école élémentaire, votre petite fille virevolte, sa voix chavire, elle ferme les yeux. Vous revoyez le visage de sa mère, paupières closes, le sourire aux lèvres, et vous vous rappelez la minceur de la cloison.

— Cope ?

C'était Greta, ma belle-sœur. Je me suis retourné. Elle me regardait d'un air soucieux, comme à son habitude. J'y ai répondu d'un sourire.

13

— À quoi penses-tu ? a-t-elle chuchoté.

Elle savait. Néanmoins, j'ai menti.

— Aux Caméscopes.

— Pardon ?

Tous les sièges pliants étaient occupés par les parents. Bras croisés, j'étais adossé au mur de béton tapissé de posters, règlements et maximes cuculs du style « Ne me dites pas que le ciel, c'est la limite, quand il y a des traces de pas sur la Lune. » C'est là qu'on avait également entreposé les tables pliantes. Je sentais leur contact froid et métallique dans mon dos. Contrairement à nous, les gymnases scolaires ne vieillissent guère. Ils rapetissent, c'est tout.

D'un geste, j'ai désigné les parents.

— Il y a plus de Caméscopes là-dedans que de gosses. Greta a hoché la tête.

— Et les parents, ils filment tout. Tout, de A à Z. Qu'est-ce qu'ils en font, hein ? Qui va regarder ça en entier ?

— Pas toi ?

— Je préférerais encore accoucher.

Ma remarque l'a fait sourire.

— Ça m'étonnerait.

— Oui, bon, peut-être pas, mais on a tous grandi avec MTV, non ? La succession des plans. La multiplication des angles. Alors que filmer comme ça, sans aucune mise en scène, pour infliger à un ami ou à un membre de la famille qui ne se doute de rien…

La porte s'est ouverte. Au moment même où ils sont entrés dans le gymnase, j'ai deviné que ces deux-là étaient des flics. Même si je ne les fréquentais pas assidûment – j'occupe le poste de procureur du comté d'Essex, qui comprend la ville réputée violente de Newark –, je l'aurais su quand même. Et vous aussi

14

probablement, ne serait-ce que grâce à la télé. Car parfois elle tombe juste. Leur tenue vestimentaire, par exemple – un père de famille dans la banlieue huppée de Ridgewood ne s'habillera jamais de cette façon-là. On ne se met pas en costard pour aller voir son môme faire des galipettes au gymnase. On enfile un pantalon en velours ou un jean avec un pull col en V par-dessus un tee-shirt. Or ces gars-là portaient des costumes mal coupés d'une couleur marronnasse qui m'a fait penser à des copeaux de bois après un orage.

Ils ne souriaient pas. Leurs yeux ont balayé la salle. Je connaissais la plupart des flics de la région, mais ces deux-là je ne les avais jamais vus. Ça m'a perturbé. Ils ne me disaient rien qui vaille. Bien qu'innocent, évidemment, j'ai senti mon estomac se nouer. Ça ne vous arrive jamais ? Vous croisez un flic et du coup vous prenez l'air le plus dégagé possible, de peur qu'il ne vous soupçonne d'avoir commis l'inimaginable.

Ma belle-sœur Greta et son mari Bob ont trois gosses. Madison, leur petite dernière, est dans la même classe que ma Cara. Greta et Bob m'ont été d'un sacré secours. À la mort de ma femme Jane – la sœur de Greta –, ils sont venus s'installer à Ridgewood. Greta affirme qu'ils comptaient le faire de toute façon. J'en doute. Mais je leur en suis si reconnaissant que je ne cherche pas à ergoter. Je ne sais vraiment pas ce que je serais devenu sans eux.

D'habitude, les autres pères restent au fond du gymnase avec moi, mais, dans la mesure où la manifestation avait lieu en journée, il n'y en avait pas beaucoup. Les mères – excepté celle qui me fusillait du regard par-dessus son Caméscope parce qu'elle avait entendu ma diatribe – m'adorent. Pas moi personnellement, bien sûr, mais mon histoire. Ma femme est morte il y a cinq ans, et j'élève seul ma fille. Des familles monoparentales, il y en a d'autres, principalement des mères divorcées, mais moi je bénéficie clairement d'un régime de faveur. Si j'oublie d'écrire un mot, que j'arrive en retard à l'école ou que je laisse le goûter de ma fille sur la table de la cuisine, quelqu'un – une mère ou un membre du personnel – prend le relais. Elles trouvent mon indigence masculine attendrissante. À ma place, une mère célibataire serait taxée de négligence et récolterait le mépris de toutes ces mamans modèles.

Les mômes poursuivaient leur démonstration, plus ou moins bancale selon les niveaux. Je regardais Cara. Extrêmement concentrée, elle se débrouillait plutôt bien, mais je la soupçonnais d'avoir hérité du manque de coordination de son père. Des lycéennes de l'équipe de gymnastique étaient là pour les aider. Des élèves de terminale, dans les dix-sept, dix-huit ans. Celle qui surveillait Cara pendant sa tentative de saut périlleux m'a fait penser à ma sœur Camille. Ma sœur est morte à l'âge de cette adolescente et les médias se chargent de me le rappeler régulièrement. Mais c'est peut-être aussi bien.

Aujourd'hui, ma sœur serait trentenaire, comme la plupart des mères ici présentes. Ça me fait tout drôle. Pour moi, Camille restera à jamais ado. J'ai du mal à l'imaginer assise sur un de ces sièges, mitraillant sa progéniture avec le sourire béat de la mère de famille comblée. Je me demande à quoi elle ressemblerait maintenant, mais tout ce que je vois, c'est une fille de seize ans qui n'est plus.

Vous devez penser que je suis obsédé par la mort. Et vous avez probablement raison. Seulement, voyez-vous, il y a un monde entre le meurtre de ma sœur et le décès de ma femme. Le premier est à l'origine de mon parcours professionnel et de la fonction que j'exerce actuellement. Cette injustice-là, je peux la combattre au prétoire. Et je ne m'en prive pas. Je m'efforce de rendre notre environnement plus sûr, de veiller à maintenir derrière les barreaux ceux qui nuisent à autrui, d'aider les familles à concrétiser ce que la nôtre n'a jamais pu faire : tourner la page.

Face à la mort de ma femme, je me suis trouvé impuissant, complètement largué, et, quoi que je fasse, jamais je ne pourrai me racheter.

Un sourire de commande plaqué sur ses lèvres au rouge trop épais, la directrice de l'école s'est dirigée vers les deux policiers. Elle a engagé la conversation, mais ni l'un ni l'autre ne lui ont prêté attention. Je les observais. Quand le plus grand des deux, le chef à tous les coups, m'a repéré dans la foule, il m'a regardé fixement. L'espace d'un instant, personne n'a bougé. D'un imperceptible signe du menton, il m'a invité à le suivre dehors, à quitter ce havre de rires et de cabrioles. J'ai hoché la tête, tout aussi imperceptiblement.

— Où tu vas ? a demandé Greta.

Je ne veux pas paraître méchant, mais des deux sœurs Greta était la moche. Elles se ressemblaient, pourtant, elle et ma ravissante disparue. On voyait bien qu'elles étaient de la même famille. Mais ce qui avait tant réussi à ma Jane n'avait pas franchement fonctionné pour Greta. Ma femme avait un nez proéminent qui ne faisait qu'ajouter à son charme. Greta a un nez proéminent qui est, eh bien, proéminent. Les yeux largement écartés de ma femme lui donnaient un air exotique. Chez Greta, l'écartement leur donne une apparence reptilienne.

— Je ne sais pas trop, ai-je répondu.

— C'est pour le boulot ?

— Peut-être bien.

Elle a jeté un regard sur les deux présumés flics.

— J'allais emmener Madison déjeuner chez *Friendly*. Tu veux qu'on prenne Cara avec nous ?

— Oui, ce serait super.

— Je peux aussi venir la chercher après la classe.

— Très volontiers, ai-je acquiescé.

Greta m'a embrassé doucement sur la joue… chose qu'elle fait rarement. J'ai tourné les talons. Les rires des enfants cascadaient derrière moi. Je suis sorti dans le couloir. Les deux policiers m'ont emboîté le pas. Les couloirs d'école non plus ne changent pas beaucoup. Il y règne un étrange silence sonore, presque comme dans une maison hantée, et une odeur faible mais distincte qui apaise et excite tout à la fois.

— Vous êtes Paul Copeland ? s'est enquis le grand flic.

— Oui.

Il a regardé son collègue. Celui-ci, plus petit et épais, n'avait pas de cou, et sa tête était taillée comme un parpaing. Sa peau rugueuse ajoutait encore à l'illusion. Une classe, peut-être de CM2, a tourné le coin. Les enfants, le visage rougi par l'effort, devaient revenir du terrain de jeux. Au passage, leur institutrice harassée nous a salués d'un sourire contraint.

— On devrait peut-être aller causer dehors, a dit le grand flic.

J'ai haussé les épaules. J'ignorais totalement de quoi il pouvait s'agir. L'expérience m'avait enseigné qu'avec les flics, il ne fallait surtout pas se fier aux apparences. Ça n'avait sans doute rien à voir avec l'affaire retentissante sur laquelle j'étais en train de travailler, sinon ils auraient contacté mon bureau. J'aurais eu un message sur mon portable ou mon BlackBerry.

Non, ils étaient là pour autre chose… pour quelque

chose qui me touchait personnellement. Une fois encore, je savais que je n'avais rien fait de mal. J'avais vu toutes sortes de suspects dans ma vie et observé toutes sortes de réactions. Et il y aurait de quoi vous surprendre. Par exemple, les policiers ont tendance à isoler le principal suspect d'une affaire des heures durant dans la salle d'interrogatoire. On s'imagine que le coupable se met très vite à grimper aux rideaux, alors qu'en fait, c'est tout le contraire. Ce sont les innocents qui trépignent le plus. Ils n'ont aucune idée de ce qu'ils font là ni de ce dont on les accuse. Les coupables, eux, finissent souvent par s'endormir.

Nous sommes sortis. Le soleil tapait fort. Le grand flic a plissé les yeux et levé la main en visière. Le Parpaing, lui, n'a pas bronché.

— Inspecteur Tucker York, a dit le grand en sortant sa plaque. Puis, avec un geste en direction du Parpaing :

— Mon collègue, Don Dillon.

Dillon a exhibé sa plaque à son tour. Je ne sais pas pourquoi ils me montraient ça. C'est facile à falsifier, non ?

— Que puis-je pour vous ?

— Vous voulez bien nous dire où vous étiez hier soir ? a demandé York.

Une question pareille aurait dû déclencher les sirènes. J'aurais dû leur rappeler sur-le-champ qui j'étais et que je ne dirais pas un mot sans la présence d'un avocat. Sauf que je suis avocat. Et un bon, par-dessus le marché. Ce qui vous rend encore plus ballot quand vous vous représentez vous-même. J'étais aussi un être humain. On a toujours envie de faire bonne figure devant les policiers, expérience ou pas. C'est plus fort que vous.

— J'étais chez moi.

— Quelqu'un peut le confirmer ?

— Ma fille.

York et Dillon ont observé l'école.

— La petite qui faisait des galipettes là-dedans ?

— Oui.

— Personne d'autre ?

— Je ne crois pas. C'est à quel sujet ?

York, qui menait l'interrogatoire, n'a pas répondu à ma question.

— Connaissez-vous un dénommé Manolo Santiago ?

— Non.

— Vous en êtes sûr ?

— À peu près, oui.

— Seulement à peu près ?

— Savez-vous qui je suis ?

— Voui. (York a toussoté dans son poing.) Vous aimeriez qu'on mette genou à terre ou qu'on baise votre anneau peut-être ?

— Ce n'est pas ce que j'ai voulu dire.

— Bien, on est d'accord.

Son attitude me déplaisait, mais je n'ai pas relevé.

— Pourquoi êtes-vous seulement « à peu près » sûr de ne pas connaître Manolo Santiago ?

— Ce nom ne me dit rien. Je ne pense pas le connaître. Mais peut-être que j'ai plaidé contre lui ou qu'il a témoigné dans un de mes procès… peut-être même que je l'ai croisé dans une soirée caritative il y a dix ans, pour ce que j'en sais.

York a hoché la tête, histoire de m'encourager à en dire plus. Je me suis tu.

— Cela vous ennuie de venir avec nous ?

— Où ça ?

— Ce ne sera pas long.

20

— Pas long, ai-je répété. Ce n'est pas une destination, ça.

Les deux flics ont échangé un regard. J'ai pris l'air de celui qui n'en démordrait pas.

— Le dénommé Manolo Santiago a été assassiné hier soir.

— Où ?

— Son corps a été découvert à Manhattan. Dans le secteur de Washington Heights.

— Et quel rapport avec moi ?

— Vous pourriez peut-être nous aider.

— Vous aider comment ? Je viens de vous le dire : je ne le connais pas.

— Vous avez dit…

York a consulté son calepin – purement pour la forme car il n'avait pris aucune note pendant que je parlais.

— … que vous étiez « à peu près sûr » de ne pas le connaître.

— Eh bien, j'en suis sûr. Ça vous va ? J'en suis sûr.

Il a refermé le calepin d'un geste théâtral.

— M. Santiago vous connaissait, lui.

— Comment le savez-vous ?

— On préférerait vous le montrer.

— Et moi, je préférerais que vous me le disiez.

— M. Santiago…

York a hésité, comme s'il choisissait ses mots avec le plus grand soin.

— … avait certains objets sur lui.

— Vous pourriez préciser ?

— Des objets qui vous désignent nommément.

— À propos de quoi ?

— Eh ! monsieur le procureur général ?

Dillon – le Parpaing – avait fini par l'ouvrir.

— Je suis procureur du comté.

21

— Peu importe.

Il a pointé le doigt sur ma poitrine.

— Vous commencez à me les chauffer sérieusement.

— Je vous demande pardon ?

Il s'est planté devant moi.

— Vous croyez qu'on est là pour une putain de leçon de sémantique, hein ?

Pour moi, la question était rhétorique, mais comme il attendait, j'ai finalement répondu non.

— Alors, écoutez-moi bien. On a un cadavre sur les bras. Le lien qu'il y a entre ce gars et vous, c'est plus qu'un lien, c'est un câble. Soit vous nous aidez à éclaircir cette affaire, soit vous continuez à jouer sur les mots, et là, vous allez vous mettre tous les soupçons sur le dos.

— Dites-moi, vous croyez parler à qui, là ?

— À un personnage public qui n'aimerait pas que la presse soit mise au courant de cette histoire.

— Vous me menacez ?

— Personne ne menace qui que ce soit, s'est interposé York.

Cependant, Dillon avait touché un point sensible. La vérité, c'est que ma nomination était seulement temporaire. L'actuel gouverneur de l'État du New Jersey, un ami, m'avait promu au poste de procureur suppléant. Il était également question que je me présente au Congrès, voire à un siège vacant au Sénat. Je mentirais en disant que je n'avais pas d'ambitions politiques. Un scandale, ou même le soupçon d'un parfum de scandale, n'arrangerait pas mes affaires.

— Je ne vois pas en quoi je peux vous aider, ai-je dit.

— Peut-être que vous pouvez, peut-être que vous ne pouvez pas.

Dillon a tourné sa tête de parpaing.

— Mais vous êtes prêt à coopérer, n'est-ce pas ?

— Bien sûr, ai-je répondu. Je ne tiens pas à vous les chauffer plus que de raison.

— Dans ce cas, montez dans la voiture.

— Je dois être au tribunal cet après-midi.

— On vous aura ramené d'ici là.

Je m'attendais à une Chevy Caprice fatiguée, mais non, c'était une Ford impeccable. Je me suis assis à l'arrière. Mes deux nouveaux potes ont pris place à l'avant. On a fait tout le trajet en silence. Il y avait de la circulation sur le pont George Washington, mais, avec la sirène et le gyrophare, on s'est faufilés à travers. Une fois côté Manhattan, York a repris la parole.

— Nous pensons que Manolo Santiago pourrait être un nom d'emprunt.

J'ai répondu « Hum », faute d'avoir autre chose à dire.

— Voyez-vous, on ne l'a pas encore identifié avec certitude. Le corps a été trouvé hier soir. Si on doit croire ce qu'il y a inscrit sur le permis de conduire, on a affaire à un certain « Manolo Santiago ». On a vérifié. Ça n'a pas l'air d'être son vrai nom. On a contrôlé ses empreintes digitales. Sans résultat... Nous ne savons donc pas qui il est.

— Et vous vous êtes dit que je le saurais ?

Ils ne se sont pas donné la peine de répliquer. D'une voix aussi dégagée qu'un ciel de printemps, York a lancé :

— Vous êtes veuf, n'est-ce pas, monsieur Copeland ?

— C'est exact.

— Ça doit être dur, d'élever un enfant tout seul.

Je n'ai pas répondu.

— Votre femme a eu un cancer, nous a-t-on dit. Et vous avez créé une sorte de fondation pour aider la recherche.

— Mmm.

— Voilà qui est admirable.

À qui le dites-vous.

— Ça doit vous faire bizarre, a ajouté York.

— Quoi donc ?

— D'être de l'autre côté de la barrière. D'habitude, c'est vous qui posez les questions. Ça fait un drôle d'effet, non ?

Il m'a souri dans le rétroviseur.

— Dites-moi, York…

— Quoi ?

— Vous n'auriez pas une affiche ou un programme ?

— Comment ?

— Un programme. Que je voie vos références passées… avant qu'on vous ait confié le rôle si apprécié du bon flic.

York s'est esclaffé.

— Je dis juste que c'est bizarre. Ça vous est déjà arrivé de vous faire interroger par la police ?

C'était une question piège. Ils étaient forcément au courant. À dix-huit ans, j'avais travaillé comme moniteur dans une colonie de vacances. Une nuit, quatre de nos ados – Gil Perez et sa copine Margot Green, Doug Billingham et sa copine Camille Copeland (autrement dit ma sœur) – se sont aventurés dans les bois.

On ne les a jamais revus.

Deux corps seulement ont été retrouvés. Margot Green, dix-sept ans, a été découverte égorgée à une centaine de mètres de la colonie. Doug Billingham, également dix-sept ans, a été trouvé huit cents mètres plus loin. Il portait des traces de coups de couteau, mais lui aussi était mort égorgé. Les cadavres des deux autres – Gil Perez et ma sœur Camille – sont restés introuvables.

Cette affaire, vous avez sûrement dû en entendre parler par les journaux. Wayne Steubens, gosse de riches et moniteur à la colo, a été arrêté deux ans plus tard – après un troisième été sanglant –, mais pas avant d'avoir assassiné au moins quatre autres adolescents. Il a été surnommé, sans grande originalité, l'Égorgeur de l'été. Les deux victimes suivantes de Wayne ont été retrouvées près d'un camp de scouts à Muncie, Indiana. Une autre encore fréquentait un centre aéré à Vienna, en Virginie. Sa dernière victime faisait un stage de sport dans les Poconos. La plupart avaient eu la gorge tranchée. Tous avaient été enterrés dans les bois, certains encore vivants. Oui, enterrés vivants. Il a fallu un bon bout de temps pour localiser les corps. Six mois, par exemple, pour le gamin de l'Indiana. La plupart des experts s'accordent à penser qu'il y en aurait d'autres, encore ensevelis au fond des bois.

Comme ma sœur.

Wayne n'a jamais avoué et, bien qu'il ait passé ces dix-huit dernières années dans une espèce d'asile-prison, il continue à clamer qu'il n'a rien à voir avec les quatre premiers meurtres.

Je ne le crois pas. Le fait qu'il manque toujours deux corps a contribué à nourrir les spéculations et le mystère. Et à attirer davantage l'attention sur Wayne. À mon avis, il doit aimer ça. Mais l'incertitude – ce flou artistique –, ça fait atrocement mal.

J'aimais ma sœur. Tout le monde l'aimait. On s'imagine qu'il n'y a pas plus cruel que la mort. C'est faux. En fin de compte, l'espoir est un maître bien plus tyrannique. Quand on vit aussi longtemps que moi avec cette épée de Damoclès au-dessus de la tête, pendant des jours, des mois, puis des années, on prie pour qu'elle tombe. La plupart des gens croyaient que ma mère avait pris le large à cause du meurtre de ma sœur. En fait, c'est l'inverse. Ma mère est partie parce que nous n'avons jamais réussi à prouver que sa fille était morte assassinée.

J'aurais aimé que Wayne Steubens nous dise ce qu'il lui avait fait. Pas pour offrir à Camille une sépulture digne de ce nom, non. Ça n'avait rien à voir. La mort est comme un coup de masse, de la destruction pure. Elle frappe, vous êtes terrassé, vous vous relevez pour reconstruire. Mais ne pas savoir – le doute, le flou –, c'était un peu comme l'action des termites ou d'un germe insidieux. Ça vous ronge de l'intérieur. On ne peut pas empêcher la pourriture de proliférer. On ne peut pas reconstruire car la mort continuera son œuvre d'érosion.

Et elle continue, d'ailleurs.

Cette partie-là de ma vie, malgré tous mes efforts pour la préserver, a été exploitée par les médias. Une rapide recherche sur Google aurait vite fait d'établir un lien entre ma personne et le mystère des « disparus de la colo », ainsi qu'on les avait surnommés. Mieux encore, cette histoire repassait régulièrement dans les émissions de télé-réalité sur Discovery ou Court TV. J'y étais, cette nuit-là, dans ces bois. Mon nom figure dans tous les procès-verbaux. J'avais été questionné par la police. Interrogé. Suspecté même.

Donc, ils étaient au courant.

J'ai préféré ne pas répondre. York et Dillon n'ont pas insisté.

Arrivés à l'institut médico-légal, ils m'ont escorté dans un long couloir. Personne ne parlait. Je ne savais trop que penser. La remarque d'York n'était pas dénuée de fondement. J'étais de l'autre côté de la barrière. J'avais vu tant de témoins prendre ce même chemin. J'avais observé toutes sortes de réactions. Au début, ils font preuve de stoïcisme. Allez savoir pourquoi. Pour s'armer de courage ? Ou parce qu'il subsiste – encore ce mot – une toute petite lueur d'espoir ? Un espoir qui s'évanouit rapidement. Il n'y a pas d'erreurs en matière d'identification. Si on vous dit que c'est un de vos proches, alors ça l'est. La morgue n'est pas le théâtre des miracles de dernière minute. Sûrement pas.

Je savais qu'ils m'observaient, m'épiaient, guettaient ma réaction. J'ai pris conscience de ma démarche, de ma posture, de l'expression de mon visage. Je faisais mon possible pour avoir l'air neutre. Oh ! et puis à quoi bon ?

Ils m'ont amené devant la baie vitrée. On n'entre pas dans la salle. On reste derrière la vitre. La pièce était carrelée afin qu'on puisse la nettoyer au jet : comme ça, pas de frais de décoration ni d'entretien particuliers. Toutes les tables roulantes étaient vides, sauf une. Le corps était recouvert d'un drap, mais on voyait une étiquette attachée à l'orteil. Ces étiquettes, elles existent vraiment. J'ai contemplé le gros orteil qui dépassait du drap... il m'était parfaitement inconnu. C'est ce que j'ai pensé. Je ne reconnaissais pas l'orteil de cet homme. Le cerveau vous joue de drôles de tours en situation de stress.

Une femme affublée d'un masque a roulé la table jusqu'à la baie vitrée. Savez-vous ce qui m'est revenu à l'esprit ? La naissance de ma fille. Je me souviens de la maternité. La baie vitrée était pratiquement la même, avec ces bandes en papier alu en forme de diamant. L'infirmière, qui avait la même taille que la femme de la morgue, avait roulé le chariot sur lequel ma petite fille

27

était allongée près de la vitre. Exactement comme maintenant. En temps ordinaire, j'y aurais vu un présage poignant – commencement, fin de la vie –, mais pas aujourd'hui.

Elle a rabattu le drap. J'ai jeté un coup d'œil sur le visage. Tous les regards étaient braqués sur moi. Je le savais. Le mort avait à peu près mon âge – trente-cinq, trente-six ans. Il était barbu. Avait le crâne rasé. Il portait un bonnet de douche. Totalement incongru, ce bonnet de douche. Sauf que j'en connaissais la raison.

— Une balle dans la tête ?

— Oui.

— Une seule ?

— Deux.

— Calibre ?

York s'est raclé la gorge, comme pour me rappeler que ceci n'était pas mon enquête.

— Vous le connaissiez ?

J'ai regardé de plus près.

— Non.

— Vous en êtes sûr ?

J'allais hocher la tête quand soudain j'ai suspendu mon geste.

— Qu'y a-t-il ? a demandé York.

— Pourquoi suis-je ici ?

— Nous voulons savoir si vous connaissiez…

— OK, d'accord, mais qu'est-ce qui vous fait croire que je pourrais le connaître ?

J'ai louché dans sa direction et je l'ai vu échanger un regard avec Dillon. Ce dernier a haussé les épaules. York a saisi la perche.

— Il avait votre adresse dans sa poche. Et un paquet de coupures de presse vous concernant.

— Je suis un personnage public.

— Ça, on le sait.

Il s'est tu. Je me suis tourné vers lui.

— Quoi d'autre ?

— Ces coupures de presse ne parlaient pas de vous. Enfin, pas directement.

— De quoi parlaient-elles alors ?

— De votre sœur. Et de ce qui est arrivé dans ces bois.

La température ambiante a chuté d'une dizaine de degrés, mais bon, après tout on était à la morgue. J'ai essayé de prendre un ton dégagé.

— Il était peut-être accro aux faits divers. Il y a beaucoup de gens comme lui.

York a hésité. Consulté son coéquipier du regard.

— Autre chose ? ai-je demandé.

— Comment ça ?

— Il avait autre chose sur lui ?

York s'est tourné vers un subalterne que je n'avais même pas remarqué jusqu'ici.

— Peut-on montrer les effets personnels du défunt à M. Copeland ?

J'avais les yeux rivés sur le visage du mort. Il avait des rides, des cicatrices de variole. J'ai essayé d'en faire abstraction. Oui, Manolo Santiago m'était inconnu.

Quelqu'un a sorti un sac en plastique rouge réservé aux pièces à conviction. Il l'a vidé sur une table. À distance, j'ai aperçu un jean et une chemise de flanelle. Il y avait aussi un portefeuille et un téléphone portable.

— Vous avez vérifié le portable ?

— Ouais. C'est un modèle jetable. Il venait sûrement de l'acheter car la mémoire est vide.

J'ai détaché mon regard du visage du mort et je me suis approché de la table. Mes jambes flageolaient.

Il y avait là des feuilles de papier pliées. J'en ai déplié une soigneusement. L'article de *Newsweek*. Avec les photos des quatre ados... les premières victimes de l'Égorgeur de l'été. Ils commençaient toujours par Margot Green, vu que son corps avait été retrouvé pratiquement tout de suite. Il avait fallu un jour de plus pour localiser Doug Billingham. Mais le véritable intérêt résidait dans les deux autres. On avait trouvé du sang et des vêtements déchirés, appartenant à ma sœur et à Gil Perez... mais de cadavres, point.

Pourquoi ?

Les réponses sont simples. Le terrain était vaste. Wayne Steubens les avait bien cachés. Mais certains, les amateurs d'énigmes et autres complots, n'adhéraient pas à cette version. Pourquoi ces deux-là ? Comment Steubens avait-il pu transporter et enterrer les corps aussi vite ? Avait-il un complice ? Comment avait-il procédé ? Et d'abord, que faisaient ces quatre jeunes dans ces bois ?

Aujourd'hui encore, dix-huit ans après l'arrestation de Wayne, on parle de « fantômes » dans les bois... ou peut-être existe-t-il une secte secrète dans une cabane abandonnée, des fous échappés de l'asile, des hommes avec un crochet à la place du bras ou qui seraient le fruit d'une expérience génétique qui aurait mal tourné. Ou bien, on parle du croquemitaine et de son feu de camp dont on a retrouvé les traces, avec les ossements des enfants qu'il avait dévorés éparpillés autour. On raconte que, la nuit, on peut entendre Gil Perez et ma sœur Camille hurler pour réclamer vengeance.

J'en ai passé, des nuits, seul dans ces bois. Je n'ai jamais entendu le moindre hurlement.

Mon regard a glissé de la photo de Margot Green vers celle de Doug Billingham. La photographie de ma sœur venait juste après. Ce cliché, je l'avais vu un million de fois. Les médias l'affectionnaient en raison même de sa remarquable banalité. Là-dessus, Camille avait l'air d'une ado tout ce qu'il y a d'ordinaire, genre fille de la voisine ou baby-sitter qui vient garder vos mouflets. Ce n'était pas elle du tout. Ma sœur était espiègle, avec des yeux pétillants et un sourire en coin à faire tomber les garçons par terre. Cette photo ne lui correspondait guère. Elle était bien plus que ça. Et c'est peut-être ce qui lui avait coûté la vie.

J'allais reporter mon attention sur le dernier portrait, celui de Gil Perez, quand quelque chose m'a stoppé net.

Mon cœur s'est arrêté. Je sais, ç'a un côté mélodramatique, pourtant c'est exactement l'impression que j'ai eue. J'ai vu le petit tas de pièces de monnaie sorti de la poche de Manolo Santiago, et j'ai senti une main s'insinuer dans ma poitrine, me serrer le cœur si fort qu'il ne pouvait même plus battre.

J'ai eu un mouvement de recul.

— Monsieur Copeland ?

Comme animés d'une volonté propre, mes doigts s'en sont emparés et l'ont portée à la hauteur de mes yeux.

C'était une bague. Une bague de fille.

J'ai regardé la photo de Gil Perez, le garçon assassiné dans les bois avec ma sœur. Je me suis revu vingt ans en arrière. Et je me suis souvenu de la cicatrice.

— Monsieur Copeland ?

— Montrez-moi son bras, ai-je dit.

— Pardon ?

— Son bras.

J'ai pivoté vers la vitre et désigné le cadavre.

— Montrez-moi son putain de bras.

York a fait signe à Dillon. Qui a pressé la touche de l'interphone.

— Il veut voir le bras de notre homme.

— Lequel ? a demandé la femme à la morgue.

Ils m'ont regardé.

— Je ne sais pas. Les deux, allez. Ils avaient l'air perplexe, mais la femme s'est exécutée. Le drap a été retiré.

Le torse était velu à présent. Il avait pris du poids, une bonne quinzaine de kilos depuis ce temps-là, mais cela n'avait rien d'étonnant. Il avait changé. Comme nous tous. Mais ce n'était pas ce qui m'intéressait. Je scrutais son bras, cherchant la cicatrice aux bords déchiquetés.

Elle était là.

Sur son bras gauche. Je n'ai pas bronché. Comme si une partie de mon monde venait de disparaître, je suis resté là, hagard, sans bouger.

— Monsieur Copeland ?

— Je le connais, ai-je dit.

— Qui est-ce ?

J'ai indiqué la photo sur la page de magazine.

— Son nom est Gil Perez.

2

IL FUT UN TEMPS OÙ LE PR LUCY GOLD, titulaire d'un doctorat d'anglais et d'un de psychologie, aimait les heures de permanence.

C'était une aubaine, ces tête-à-tête avec les étudiants, pour apprendre à bien les connaître. Surtout quand les plus discrets – ceux qui se mettaient au fond de la salle et prenaient des notes comme sous la dictée, ceux qui se cachaient derrière un rideau de cheveux – arrivaient à sa porte, levaient les yeux et lui confiaient ce qu'ils avaient sur le cœur.

Mais la plupart du temps, comme ç'avait été le cas tout à l'heure, les étudiants qui se manifestaient étaient des fayots, persuadés que leurs notes dépendaient uniquement du degré d'enthousiasme qu'ils affichaient, dans un pays où l'extraversion n'était pas récompensée à sa juste valeur.

— Professeur Gold, dit Sylvia Potter.

Lucy l'imaginait un peu plus jeune, au collège. Le genre de fille horripilante qui arrivait le jour de l'interro en pleurnichant qu'elle allait tout rater, qui terminait la première, rendait sa copie A+ en avance et, pour tuer le temps, collait des œillets dans son classeur.

— Oui, Sylvia ?

— Quand vous avez lu ce passage de Yeats tout à l'heure, en cours, je veux dire, c'était très émouvant ! Entre les mots eux-mêmes et la façon dont vous avez modulé votre voix, comme une véritable actrice…

Lucy Gold avait envie de répondre : « Rendez-moi un service – préparez-moi plutôt des brownies. » Cependant, elle a gardé le sourire. Sa tâche n'était pas facile. Elle a jeté un œil à sa montre et aussitôt s'en est voulu à mort. Sylvia était une étudiante qui faisait de son mieux. Chacun a sa méthode pour faire face, s'adapter et survivre. Celle de Sylvia était sans doute plus sensée et moins autodestructrice que celle de beaucoup d'autres.

— J'ai aussi adoré l'idée du journal intime.

— Tant mieux.

— Moi, j'ai écrit sur… enfin, sur la première fois où… vous voyez ce que je veux dire.

Lucy Gold a hoché la tête.

— N'oubliez pas qu'ils doivent rester anonymes et confidentiels.

— Ah oui, c'est vrai !

Elle a baissé les yeux. Lucy a trouvé ça bizarre. Sylvia ne baissait jamais les yeux.

— Peut-être que, quand je les aurai tous lus, a repris Lucy, si vous le souhaitez, on pourra reparler du vôtre. En privé.

Elle avait toujours la tête baissée.

— Sylvia ?

La jeune fille a exhalé dans un souffle :

— OK.

La permanence était terminée. Lucy avait envie de rentrer. S'efforçant de cacher son manque d'enthousiasme, elle a demandé :

— Vous voulez qu'on en parle maintenant ?

— Non.

Sylvia continuait à regarder fixement le plancher.

— Très bien.

Lucy a consulté sa montre d'un geste ostensible.

— J'ai une réunion pédagogique dans dix minutes.

Sylvia s'est levée.

— Merci de m'avoir reçue.

— Mais je vous en prie, Sylvia.

L'étudiante a paru sur le point d'ajouter quelque chose. Finalement, elle est partie sans rien dire. Postée à la fenêtre, Lucy a regardé en bas, dans la cour. Sylvia est sortie, s'est essuyé le visage et, redressant la tête, a plaqué un sourire sur ses lèvres. Elle a traversé le campus d'un pas sautillant, saluant des amis au passage, et s'est jointe à un groupe jusqu'à se fondre dans la masse.

Lucy a détourné le regard. Elle a surpris son reflet dans la glace et n'a pas aimé ce qu'elle y a vu. Sylvia avait-elle lancé un appel à l'aide ?

Probablement, Luce, et tu n'as pas répondu. Beau travail, madame le professeur.

Se rasseyant à son bureau, elle a ouvert le tiroir du bas. Celui qui contenait la bouteille de vodka. C'était bien, la vodka. Ça ne laissait pas d'odeur.

La porte de son bureau s'est ouverte. L'homme qui est entré avait de longs cheveux noirs rabattus en arrière et plusieurs boucles d'oreilles. Mal rasé selon le look à la mode, il était beau comme un chanteur de boys band vieillissant. Il avait un clou en argent au menton, ce qui n'était pas forcément à son avantage, un pantalon taille basse à peine retenu par un ceinturon clouté et un tatouage dans le cou qui disait CROISSEZ ET MULTIPLIEZ-VOUS.

— Vous, a-t-il proclamé, la gratifiant de son sourire le plus éclatant, vous avez l'air éminemment mettable.

— Merci, Lonnie.

— Je suis sérieux, là. Éminemment mettable.

Bien qu'ils aient le même âge, Lonnie Berger était son assistant chargé des travaux dirigés. Pris au piège d'un interminable cursus universitaire, il accumulait les diplômes et traînait sur le campus, trahi par les rides au coin de ses yeux. Lassé du politiquement correct en matière de sexe, il s'escrimait désormais à pousser le bouchon toujours plus loin et à se faire le plus de femmes possible.

— Vous devriez porter des trucs un peu plus décolletés, ou un de ces nouveaux push-up, a ajouté Lonnie. Peut-être que les garçons écouteraient mieux en cours.

— Oui, la fin justifie les moyens.

— Sincèrement, chef, c'était quand, la dernière fois que vous avez baisé ?

— Ça fait huit mois, six jours et environ… (un coup d'œil à la montre)… quatre heures.

Il a éclaté de rire.

— Vous me faites marcher, hein ?

Lucy s'est contentée de le regarder.

— J'ai imprimé les journaux, a-t-il annoncé. Les journaux intimes, anonymes et confidentiels.

Lucy enseignait ce que l'université avait baptisé « la dialectique créative », un mélange des nouvelles pratiques à la mode en matière de psychologie, de création littéraire et de philosophie. À dire vrai, elle aimait beaucoup ça. Chaque étudiant était censé décrire un traumatisme subi dans le passé, quelque chose que, d'ordinaire, il n'aurait confié à personne. Aucun nom n'était cité. Aucune note n'était attribuée. Si l'étudiant anonyme en donnait l'autorisation en bas de page, Lucy pouvait lire des extraits de sa prose en classe pour susciter des débats… toujours en préservant l'anonymat de l'auteur.

— Vous avez commencé à les lire ? a-t-elle demandé.

Lonnie a hoché la tête et s'est assis sur le siège que Sylvia avait occupé quelques minutes auparavant. Il a posé les pieds sur le bureau.

— Comme d'hab, a-t-il lâché.

— De l'érotisme de pacotille ?

— Je dirais plutôt du porno soft.

— Quelle est la différence ?

— Si je le savais ! Je vous ai parlé de ma nouvelle nana ?

— Non.

— Elle est craquante.

— Hum.

— Sérieusement. Elle est serveuse. Une chaudasse comme je n'en ai jamais connu.

— Et c'est censé m'intéresser parce que… ?

— Jalouse ?

— Oui, ce doit être ça. Donnez-moi les copies, voulez-vous ?

Lonnie lui en a tendu quelques-unes. Ils se sont mis à les feuilleter. Cinq minutes plus tard, il a secoué la tête.

Lucy a réagi :

— Quoi ?

— Ils ont quel âge, ces mômes ? Une vingtaine d'années ?

— Oui.

— Et leurs séances de galipettes durent à chaque fois deux heures, c'est bien ça ?

— L'imagination créatrice, a souri Lucy.

— De votre temps, les garçons duraient aussi longtemps ?

— Même aujourd'hui, ils ne tiennent pas autant.

Lonnie a arqué un sourcil.

— C'est parce que vous êtes trop bonne. Ils sont incapables de se contrôler. En fait, c'est votre faute.

— Mmmouais.

Elle s'est tapoté la lèvre avec l'embout du crayon côté gomme.

— Ce n'est pas la première fois que vous employez cette phrase, hein ?

— Vous croyez que je devrais me renouveler ? Je n'ai pas encore couché avec ma serveuse, mais, nom d'un chien, elle est tellement chaude que j'ai peur de tout foirer. Genre conclure trop vite, vous comprenez ? Genre rater le lancement. Genre…

— J'ai compris, Lonnie.

— Et la phrase : « Je n'ai encore jamais connu ça, je le jure » ?

— Bip-bip-bip, a fait Lucy. Le numéro que vous avez demandé n'est plus attribué.

— Zut.

Ils se sont replongés dans la lecture. Lonnie a émis un sifflement.

— Peut-être qu'on n'a pas été jeunes au bon moment, tout simplement.

— Ça doit être ça.

— Luce ?

Il a levé les yeux par-dessus le papier.

— Franchement, vous devriez vous y remettre.

— Hum.

— Je suis prêt à vous aider. Sans aucun engagement de part et d'autre.

— Et votre craquante serveuse ?

— On ne s'est rien promis.

— Je vois.

— Ce que je vous propose, c'est purement physique. Une purge mutuelle des circuits, si vous me suivez.

— Votre romantisme risque de me faire défaillir.

— C'était juste pour causer.

— Chut, Lonnie, je suis en train de lire.

Une demi-heure plus tard, Lonnie s'est redressé et l'a regardée.

— Oui ?

— Lisez-moi ça, a-t-il dit.

— Pourquoi ?

— Lisez, je vous dis.

Haussant les épaules, elle a reposé la copie qu'elle avait à la main. La fille parlait d'une cuite qu'elle avait prise avec son nouveau copain et qui s'était terminée par une partie à trois. Des histoires de parties à trois, elle en avait lu des tonnes. Généralement, l'alcool est un bon désinhibiteur.

La minute d'après, elle avait tout oublié. Elle avait oublié qu'elle vivait seule, sans véritable famille, qu'elle était professeur d'université, qu'elle se trouvait dans son bureau et que Lonnie était assis en face d'elle. Lucy Gold n'était plus. L'avait remplacée une toute jeune femme, une jeune fille, plus précisément, avec un nom différent... une fille tout juste sortie de l'adolescence.

« Cela s'est passé quand j'avais dix-sept ans. J'étais dans une colonie de vacances. J'y travaillais comme monitrice stagiaire. Ce boulot, je n'ai eu aucun mal à le décrocher vu que le patron, c'était mon papa... »

Lucy s'est interrompue. Elle a regardé la première page. Pas de nom, évidemment. Les étudiants expédiaient leurs textes par e-mail avec l'adresse de l'université. Et Lonnie les imprimait. Normalement, il n'y avait aucun moyen de connaître le nom de l'expéditeur. C'était une sécurité. On ne risquait même pas d'y laisser ses empreintes digitales. Il suffisait de cliquer sur « Envoi ».

« Ç'a été le plus bel été de ma vie. En tout cas, jusqu'à cette nuit-là. Aujourd'hui encore, je sais que je ne revivrai jamais des instants pareils. C'est drôle, hein ? Mais je le sais. Je sais que plus jamais je ne serai heureuse comme je l'ai été. Plus jamais. Mon sourire est différent. Il est plus triste, comme s'il était cassé et qu'il était impossible de le réparer.

Cet été-là, j'ai été amoureuse d'un garçon. Pour les besoins du récit, je l'appellerai P. Il était moniteur lui aussi. Toute sa famille était là. Sa sœur et son père, qui occupait le poste de médecin de la colo. Mais je les remarquais à peine car depuis que j'avais rencontré P., j'avais des papillons dans l'estomac.

Je sais ce que vous pensez. Que c'était juste une vulgaire amourette de vacances. Mais vous vous trompez. Aujourd'hui, j'ai peur de ne plus jamais aimer comme je l'ai aimé, lui. Ça paraît bête. C'est ce que tout le monde pense en général de ce genre de relation. Les gens ont peut-être raison. Je ne sais pas. Je suis très jeune encore. Mais ce n'est pas ce que je ressens. Mon sentiment, c'est que j'ai rencontré le bonheur et que je l'ai laissé filer. »

Un trou béant s'est ouvert dans la poitrine de Lucy.

« Une nuit, nous sommes allés dans les bois. Ce qui nous était interdit. Le règlement était très strict là-dessus. J'étais bien placée pour le savoir : je fréquentais cette colo depuis l'âge de huit ans. Depuis que mon père en était devenu le propriétaire. Seulement, P. était de garde cette nuit-là. Et moi, en tant que fille du patron, je pouvais aller et venir comme bon me semblait. Cool, non ? Deux ados amoureux censés surveiller d'autres ados ? Quelle blague !

Il ne voulait pas y aller, il voulait rester à son poste, mais je suis arrivée à le convaincre. Aujourd'hui, je le regrette, bien sûr. Mais bon, ce qui est fait est fait. Nous nous sommes enfoncés dans les bois, rien que nous deux. Seuls. Ils sont immenses, ces bois. Si on sort du sentier, on peut s'y perdre. J'avais entendu parler de gosses qui n'en étaient jamais revenus. On disait qu'ils continuaient à errer là-bas, vivant comme des animaux. On disait aussi qu'ils étaient morts, ou pis. Des histoires qu'on se raconte autour d'un feu de camp, quoi.

Moi, ces histoires me faisaient marrer. Je n'avais pas peur. Maintenant, je frissonne rien que d'y penser.

On a marché, marché. Je connaissais le chemin. P. me tenait la main. Il fait très sombre dans ces bois. On n'y voit pas à plus de trois mètres. On a entendu un bruissement et compris que nous n'étions pas seuls. Je me suis figée, mais P., je m'en souviens, a souri dans le noir et secoué la tête d'un drôle d'air. La seule raison pour laquelle les adolescents se retrouvaient dans le bois, c'était… enfin, c'était une colonie mixte. Les filles d'un côté, les garçons de l'autre, avec cette bande boisée au milieu. Vous voyez le tableau.

P. a poussé un soupir. "On devrait aller voir ce que c'est", a-t-il dit. Ou quelque chose comme ça. Je ne me rappelle plus ses paroles exactes.

Moi, je ne voulais pas. Je voulais être seule avec lui.

Ma lampe de poche n'avait plus de piles. Encore maintenant, je me souviens que mon cœur battait à tout rompre quand nous nous sommes engagés sous les arbres. J'étais là, dans le noir, la main dans celle du garçon que j'aimais. Il suffisait qu'il me touche pour que je fonde. Vous connaissez cette sensation ? Quand on ne supporte pas d'être ne serait-ce que cinq minutes loin de l'autre. Quand on ramène tout à lui. On est en train de faire quelque chose, n'importe quoi, et on se dit : "Qu'en penserait-il ?" C'est totalement insensé comme sentiment. C'est merveilleux, mais ça fait mal en même temps. On est tellement vulnérable, tellement à vif que ça fait peur.

"Chut, a-t-il murmuré. Arrête-toi."

On s'est arrêtés.

P. m'a attirée derrière un arbre. Il a encadré mon visage de ses mains. Elles étaient grandes, j'adorais les sentir sur moi. Il a levé mon menton, puis il m'a embrassée. La sensation a parcouru tout mon corps. Ce genre de frémissement qui naît en plein cœur avant de se propager. Il a posé une main sur mon torse, juste à côté de mon sein. Je n'en pouvais plus. J'ai gémi tout haut.

On s'est embrassés encore et encore. C'était intense. J'étais en feu. Il a glissé sa main sous mon chemisier. Je n'en dirai pas plus. Je n'ai plus pensé au bruissement dans les bois. Nous aurions dû alerter quelqu'un. Nous aurions dû les empêcher d'aller plus loin. Au lieu de ça, nous avons fait l'amour.

J'étais tellement ailleurs que je n'ai pas entendu les cris tout de suite. À mon avis, P. non plus.

Mais on continuait à crier… Vous savez, les gens qui décrivent leurs expériences aux portes de la mort ? Eh bien, c'était pareil, mais dans l'autre sens. Comme si nous nous dirigions tous les deux vers une lumière rayonnante, et que ces cris étaient une corde qui nous tirait en arrière, même si on n'avait pas envie de revenir.

Il a cessé de m'embrasser. Et ç'a été le plus terrible.

Parce qu'il ne l'a plus jamais fait. »

Lucy a tourné la page, mais le verso était vierge. Elle a relevé vivement la tête.

— Où est le reste ?

— C'est tout. Vous leur avez dit d'envoyer leurs travaux passage par passage, rappelez-vous. C'est tout ce qu'il y avait.

Elle paraissait absente tout à coup.

— Luce, ça va ?

— Vous êtes calé en informatique, n'est-ce pas, Lonnie ?

À nouveau, il a arqué un sourcil.

— Je suis bien meilleur en filles.

— Croyez-vous que je sois d'humeur ?

— OK, d'accord, je me débrouille. Pourquoi ?

— Il faut que je sache qui a écrit cela.

— Mais…

— Il faut, a-t-elle répété, que je sache qui a écrit ça.

Il a scruté son visage. Elle savait ce qu'il pensait. Que c'était aller contre tous leurs principes. Des récits horribles, ils en avaient lu des tas ; cette année, il était même question d'inceste, mais jamais ils n'avaient cherché à identifier les auteurs.

— Vous voulez bien m'expliquer de quoi il s'agit ? a demandé Lonnie.

— Non.

— Mais vous me demandez de trahir les règles de confidentialité que nous avons nous-mêmes instaurées ?

— Oui.

— C'est si grave que ça ?

Elle l'a regardé.

— Bon ben, au diable les principes, dit Lonnie. Je vais voir ce que je peux faire.

— C'EST GIL PEREZ, JE VOUS DIS.

— Le gars qui est mort avec votre sœur il y a vingt ans ?

— Visiblement, ai-je répondu, il n'était pas mort.

Je ne pense pas qu'ils m'aient cru.

— C'est peut-être son frère, a hasardé York.

— Avec la bague de ma sœur ?

— Cette bague n'a rien d'extraordinaire, a ajouté Dillon. À l'époque, c'était la grande mode. Il me semble bien que ma petite sœur avait la même. On a dû la lui offrir pour ses seize ans. La bague de votre sœur portait-elle une inscription ?

— Non.

— Donc, on ne peut pas se prononcer avec certitude.

Nous avons discuté quelques minutes encore, mais il n'y avait pas grand-chose à ajouter. En fait, je ne savais rien. Ils ont promis de me tenir au courant. Ils allaient contacter la famille de Gil Perez pour procéder à une identification. Je ne savais pas quoi faire. Je me sentais perdu. Hébété et en pleine confusion.

Mon BlackBerry et mon portable étaient en train de péter les plombs. J'étais déjà en retard à mon rendez-vous avec les avocats de la défense pour le plus gros dossier de toute ma carrière. Deux jeunes d'un milieu aisé, résidant dans la banlieue chic de Short Hills, étaient accusés du viol d'une Afro-Américaine de seize ans, du nom – et celui-ci n'aidait pas – de Chamique Johnson. Le procès était en cours, mais il y avait eu un ajournement, et j'espérais négocier la sentence – une peine de prison – avant la reprise des auditions.

Les flics m'ont déposé au bureau à Newark. Les avocats de la partie adverse allaient croire que ce retard était calculé, mais tant pis. Quand je suis entré, ils étaient déjà assis.

L'un des deux, Mort Pubin, s'est levé en hurlant :

— Espèce d'enfoiré ! Vous savez l'heure qu'il est, hein ?

— Vous n'auriez pas maigri, Mort ?

— Arrêtez vos conneries.

— Non, attendez, ce n'est pas ça. Vous avez grandi. Comme un vrai petit gars.

— Allez vous faire foutre, Cope. Ça fait une heure qu'on est là !

L'autre avocat, Flair Hickory, n'avait pas bronché ; jambes croisées, il avait l'air de s'en ficher royalement. Lui me préoccupait plus. Mort était bruyant, teigneux et m'as-tu-vu. Flair, lui, était redoutable. Il ne collait pas au stéréotype de l'avocat pénaliste. Pour commencer, Flair – il jurait que c'était son vrai prénom, mais j'avais un doute là-dessus – était gay. D'accord, il n'y avait pas de quoi en faire un plat. Il y a plein d'avocats gays, mais Flair, lui, était gay de chez gay – théâtral, maniéré, légèrement zozotant, comme un enfant naturel de Liberace et Liza Minnelli élevé sur du Streisand et des bandes-son de comédies musicales.

Au prétoire, il ne dissimulait pas cet aspect de sa personnalité. Au contraire, il en rajoutait.

Pendant que Mort fulminait, il inspectait ses ongles manucurés. Le résultat a semblé le satisfaire. Après quoi, levant la main, il a fait taire son confrère d'un geste précieux et d'un zézayant :

— Assez !

Flair portait un costume violet. Ou peut-être était-il parme ou aubergine, je n'aurais su le dire. Les nuances, ce n'est pas mon fort. La chemise était de la même couleur. Ainsi que la cravate. Et la pochette. Et – Dieu de miséricorde – les chaussures également. Flair a surpris mon regard.

— Vous aimez ?

— Barney le dinosaure chez les Village People, ai-je répondu.

Il a froncé les sourcils.

— Quoi ?

— Barney, les Village People, a-t-il lâché avec une moue. Peut-on imaginer des références plus démodées ?

— J'allais proposer le Teletubby violet, mais je ne me rappelle plus son nom.

— Tinky-Winky. Et c'est tout aussi démodé.

Il a croisé les bras tout en poussant un soupir.

— Bien, maintenant qu'on est tous réunis dans ce bureau au décor clairement hétéro, finissons-en et laissons partir nos clients.

Je lui ai fait face.

— Ils sont coupables, Flair.

Il n'a pas nié.

— Vous allez vraiment faire venir à la barre cette effeuilleuse disjonctée doublée d'une prostituée ?

Je m'apprêtais à la défendre, mais les faits, il les connaissait déjà.

— Parfaitement.

Flair a réprimé un sourire.

— Je n'en ferai qu'une bouchée.

Je n'ai rien dit.

Je savais que ce n'était pas une menace en l'air. Cet homme était capable de tailler quelqu'un en pièces sans jamais entamer le capital de sympathie dont il jouissait auprès du public. Je l'avais déjà vu à l'œuvre. On aurait pu croire que dans chaque jury se trouverait quelques homophobes tout disposés à le prendre en grippe. En fait, ça n'arrivait jamais. Les femmes avaient envie de faire du shopping avec lui et de lui confier leurs problèmes conjugaux. Les hommes n'imaginaient pas un seul instant qu'il pouvait représenter une menace pour eux.

Ce qui en faisait un adversaire extrêmement dangereux.

— Vous cherchez quoi ? ai-je demandé.

Flair a eu un large sourire.

— On a les chocottes ?

— J'espère seulement éviter à une victime de viol de se faire brutaliser par vous.

— Moi ?

Il a posé la main sur son cœur.

— Vous m'offusquez.

Je l'ai regardé. La porte s'est ouverte, et Loren Muse, mon enquêteur principal, est entrée. Muse avait mon âge, trente-cinq ans, et avait travaillé pour mon prédécesseur, Ed Steinberg.

Elle s'est assise sans un mot ni même un signe de salut.

Je me suis retourné vers Flair.

— Que voulez-vous ? ai-je répété.

— Tout d'abord, j'aimerais que Mlle Chamique Johnson présente ses excuses pour avoir sali la réputation de deux garçons vraiment très bien.

48

J'ai continué à le regarder.

— Mais nous nous contenterons d'un retrait immédiat de la plainte.

— Vous pouvez toujours rêver.

— Cope, Cope, Cope.

Flair a secoué la tête en claquant la langue.

— J'ai dit non.

— Vous êtes mignon tout plein en macho, mais vous le savez déjà, n'est-ce pas ?

Flair a jeté un regard sur Loren Muse. Une expression consternée s'est peinte sur son visage.

— Dieu du ciel, comment êtes-vous habillée ?

Muse s'est redressée.

— Pardon ?

— Votre tenue vestimentaire. On se croirait dans une abominable émission de télé-réalité de la Fox : *Quand une femme policier cherche à s'habiller.* Juste ciel. Et ces chaussures…

— Elles sont fonctionnelles, a répondu Muse.

— Mon chou, règle numéro un de la mode : les mots *chaussures* et *fonctionnelles* ne doivent jamais figurer dans une même phrase.

Sans ciller, Flair s'est tourné vers moi :

— Nos clients plaident un écart de conduite, et vous leur accordez un sursis.

— Non.

— Puis-je vous dire deux mots ?

— Ce ne serait pas *chaussures* et *fonctionnelles*, par hasard ?

— Non, quelque chose d'infiniment plus désagréable pour vous, je le crains : Cal et Jim.

Il a marqué une pause. J'ai jeté un regard à Muse. Elle a remué sur son siège.

— Ces deux petits noms, a poursuivi Flair d'une voix

49

chantante. Cal et Jim. Si mélodieux à mes oreilles. Comprenez-vous ce que je dis là, Cope ?

Je n'ai pas mordu à l'hameçon.

— Dans la déposition de votre prétendue victime… vous l'avez lue, sa déposition, n'est-ce pas ?… elle affirme clairement que ses violeurs se nommaient Cal et Jim.

— Ça ne veut rien dire.

— Ma foi, chéri – concentrez-vous, hein, car ceci pourrait être très important pour notre procès –, nos clients s'appellent Barry Marantz et Edward Jenrette. Pas Cal et Jim. Barry et Edward. Répétez après moi. Allez, vous pouvez y arriver. Barry et Edward. Alors, ces deux noms sonnent-ils comme Cal et Jim ?

C'est Mort Pubin qui a répondu. Avec un grand sourire :

— Pas du tout, Flair.

Je suis resté impassible.

— Et ça, c'est la déposition de votre victime, a repris Flair. Une merveille du genre. Attendez que je la retrouve. J'adore. Mort, vous l'avez ? Un instant, ça y est, la voilà.

Il a chaussé ses demi-lunes. S'est éclairci la gorge et, changeant de voix a lu :

— « Les deux garçons qui ont fait ça. Ils s'appelaient Cal et Jim. »

Il a abaissé le papier et levé les yeux, comme s'il attendait des applaudissements.

— On a prélevé sur elle du sperme de Barry Marantz, ai-je dit.

— Ah oui ! mais Barry – joli garçon, soit dit en passant, et nous savons bien que ça joue – admet avoir eu des rapports sexuels avec la jeune et consentante Mlle Johnson plus tôt dans la soirée. Tout le monde sait que Chamique est venue dans la résidence de leur fraternité… Vous ne le contestez pas, n'est-ce pas ?

Je n'aimais pas ça, mais j'ai répondu quand même :

— Non, je ne le conteste pas.

— En fait, nous sommes d'accord tous les deux sur le fait que Chamique Johnson a travaillé là-bas la semaine précédente comme strip-teaseuse.

— Danseuse exotique, ai-je rectifié.

Il a coulé un regard vers moi.

— Elle y est retournée. Sans aucune promesse de rétribution. On est toujours d'accord, n'est-ce pas ?

Il n'a pas attendu ma réponse.

— Et j'ai cinq ou six garçons qui peuvent témoigner de son attitude très amicale envers Barry. Allons, Cope. Vous connaissez la chanson. Elle est strip-teaseuse. Elle est mineure. Elle s'introduit dans une soirée d'étudiants. Se fait alpaguer par un gosse de riches. Il la largue, ne la rappelle pas, que sais-je. Elle prend la mouche.

— Et plein de bleus, ai-je dit.

Mort Pubin a tapé sur la table avec un poing qui ressemblait à un chat écrasé.

— Tout ce qu'elle veut, c'est toucher le jackpot.

— Pas maintenant, Mort, a dit Flair.

— On s'en tape. C'est toujours la même histoire. Elle les traîne en justice parce qu'ils sont pétés de thunes.

Il m'a décoché son regard le plus meurtrier.

— Vous êtes au courant que cette pute a un casier judiciaire ? Chamique… (il a étiré son prénom d'une voix moqueuse qui m'a agacé)… a déjà pris un avocat. Pour plumer nos deux gars. Ce qu'elle voit, cette pouffiasse, c'est un gros paquet de fric. C'est tout. Un énorme paquet de fric.

— Mort ? ai-je dit.

— Oui ?

— C'est très impoli d'interrompre les grandes personnes quand elles parlent.

— Vous ne valez pas mieux, Cope, a-t-il ricané.

J'ai attendu la suite.

— Vous avez engagé les poursuites pour la seule et unique raison qu'ils sont issus d'un milieu aisé. Ne dites pas le contraire. Ce couplet des pauvres contre les riches, vous l'avez même servi aux médias. Et vous savez ce qui cloche là-dedans ? Vous savez ce qui me les brise ?

Je les avais déjà chauffées à quelqu'un tout à l'heure, et voilà que je les brisais maintenant. Décidément, c'était mon jour.

— Dites-le-moi, Mort.

— C'est chose admise dans notre société.

— Quoi donc ?

— La haine des riches.

Il a levé les mains, indigné.

— On n'entend que ça. « Il est tellement riche, je le hais. » Voyez Enron et tous ces scandales. Aujourd'hui, c'est un leitmotiv qui a le vent en poupe : haïr les riches. Si jamais je m'avançais à dire : « Au fait, je hais les pauvres », je serais perdu. Mais dire du mal des riches ? C'est la voie royale. Tout le monde a le droit de haïr les riches.

Je l'ai regardé.

— Ils devraient peut-être créer une association d'entraide.

— Allez vous faire foutre, Cope.

— Non, sérieusement. Trump, les Halliburton. La vie a été injuste avec eux. Une association d'entraide, c'est une bonne idée. Et pourquoi pas un téléthon ?

Flair Hickory s'est levé. Avec un mouvement

théâtral, bien sûr. Je m'attendais presque à ce qu'il esquisse une courbette.

— Je crois que nous n'avons plus rien à nous dire. À demain, beau gosse. Quant à vous...

Il a regardé Loren, ouvert la bouche, l'a refermée et a frissonné.

— Flair ?

Il s'est tourné vers moi.

— Cette histoire de Cal et Jim. Ça prouve seulement qu'elle dit la vérité.

Il a souri.

— Comment ça ?

— Les garçons ne sont pas stupides. Ils ont utilisé les prénoms Cal et Jim entre eux comme un leurre pour égarer d'éventuels enquêteurs.

Il a haussé les sourcils.

— Vous croyez que ça va marcher ?

— Sinon, pourquoi aurait-elle dit cela, Flair ?

— Pardon ?

— Voyons, si ç'avait été un coup monté, pourquoi Chamique n'aurait-elle pas donné leurs véritables prénoms ? Pourquoi aurait-elle inventé ce dialogue entre Cal et Jim ? Vous avez lu la déposition. « Tourne-la un peu, Cal. » « Penche-la, Jim. » « Waouh, elle aime ça, Cal. »

J'ai haussé les épaules.

— Pourquoi irait-elle raconter tout ça ?

C'est Mort qui a répondu :

— Parce que c'est une pute qui ne pense qu'au fric et qui est bête comme ses pieds ?

Mais j'ai bien vu que j'avais marqué un point auprès de Flair.

— Ça ne tient pas debout, lui ai-je dit.

Il s'est penché vers moi.

— La question n'est pas là, Cope. Et vous le savez. Vous avez sûrement raison. Ça ne tient peut-être pas debout. Sauf que ça sème la confusion. Et la confusion est la meilleure alliée de mon partenaire préféré, M. le Doute-Bien-Fondé.

Il a souri.

— Vous disposez peut-être de preuves matérielles. Mais puisque vous amenez cette fille au tribunal, je ferai face. Ce sera jeu, set et match. Je ne vous apprends rien.

Ils se sont dirigés vers la porte.

— Ciao bye, mon grand. On se verra au prétoire.

4

PENDANT QUELQUES INSTANTS, Muse et moi n'avons pas dit un mot.

Cal et Jim. Ces prénoms-là nous restaient en travers de la gorge.

D'ordinaire, la place d'enquêteur principal est dévolue à vie à un type bourru, échaudé par tout ce qu'il a vu au fil des ans, avec un gros bide, de gros soupirs et un trench élimé. C'est à lui qu'il incombe de piloter le naïf procureur, parachuté à son poste comme moi pour des raisons politiques, à travers les arcanes du système juridique du comté d'Essex.

Loren Muse devait mesurer dans les un mètre cinquante et peser une quarantaine de kilos toute mouillée. Sa nomination avait provoqué un tollé chez les vieux briscards, oui, mais voilà, moi aussi, j'ai mes préjugés : je préfère employer des femmes célibataires d'un certain âge. Elles travaillent plus dur et sont plus loyales. Ça se passe comme ça pratiquement à chaque fois. Prenez une célibataire, disons, de trente-trois ans et plus : sa carrière, c'est sa vie et elle vous sera dévouée comme aucune femme mariée avec des gosses ne saurait l'être.

Pour être tout à fait honnête, Muse était également

une enquêteuse hors pair. J'aimais bien discuter avec elle. J'aurais bien aimé pouvoir dire qu'elle était ma « muse », mais je vous entends déjà gémir d'ici.

Pour le moment, elle regardait fixement le plancher.

— À quoi pensez-vous ? lui ai-je demandé.

— Ces pompes, elles sont si moches que ça ?

J'ai préféré ne faire aucun commentaire.

— En clair, a-t-elle poursuivi, si on n'arrive pas à prouver qu'ils se sont donné les noms de Cal et Jim pour tromper leur victime, on est cuits.

J'ai contemplé le plafond.

— Oui ? a dit Muse.

— Ces prénoms.

— Eh bien ?

— Pourquoi ? ai-je questionné pour la énième fois. Pourquoi Cal et Jim ?

— Je ne sais pas.

— Vous en avez reparlé avec Chamique ?

— Oui. Elle n'en démord pas. Ce sont exactement les prénoms qu'ils ont utilisés. Je crois que vous avez raison. C'est une sorte de leurre… pour faire croire qu'elle a inventé toute cette histoire.

— Mais pourquoi ces prénoms-là ?

— Ils ont dû les choisir au pif.

J'ai froncé les sourcils.

— Il y a un truc qui nous échappe, Muse.

Elle a hoché la tête.

— Je sais.

J'ai toujours su compartimenter ma vie. Je ne suis pas le seul, mais, sur ce point, je suis imbattable. Je peux créer des univers séparés dans mon propre monde. Gérer un aspect de mon existence sans qu'il interfère avec les autres. Certains, en regardant un film de gangsters, s'étonnent qu'on puisse être aussi violent dans la rue et

56

aussi affectueux et attentionné à la maison. Moi, j'y arrive très bien.

Je n'en suis pas fier. Ce n'est pas forcément une qualité dont on peut s'enorgueillir. Ça protège, d'accord, mais je connais aussi le genre d'actes que ça permet de couvrir.

Depuis une demi-heure, je m'employais donc à éluder les questions évidentes : si Gil Perez n'était pas mort lors de cette fameuse nuit, qu'avait-il fait pendant toutes ces années ? Et qu'était-il arrivé cette nuit-là dans les bois ? Et, bien sûr, *la* question : si Gil Perez avait survécu à la tuerie...

Ma sœur avait-elle survécu aussi ?

— Cope ?

C'était Muse.

— Que se passe-t-il ?

J'avais envie de tout lui raconter. Mais ce n'était pas le moment. Je devais remettre de l'ordre dans mes idées. Faire le point de la situation. Et m'assurer que ce corps était bien celui de Gil Perez. Je me suis levé.

— Cal et Jim. Il faut absolument qu'on trouve ce qu'il y a là-dessous... et vite.

La sœur de ma femme, Greta, et son mari, Bob, habitaient une villa aux allures de pseudo-manoir, au fond d'un cul-de-sac comme on en rencontre des milliers en Amérique du Nord. Les terrains sont bien trop petits pour les massives constructions en brique qui les occupent. Les maisons, malgré la variété des formes et des couleurs, se ressemblent toutes. Tout est un peu trop léché, et leur fausse patine les rend encore plus toc.

J'avais connu Greta avant ma femme. Je n'avais pas vingt ans quand ma mère est partie, mais je me rappelle une chose qu'elle m'avait dite quelques mois avant la disparition de Camille. Nous étions les citoyens les plus pauvres de toute la population plutôt mixte de notre ville. Des émigrés qui avaient quitté l'Union soviétique lorsque j'avais quatre ans, et Camille, presque trois. Tout avait bien commencé – nous étions arrivés aux États-Unis en héros –, mais les choses s'étaient gâtées très vite.

Nous habitions au dernier étage d'une maison divisée en trois logements à Newark, bien que nous allions au lycée de Columbia, à West Orange. Mon père, Vladimir Coplinski (il avait américanisé son nom en Copeland), qui avait travaillé comme médecin à Leningrad, n'avait pas le droit d'exercer son métier dans son nouveau pays. Il avait fini par décrocher un job de peintre en bâtiment. Ma mère, une beauté fragile prénommée Natacha, issue d'une famille aristocratique de professeurs d'université, faisait le ménage dans les foyers aisés de Short Hills et de Livingston, mais elle ne tenait jamais le coup bien longtemps.

Un jour, ma sœur Camille était rentrée du lycée et avait annoncé, malicieuse, qu'une fille de riches s'était amourachée de moi. La nouvelle avait mis ma mère en émoi.

— Tu devrais sortir avec elle.

J'avais grimacé.

— Tu l'as déjà vue ?

— Absolument.

— Alors je ne te fais pas un dessin, avais-je déclaré du haut de mes seize ans. Cette fille, c'est un cageot.

— Il y a un vieux proverbe russe, avait rétorqué ma mère, levant le doigt, qui dit : « Une fille riche est belle quand elle se tient sur son argent. »

C'était la première chose qui m'était venue à l'esprit lorsque j'avais rencontré Greta. Ses parents – mes anciens beaux-parents et toujours grands-parents de Cara – étaient pleins aux as. Ma femme venait d'un milieu de nantis. Tout son argent est placé au nom de Cara aujourd'hui. C'est moi qui suis chargé de la tutelle. Jane et moi, on a longuement discuté pour savoir à quel âge elle devait toucher le gros du capital. On ne confie pas une fortune pareille à quelqu'un de trop jeune, mais bon, d'un autre côté, cet argent est le sien.

Ma Jane a fait preuve d'un incroyable sens pratique après que les médecins eurent prononcé la sentence de mort. Moi, j'étais incapable d'écouter. On apprend beaucoup d'un être aimé qui vit ses dernières heures. J'ai découvert ainsi chez ma femme une force et un courage que je ne lui soupçonnais pas avant sa maladie. Et que moi je n'avais pas.

Cara et Madison, ma nièce, étaient en train de jouer dans l'allée. Les jours commençaient à rallonger. Assise sur l'asphalte, Madison dessinait à la craie des choses qui ressemblaient à des cigares. Ma fille pilotait une de ces mini-voitures motorisées qui ont un succès fou auprès des enfants de moins de six ans. Les gamins qui en possèdent ne jouent jamais avec. Au contraire de leurs petits camarades de jeux. Camarade de jeux, quelle expression stupide !

Je suis descendu de voiture.

— Salut, les mouflettes !

Je m'attendais à ce que ces deux fillettes de six ans interrompent ce qu'elles étaient en train de faire pour venir se jeter à mon cou. Bien sûr ! Madison a regardé dans ma direction, mais on l'aurait lobotomisée qu'elle n'aurait pas eu l'air plus impavide. Ma propre fille a fait mine de ne pas m'avoir entendu. Elle tournait en rond dans sa Jeep Barbie. La batterie était en train de rendre l'âme, et le véhicule électrique roulait à une allure d'escargot.

Greta a ouvert la porte moustiquaire.

— Salut !

— Salut, ai-je répondu. Alors, comment s'est passé le reste du spectacle de gym ?

— Tout à fait bien.

Elle a levé la main au niveau du front dans un pseudo-salut militaire.

— J'ai tout filmé.

— Super.

— Ils voulaient quoi, les deux flics ?

J'ai haussé les épaules.

— Rien, c'était pour le boulot.

Elle ne m'a pas cru, mais elle n'a pas insisté non plus.

— Le sac à dos de Cara est à l'intérieur.

La porte s'est refermée sur elle. Des ouvriers se sont pointés, ils venaient de derrière la maison. Bob et Greta faisaient creuser une piscine dans le jardin spécialement réaménagé à cet effet. Ils y songeaient depuis plusieurs années, mais ils avaient préféré attendre que Madison et Cara aient suffisamment grandi pour ne courir aucun risque.

— Allez, viens, ai-je dit à ma fille. Il faut qu'on rentre.

Elle m'a ignoré, comme si le bourdonnement de la Jeep rose la rendait sourde à toute autre stimulation auditive. Fronçant les sourcils, je me suis dirigé vers elle. Cara était têtue comme une mule. J'aurais aimé pouvoir dire « comme sa mère », sauf que ma Jane était la patience et la compréhension mêmes. C'est incroyable, ces qualités et ces défauts qu'on retrouve chez ses enfants. Dans le cas de ma fille, tous les défauts semblaient lui venir de moi.

Madison a lâché sa craie.

— Tu viens, Cara ?

Zéro réaction. Madison a haussé les épaules avec un soupir désabusé.

— Salut, tonton Cope.

— Salut, ma puce. Alors, vous vous êtes bien amusées toutes les deux ?

— Non, a répondu Madison, les mains sur les hanches. Cara ne joue jamais avec moi. Elle joue avec mes jouets, c'est tout.

J'ai tenté de prendre un air compatissant. Greta est sortie avec le sac à dos.

— Elle a déjà fait ses devoirs, a-t-elle dit.

— Merci.

Elle a balayé mes remerciements d'un geste de la main.

— Cara, ma chérie, ton père est là.

Toujours pas de réaction. Je savais qu'on allait avoir droit à un caprice. Là aussi, elle devait tenir de son père. Dans notre vision du monde à la Disney, le père veuf a une relation magique avec sa fille. Il n'y a qu'à voir les films pour enfants : *La Petite Sirène*, *La Belle et la Bête*, *La Petite Princesse*, *Aladin* et tutti quanti. À l'écran, on a l'impression que c'est plutôt sympa de perdre sa mère, ce qui est passablement pervers, quand on y pense. Car, dans la vraie vie, l'absence de la mère est la pire chose qui puisse arriver à une petite fille.

J'ai raffermi ma voix.

— Cara, on s'en va.

Elle a pris son air buté – je m'attendais à une confrontation –, mais, par chance, les dieux furent avec moi. La batterie de Barbie était complètement à plat. La Jeep rose s'est arrêtée. Cara a bien essayé de la propulser en avant, mais Barbie a refusé de bouger. En soupirant, Cara est descendue et s'est dirigée vers la voiture.

— Dis au revoir à tante Greta et à ta cousine.

Elle s'est exécutée, d'une voix maussade digne de n'importe quelle ado.

Une fois à la maison, Cara a allumé la télé sans demander la permission et s'est installée devant un épisode de *Bob l'éponge*. Visiblement, *Bob l'éponge* passait en boucle à la télévision. À croire qu'il existait une chaîne *Bob l'éponge*. Par ailleurs, la série semblait n'avoir que trois épisodes différents en tout et pour tout, mais ça ne fatigue nullement les gosses de voir toujours la même chose.

J'allais intervenir, mais je me suis abstenu. Pour le moment, l'essentiel était de l'occuper. Moi, j'avais suffisamment à faire avec l'affaire du viol de Chamique Johnson et la soudaine réapparition suivie du meurtre de Gil Perez. Je me rendais compte que mon grand procès, le plus important de ma carrière, était en train de partir en eau de boudin.

J'ai entrepris de préparer le dîner. En général, le soir, on mange dehors ou on se fait livrer. J'ai aussi une nounou-gouvernante ; aujourd'hui c'était son jour de congé.

— Un hot-dog, ça te va ?

— Si tu veux.

Le téléphone a sonné. J'ai décroché.

— Monsieur Copeland ? Inspecteur Tucker York à l'appareil.

— Oui, inspecteur, que puis-je pour vous ?

— On a localisé les parents de Gil Perez.

J'ai senti mes doigts se crisper sur le combiné.

— Ils ont identifié le corps ?

— Pas encore.

— Que leur avez-vous dit ?

— Écoutez, monsieur Copeland, sauf votre respect, ce n'est pas le genre de chose qu'on révèle au téléphone. « Votre enfant que vous aviez cru mort pendant toutes ces années a vécu jusqu'à hier mais là, maintenant, c'est sûr, il est bien mort, assassiné de deux balles dans la tête. »

— Je comprends.

— On est restés dans le vague. On va les conduire à la morgue pour voir s'ils identifient le corps. Autre chose : vous êtes sûr et certain qu'il s'agit de Gil Perez ?

— Pratiquement, oui.

— Vous êtes bien conscient que ça ne suffit pas ?

— Je sais.

— De toute façon, il est tard. Mon collègue et moi, on n'est plus en service. Demain matin, je demanderai à l'un de nos gars d'aller chercher les Perez.

— Vous m'appelez pour quelle raison, par politesse ?

— On peut dire ça comme ça, oui. Je sais l'intérêt que la découverte de ce corps revêt pour vous. Vous devriez peut-être y aller demain, au cas où.

— Où ça ?

— Mais à la morgue. Vous voulez qu'on passe vous prendre ?

— Non, je connais le chemin.

5

QUELQUES HEURES PLUS TARD, j'ai bordé ma fille dans son lit.

Cara ne m'a jamais posé de problème pour se coucher. Nous avons instauré un merveilleux rituel. Je lui fais la lecture. Pas parce que c'est recommandé par tous les magazines pour parents, mais parce qu'elle adore ça. Elle ne s'endort pas pour autant. Je lis tous les soirs, et pas une fois ça ne l'a assoupie. Moi, si. Certains de ses livres sont à pleurer. Je m'écroule sur place, dans son lit. Et elle ne dit rien.

Incapable de satisfaire son insatiable soif de lecture, j'ai fini par lui acheter des livres-cassettes. Une fois ma lecture achevée, elle peut écouter une face de la cassette – quarante-cinq minutes en général – avant de fermer les yeux et de se laisser glisser dans le sommeil. Cette règle, Cara l'accepte de bon cœur.

En ce moment, c'est Roald Dahl. Elle a les yeux grands ouverts. L'an dernier, lorsque je l'ai emmenée voir *Le Roi Lion* sur scène, je lui ai acheté une poupée Timon qui m'a coûté les yeux de la tête. Elle la serre contre elle. Timon est fana de lecture, lui aussi.

Ayant fini le chapitre du soir, j'ai embrassé Cara sur la joue. Elle sentait le shampooing pour bébé.

— Bonne nuit, papa.

— Bonne nuit, mon lapin.

Ces mômes ! Des fois on dirait Médée en pleine crise de nerfs, et l'instant d'après, vous avez affaire à un angelot.

J'ai mis le magnéto en marche et éteint la lumière. Puis je suis allé dans mon bureau et j'ai allumé mon ordinateur. J'ai un accès direct à mes fichiers professionnels. J'ai ouvert le dossier Chamique Johnson et me suis replongé dedans.

Cal et Jim.

Ma victime n'avait rien pour s'attirer la sympathie d'un jury. À seize ans, elle était déjà mère d'un enfant né hors mariage. Elle avait été arrêtée deux fois pour racolage et une fois pour possession de marijuana. Elle travaillait comme danseuse exotique dans les soirées privées – un euphémisme pour strip-teaseuse, d'accord. Les jurés allaient se demander ce qu'elle faisait dans une soirée d'étudiants. Ce n'est pas ça qui me décourageait. Au contraire, ça me rendait encore plus combatif. Pas pour rester politiquement correct, mais parce que je crois très, très fort que, en toute occasion qui la réclame, justice doit être faite. Si Chamique avait été blonde, vice-présidente du conseil d'étudiants, originaire de Livingston, fief réservé à la crème de la population blanche, et que les garçons aient été noirs…

Chamique était une personne, un être humain. Elle ne méritait pas ce que Barry Marantz et Edward Jenrette lui avaient fait subir.

Et j'allais les épingler pour ça !

J'ai repris l'affaire depuis le début. La maison de la fraternité était ultrachic, avec colonnes de marbre, lettres grecques, peinture fraîche et moquette. J'ai épluché les relevés du téléphone. Il y en avait des tonnes ; chaque gamin avait sa ligne personnelle, sans compter les portables, les SMS, les e-mails et les Black-Berry. L'un des enquêteurs de Muse avait vérifié tous les coups de fil passés lors de cette fameuse soirée. Il y en avait plus d'une centaine mais, à première vue, rien d'extraordinaire. Les factures étaient tout aussi banales : l'eau, l'électricité, leur compte au magasin de spiritueux du coin, le concierge, la télévision par câble, les services en ligne, NetFlix, des pizzas commandées sur Internet…

Une minute…

J'ai repensé à la déposition de la victime ; inutile de la relire – c'était révoltant et relativement précis. Les deux garçons avaient forcé Chamique à faire des choses, lui avaient imposé différentes positions, le tout sans cesser de parler. Quelque chose là-dedans, cette façon de la plier dans tous les sens…

Le téléphone a sonné. C'était Loren Muse.

— Bonnes nouvelles ? me suis-je enquis.

— À condition que vous accordiez du crédit à l'expression « Pas de nouvelles, bonnes nouvelles »…

— Eh non !

— Zut alors. Et de votre côté ? a-t-elle demandé.

Cal et Jim. Qu'est-ce qui m'échappait, à la fin ? C'était là, presque à ma portée. Vous connaissez cette sensation, la chose qu'on est sur le point de se rappeler, comme le nom du chien dans *Petticoat Junction* ou celui du boxeur interprété par M. T. dans *Rocky III* ? C'était pareil ici. Je l'avais sur le bout de la langue.

Cal et Jim.

La réponse était là, cachée dans un coin de mon cerveau. Et bon sang, je ne la lâcherai pas tant que je ne lui aurais pas mis la main dessus !

— Toujours rien, ai-je répondu. Mais on continue à chercher.

Le lendemain matin de bonne heure, l'inspecteur York s'est retrouvé face à M. et Mme Perez.

— Merci d'être venus, a-t-il dit.

À l'époque, il y a dix-huit ans, Mme Perez travaillait comme lingère à la colo, mais, depuis le drame, je ne l'avais revue qu'une seule fois. Les familles des victimes s'étaient réunies – les nantis, autrement dit les Green et plus encore les Billingham, et les pauvres, les Copeland, et plus encore les Perez – dans un cabinet d'avocats très huppé non loin d'ici. À elles quatre, elles avaient entrepris une action de groupe contre le propriétaire de la colo. Ce jour-là, les Perez n'avaient pratiquement pas dit un mot. Ils s'étaient contentés d'écouter et de laisser la parole aux autres. Je me rappelle Mme Perez qui agrippait son sac à main posé sur ses genoux. Aujourd'hui, il était sur la table, mais elle ne le lâchait pas pour autant.

Ils étaient dans une salle d'interrogatoire. Sur une suggestion de l'inspecteur York, je les observais derrière une vitre sans tain. Pour l'instant, le policier ne voulait pas qu'ils me voient. Ça pouvait se comprendre.

— Qu'est-ce qu'on fait là ? a demandé M. Perez.

C'était un homme corpulent, et les boutons de sa chemise, trop petite pour lui, étaient tendus à craquer.

— Ça n'est pas facile à expliquer…

York a jeté un coup d'œil en direction de la vitre, et j'ai senti qu'il s'adressait à moi.

— … alors j'irai droit au but.

M. Perez a cligné des yeux. Mme Perez a resserré ses doigts sur son sac. Je me suis demandé vaguement si c'était le même sac qu'il y a quinze ans. Bizarre, comme l'esprit a tendance à prendre la tangente dans ces moments-là.

— Il y a eu un meurtre hier à Manhattan, dans le

secteur de Washington Heights. Nous avons découvert le corps d'un homme dans une ruelle du côté de la 157e Rue.

Je ne les quittais pas des yeux. Mais les Perez n'ont pas bronché.

— La victime est un homme qui avait entre trente-cinq et quarante ans. Il mesurait un mètre soixante-quinze et pesait quatre-vingt-cinq kilos.

L'inspecteur York avait adopté un ton professionnel.

— Comme il utilisait un faux nom, nous avons eu du mal à l'identifier.

York s'est interrompu. Méthode classique. Histoire de voir s'ils allaient réagir. C'est M. Perez qui a parlé.

— Je ne comprends pas ce que cela a à voir avec nous.

Le regard de Mme Perez a pivoté vers son mari, mais le reste de son corps n'a pas bougé.

— J'y viens.

J'entendais presque les rouages cliqueter dans la tête d'York, cherchant la meilleure approche... Fallait-il ou non leur parler des coupures de presse, de la bague dans la poche du défunt ? Je l'imaginais répéter intérieurement son discours pour se rendre compte de son incon-sistance. Coupures de presse, bague... ça ne prouvait rien du tout. Soudain, je me suis pris à douter. L'instant était venu où le monde des Perez allait s'écrouler comme une tour foudroyée. J'étais content de me trouver derrière la vitre.

— Nous avons convoqué un témoin pour identifier le corps. Cette personne semble penser que la victime pourrait être votre fils Gil.

Mme Perez a fermé les yeux. M. Perez s'est raidi. L'espace de quelques secondes, personne n'a parlé, personne n'a bougé. Perez n'a pas regardé sa femme.

Elle ne l'a pas regardé non plus. Ils restaient là, immobiles, tandis que les mots continuaient à résonner dans la pièce.

— Notre fils a été tué il y a vingt ans, a déclaré M. Perez pour finir.

York a hoché la tête, ne sachant trop que répondre.

— Vous êtes en train de dire que vous avez fini par retrouver son corps ?

— Pas exactement. Votre fils avait dix-huit ans au moment de sa disparition, c'est bien ça ?

— Presque dix-neuf, a précisé M. Perez.

— Cet homme – la victime –, comme je viens de vous l'expliquer, n'était pas loin de la quarantaine.

M. Perez s'est calé contre le dossier de sa chaise. Sa femme, elle, n'avait toujours pas bougé. York s'est jeté à l'eau.

— Le corps de votre fils n'a jamais été retrouvé, n'est-ce pas ?

— Vous essayez de nous dire que… ?

La voix de M. Perez s'est brisée. Personne n'a profité de l'ouverture pour lui assener la réplique imparable : « Oui, parfaitement… c'est ce qu'on voudrait vous faire comprendre : votre fils Gil a vécu pendant tout ce temps, vingt ans, il l'a caché à tout le monde, y compris à vous, et maintenant que vous avez enfin la chance de retrouver votre fils prodigue, il s'est fait descendre, chienne de vie, hein ? »

— C'est insensé, a dit M. Perez.

— Je devine ce que vous ressentez…

— Qu'est-ce qui vous fait penser que c'est lui ?

— Je vous l'ai déjà dit. Nous avons un témoin.

— Qui est-ce ?

C'était la première fois que Mme Perez ouvrait la bouche. J'ai failli me planquer.

York s'est efforcé de prendre un ton rassurant :

— Écoutez, je comprends très bien que vous soyez déboussolés…

— Déboussolés ?

Le père, à nouveau :

— Savez-vous ce que c'est… ? Pouvez-vous seulement imaginer… ?

Une fois de plus, sa voix l'a trahi. Sa femme a posé la main sur son avant-bras. Elle s'est redressée légèrement. Un instant, elle s'est tournée vers la vitre, et j'ai eu la certitude qu'elle me voyait. Puis, regardant York dans les yeux :

— Je suppose que vous avez un corps.

— Oui, madame.

— C'est pour ça que vous nous avez fait venir ici. Vous voulez qu'on le voie et qu'on vous dise s'il s'agit de notre fils ou pas.

— Oui.

Mme Perez s'est levée. Son mari l'a suivie des yeux ; il paraissait petit et perdu.

— Bien, a-t-elle dit. On y va ?

M. et Mme Perez se sont engagés dans le couloir.

Discrètement, je leur ai emboîté le pas. J'étais avec Dillon. York, lui, était resté avec les parents de Gil. La tête haute, Mme Perez se cramponnait toujours à son sac, comme si elle craignait de se le faire arracher. Elle précédait son mari. C'est une idée macho que de croire qu'en ce genre d'occasion, la mère s'effondre toujours, et que le père tient toujours bon ! M. Perez s'était montré fort pour épater la galerie. Maintenant que la bombe avait explosé, Mme Perez prenait le dessus alors que son mari semblait se ratatiner à vue d'œil.

Avec son sol en lino usé et ses murs de ciment

rugueux, il ne manquait plus dans ce couloir qu'un petit fonctionnaire fatigué, planté là le temps de la pause café. J'entendais l'écho de leurs pas. Mme Perez portait de lourds bracelets en or qui cliquetaient en cadence.

Lorsqu'ils ont tourné à droite, et qu'ils se sont retrouvés devant la baie vitrée où je me tenais hier, Dillon a tendu le bras en un geste presque protecteur, comme si j'étais un gosse sur le siège avant, dans une voiture qui venait de piler. Nous nous sommes arrêtés à une bonne dizaine de mètres derrière eux, de façon à rester en dehors de leur champ de vision.

Il était difficile de voir leurs visages. M. et Mme Perez se tenaient côte à côte. Sans se toucher. J'ai vu M. Perez baisser la tête. Il était vêtu d'un blazer bleu. Mme Perez arborait un chemisier foncé, couleur sang séché. Et de l'or à ne plus savoir qu'en faire. Une personne différente – un grand barbu cette fois – a propulsé le chariot vers la vitre. Le corps était recouvert d'un drap.

L'homme a consulté York du regard. Ce dernier a hoché la tête. L'homme a relevé le drap, avec précaution, comme s'il y avait quelque chose de fragile dessous. Je n'osais pas faire de bruit ; néanmoins je me suis penché à gauche, pour essayer d'entrevoir le visage de Mme Perez, ne serait-ce que de profil.

Je me suis souvenu d'avoir lu un papier sur les victimes de tortures qui tentent de garder la maîtrise d'eux-mêmes, qui luttent pour ne pas crier, ne pas grimacer, ne rien laisser paraître afin de n'offrir aucune satisfaction à leurs tortionnaires. L'expression de Mme Perez m'a un peu fait penser à ça. Elle s'était blindée. Elle a encaissé le coup avec un petit frisson, sans plus.

Elle a étudié le corps sur le chariot. Personne ne parlait. Je me suis rendu compte que je retenais mon souffle. Mon attention s'est reportée sur M. Perez. Il avait baissé la tête. Ses yeux étaient humides. J'ai vu ses lèvres trembler.

Sans détourner le regard, Mme Perez a dit :

— Ce n'est pas notre fils.

Silence. Je ne m'attendais pas à ça.

York a demandé :

— Vous en êtes sûre, madame Perez ?

Elle ne lui a pas répondu.

— Il était adolescent la dernière fois que vous l'avez vu. Et il avait les cheveux longs, me semble-t-il.

— C'est exact.

— Cet homme a le crâne rasé. Il porte une barbe. Ça fait pas mal d'années, madame Perez. Je vous en prie, prenez votre temps.

Elle a fini par détacher son regard du corps et s'est tournée vers York, qui s'est tu.

— Ce n'est pas Gil, a-t-elle répété.

York a dégluti, s'est adressé au père :

— Monsieur Perez ?

Il a réussi à hocher la tête, s'est éclairci la voix.

— Il ne lui ressemble même pas.

Ses yeux se sont fermés ; ses traits se sont convulsés à nouveau.

— Il n'y a que…

— … l'âge, a terminé Mme Perez à sa place.

— Je ne comprends pas très bien, a dit York.

— Quand on perd un fils dans ces conditions, on se pose des questions, forcément. Pour nous, il restera à jamais adolescent. Mais s'il avait vécu, il aurait eu, oui, l'âge de cet homme. Du coup, on se demande ce qu'il serait devenu. Se serait-il marié ? Aurait-il eu des enfants ? Comment serait-il ?

— Et vous êtes certaine que cet homme n'est pas votre fils ?

Elle a eu le sourire le plus triste que j'aie jamais vu.

— Oui, inspecteur, j'en suis certaine.

York a hoché la tête.

— Désolé de vous avoir dérangés.

Ils allaient tourner les talons lorsque j'ai dit :

— Montrez-leur son bras.

Ils ont pivoté comme un seul homme dans ma direction. Le regard laser de Mme Perez s'est braqué sur moi. Dans ses yeux, j'ai cru voir briller une lueur de roublardise, et presque comme un défi. M. Perez a parlé le premier.

— Qui êtes-vous ?

Moi, je regardais Mme Perez. Elle avait toujours son sourire triste.

— Vous êtes le fils Copeland, n'est-ce pas ?

— Oui, madame.

— Le frère de Camille Copeland.

— Oui.

— C'est vous qui avez identifié le corps ?

J'aurais voulu leur parler de la bague, des coupures de presse, mais j'avais l'impression que le temps m'était compté.

— Le bras, ai-je dit. Gil avait une monstrueuse cicatrice sur le bras.

Elle a acquiescé.

— Un de nos voisins avait des lamas. Dans un enclos entouré de barbelés. Gil adorait grimper. À huit ans, il a essayé de pénétrer dans l'enclos. Il a glissé, et le fil barbelé lui a déchiqueté le bras.

Elle s'est tournée vers son mari.

— Combien de points de suture, Jorge ?

Jorge Perez a souri tristement, lui aussi.

73

— Vingt-deux.

Ce n'était pas ce que Gil nous avait raconté. Il avait inventé une histoire de bagarre au couteau digne d'une mauvaise version de *West Side Story*. Même à l'époque, je ne l'avais pas cru ; cette incohérence ne m'a donc pas étonné.

— Un souvenir de colo. (J'ai désigné la vitre du menton.) Jetez un œil sur son bras.

M. Perez a secoué la tête.

— Mais puisqu'on a dit…

Sa femme l'a fait taire d'un geste de la main. Pas de doute, c'était elle, le chef. Elle s'est tournée de nouveau vers la baie vitrée.

— Montrez-le-moi.

L'air désemparé, M. Perez s'est joint à elle. Cette fois-ci, elle lui a pris la main. Le barbu était déjà reparti avec le chariot. York a tambouriné sur la vitre. L'homme s'est redressé, surpris. York lui a fait signe de ramener le corps. Il s'est exécuté.

Je me suis rapproché de Mme Perez. Son parfum m'était vaguement familier, sans que je sache pourquoi. Je me suis posté derrière eux, regardant entre leurs têtes.

York a pressé le bouton de l'interphone.

— Montrez-leur ses bras, s'il vous plaît.

Avec la même douceur respectueuse que tout à l'heure, le barbu a soulevé le drap. La cicatrice était là, une méchante zébrure. Mme Perez avait retrouvé son sourire, mais était-il triste, soulagé, perplexe, artificiel ou spontané, je n'aurais su le dire.

— Le gauche, a-t-elle dit.

— Pardon ?

Elle s'est tournée vers moi.

— La cicatrice est sur le bras gauche. Celle de Gil était sur son bras droit, et pas aussi longue ni aussi large.

Elle a posé sa main sur la mienne.

— Ce n'est pas lui, monsieur Copeland. Je comprends pourquoi vous tenez tant à ce que ce soit Gil. Malheureusement, ce n'est pas lui. Il ne reviendra pas. Et votre sœur non plus.

6

QUAND JE SUIS ARRIVÉ CHEZ MOI, Loren Muse était en train d'arpenter le bitume comme un lion tourne autour d'une gazelle blessée. Cara était assise à l'arrière de ma voiture. Elle avait son cours de danse dans une heure. Ce n'est pas moi qui l'emmenais. Notre nounou, Estelle, était de retour. Elle avait le permis. Elle me coûtait les yeux de la tête, mais tant pis. Quand vous en trouvez une aussi bien et qui a son permis, vous lui donnez ce qu'elle demande sans rechigner.

J'ai remonté l'allée. La maison était sur deux niveaux, avec trois chambres et autant de caractère que le fameux couloir de l'institut médico-légal. Normalement, ce devait être un début. Jane avait envisagé de la troquer contre une villa, peut-être dans Franklin Lakes. Moi, je m'en fichais. Les maisons, les voitures, ce n'est pas trop mon truc. J'étais prêt à la suivre, quel que serait son choix.

Ma femme me manquait.

Loren Muse affichait un sourire carnassier. Cette fille-là n'avait rien d'une joueuse de poker, c'était certain.

— J'ai toutes les factures. Et les fichiers informatiques. La totale, quoi.

Elle s'est tournée vers ma fille.

— Salut, Cara.

— Loren !

Cara a jailli de la voiture. Elle aimait bien Muse qui savait s'y prendre avec les mômes. Elle n'en a pas pourtant, et n'a jamais été mariée. Quelques semaines plus tôt, j'avais rencontré son petit ami, le dernier en date. Il ne lui arrivait pas à la cheville, mais, là encore, c'était monnaie courante chez les femmes seules qui ont dépassé la trentaine.

Muse et moi, on a tout étalé sur le sol du séjour : les dépositions des témoins, les rapports de police, les relevés du téléphone, toutes les factures de la résidence. On a commencé par les factures, et Dieu sait qu'il y en avait. Portables, bières, achats en ligne.

— Alors, a fait Muse, on cherche quoi au juste ?

— Si je le savais.

— Je croyais que vous aviez une idée derrière la tête.

— Plutôt un pressentiment.

— C'est une blague, hein ? Vous n'allez pas me faire le coup de l'intuition ?

— Moi ? Jamais de la vie.

Nous avons poursuivi notre exploration.

— En fait, a-t-elle dit, on est en train d'examiner ces papiers à la recherche d'une flèche pointée en direction de *l'indice* ?

— On cherche un catalyseur.

— Joli mot. Vous lui donnez quel sens en l'occurrence ?

— Je ne sais pas, Muse. Mais la réponse est là. Je le sens.

— OK, a-t-elle rétorqué, se retenant à grand-peine de lever les yeux au ciel.

Et nous avons cherché. Ils commandaient des pizzas

77

presque tous les soirs, huit pizzas, réglées par carte de crédit. Comme ils étaient abonnés à NetFlix, ils pouvaient louer des DVD sur Internet, trois à la fois, livrés directement à domicile ; ils utilisaient aussi Hotklixxx, pour les films cochons. Ils avaient passé commande de polos de golf avec le logo de leur fraternité. Ce même logo se retrouvait sur les balles de golf, des centaines de balles.

On a essayé d'y mettre un semblant d'ordre. Allez savoir pourquoi.

J'ai montré à Muse la facture de Hotklixxx.

— C'est donné.

— Avec Internet, les masses peuvent accéder facilement et sans se ruiner à la pornographie.

— C'est bon à savoir, ai-je dit.

— Mais ça pourrait être une piste, a observé Muse.

— Quoi donc ?

— Garçons, filles faciles. Une fille, en l'occurrence.

— Expliquez-vous.

— J'aimerais faire appel à quelqu'un d'extérieur au bureau.

— Qui ça ?

— Un détective privé, Celia Shaker. Vous avez entendu parler d'elle ?

J'ai hoché la tête.

— Entendre parler, c'est une chose. L'avez-vous déjà *vue* ?

— Non.

— Mais on vous a raconté ?

— Oui, ai-je dit. On m'a raconté.

— Eh bien, ce n'est pas exagéré. Celia Shaker est carrossée de façon non seulement à arrêter la circulation, mais à défoncer la chaussée et à aplatir les terrepleins. En plus, c'est une très bonne pro. Si quelqu'un peut obliger à se moucher les garçons de la frat, qui n'osent pas éternuer sans leur avocat, c'est bien Celia.

— OK.

Des heures plus tard – je ne saurais même pas dire combien –, Muse s'est levée.

— Il n'y a rien là-dedans, Cope.

— À première vue, non.

— C'est demain matin qu'elle doit comparaître, Chamique ?

— Oui.

Elle m'a regardé de toute sa hauteur.

— Vous feriez mieux de consacrer votre temps à préparer votre intervention.

— Oui, chef.

Chamique et moi avions déjà travaillé sa déposition, mais sans trop insister. Je ne voulais pas qu'elle ait l'air de réciter sa leçon. J'avais une autre stratégie en tête.

— Je vais voir ce que je peux vous trouver.

Et Muse est sortie en trombe, plus bulldozer que jamais.

Estelle nous a fait à dîner : spaghettis et boulettes de viande. Elle n'est pas très bonne cuisinière, mais ça se mange. Après, exceptionnellement, j'ai emmené Cara manger une glace chez Van Dyke. Elle était plus bavarde à présent. Je la voyais dans le rétroviseur, harnachée dans son siège-auto. Moi, quand j'étais petit, on était autorisé à s'asseoir à l'avant. Aujourd'hui, il faut être en âge de boire pour y avoir droit.

Je me suis efforcé d'écouter ce qu'elle disait, mais c'étaient des histoires de mômes, du pur charabia. Il semblerait que Brittany ait été méchante avec Morgan, alors Kyle lui a jeté une gomme, et pourquoi Kylie, pas Kylie G., Kylie N. – il y avait deux Kylie dans sa classe –, pourquoi Kylie N. ne voulait pas aller sur la balançoire à la récré si Kiera n'y était pas ? J'observais sa frimousse animée, qu'elle plissait à la manière d'un adulte. Et un sentiment incontrôlable m'a submergé. Tous les parents connaissent ça, à un moment ou un autre. On regarde son enfant, dans un contexte normal, pas quand il est sur scène ou en train de marquer un but, on le regarde et on se rend compte qu'il est toute votre vie – ça émeut, ça fait peur et ça donne envie d'arrêter le temps.

J'avais perdu une sœur. J'avais perdu une femme. Plus récemment, j'avais perdu mon père. Les trois fois, j'étais retombé sur mes pieds. Mais en regardant Cara gesticuler et ouvrir des yeux ronds, j'ai su que s'il y avait un coup dont je ne me remettrais pas, ce serait bien celui-là.

J'ai repensé à mon père. Dans les bois. Avec la pelle. Le cœur en lambeaux. Cherchant sa petite fille. Et j'ai pensé à ma mère. Ma mère qui était partie. J'ignorais où elle se trouvait. Il m'arrive parfois de songer à lancer des recherches. De moins en moins, d'ailleurs. Pendant des années, je l'ai haïe. Peut-être que je la haïssais toujours. Ou alors, maintenant que j'avais un enfant moi-même, je comprenais un peu mieux ce qu'elle avait dû endurer.

Au retour, nous étions à deux pas de la maison quand le téléphone a sonné. Estelle m'a pris Cara des bras. Je suis allé répondre.

— On a un problème, Cope.

C'était mon beau-frère Bob, le mari de Greta. Il dirigeait la fondation caritative JaneCure. Greta, Bob et moi l'avions créée après la mort de ma femme. À l'époque, la presse m'avait tressé des couronnes. C'était un hommage vivant à mon adorable, douce et jolie épouse.

Ça alors, quel merveilleux mari j'avais dû être !

— Que se passe-t-il ?

80

— Ton affaire de viol commence à nous coûter sacrément cher. Le père d'Edward Jenrette a convaincu plusieurs de ses amis de revenir sur leurs engagements financiers.

J'ai fermé les yeux.

— Très élégant de sa part.

— Pire, il insinue qu'on aurait détourné des fonds. E. J. Jenrette a beaucoup de relations, le salopard. J'ai déjà reçu des coups de fil.

— On n'a qu'à ouvrir nos livres de comptes, ai-je dit. Ils ne trouveront rien.

— Ne sois pas naïf, Cope. Nous sommes en concurrence avec les autres associations caritatives pour chaque dollar qu'on nous donne. Le moindre relent de scandale, et nous sommes fichus.

— Il n'y a pas grand-chose que nous puissions faire, Bob.

— Je sais. Sauf que… on aide beaucoup de monde, Cope.

— Je suis au courant.

— Et les fonds sont durs à trouver.

— Tu proposes quoi, au juste ?

— Rien.

Bob a hésité, et j'ai senti qu'il avait encore des choses à dire.

— Franchement, Cope, les réductions de peine, il vous arrive d'en obtenir, non ?

— Si.

— Vous laissez filer le menu fretin pour pouvoir attraper le gros poisson.

— Quand on n'a pas le choix, oui.

— Les deux garçons, là. J'ai entendu dire que c'étaient des gars bien.

— Il ne faut pas croire tout ce qu'on dit.

— Écoute, je ne nie pas qu'ils méritent d'être punis, mais quelquefois il faut savoir faire des concessions. Pour les besoins de la cause. JaneCure marche du feu de Dieu. C'est ça, notre cause. Voilà, je n'en dis pas plus.

— Bonne nuit, Bob.

— Ne te vexe pas, Cope. Je veux aider, c'est tout.

— Je sais. Bonne nuit, Bob.

J'ai raccroché. Mes mains tremblaient. Jenrette, l'enfant de salaud, ne s'en était pas pris à moi. Il s'en était pris à la mémoire de ma femme. Je me suis engagé dans l'escalier. J'étais fou de rage. Mais bon, j'allais la canaliser. Je me suis assis à mon bureau. Il n'y avait que deux photos sur la table. Celle de Cara, récente, prise à l'école, trônait en plein milieu.

L'autre était un cliché grené de mon papy et ma mamie de là-bas, de la Russie… ou, comme on l'appelait quand ils sont morts au goulag, de l'Union soviétique. Ils sont morts lorsque j'étais très jeune et que nous habitions toujours Leningrad, mais il me reste des bribes de souvenirs, surtout de papy et de sa tignasse blanche.

Je me suis souvent demandé pourquoi je gardais cette photo sur mon bureau.

Leur fille – ma mère – m'avait abandonné, non ? C'était aberrant, quand on y pensait. Cependant, malgré tout cet écheveau de souffrances, cette photo, bizarrement, était à la place qui lui revenait de droit. En la regardant, en regardant papy et mamie, je songeais aux répercussions, aux malédictions familiales et à l'origine possible de tous nos maux.

À une époque, j'y avais aussi placé les photos de Jane et de Camille. J'aimais bien les avoir sous les yeux. Leur présence me réconfortait. Mais ce qui n'était pas forcément le cas de ma fille. Difficile de trouver le bon équilibre avec une gamine de six ans. On a envie de lui parler de sa mère. On a envie qu'elle connaisse mieux Jane, sa force d'âme, tout l'amour qu'elle avait porté à sa petite fille. On a envie de la consoler aussi, genre : sa maman est au ciel et la regarde. Sauf que je n'y crois pas. J'aimerais bien, pourtant. J'aimerais croire à une vie radieuse dans l'au-delà, et à ma femme, ma sœur et mon père qui nous sourient de là-haut. Je n'y arrive pas. Et quand j'essaie de vendre ça à ma fille, j'ai l'impression de lui mentir. Pour l'instant, c'est un peu comme le Père Noël ou le marchand de sable, quelque chose de temporaire et de rassurant, mais tôt ou tard, comme tous les enfants, elle finira par découvrir qu'il s'agit d'un mensonge, un mensonge d'adulte qu'on peinera à justifier. Ou peut-être que je me trompe, peut-être qu'ils sont bien là-haut et qu'ils nous regardent. Peut-être que c'est la conclusion à laquelle Cara parviendra un jour.

À minuit, j'ai finalement laissé mon esprit vagabonder à sa guise – auprès de ma sœur Camille, de Gil Perez, de ce fameux été terrible et magique. J'ai revu la colo. J'ai songé à Camille. À la nuit du drame. Et, pour la première fois depuis des années, je me suis autorisé à penser à Lucy.

Un sourire mélancolique a effleuré mes lèvres. Lucy Silverstein avait été mon premier véritable amour de jeunesse. Cet été-là, nous avions vécu un vrai conte de fées, jusqu'à la nuit des meurtres. On n'avait même pas rompu... on avait été littéralement arrachés l'un à l'autre par cette sanglante tuerie. Séparés en pleine fusion, à un moment où notre amour – aussi puéril et immature qu'il soit censé être – n'en était encore qu'au stade de la croissance et de l'exploration.

Lucy était le passé. Je m'étais posé un ultimatum et l'avais chassée de mes pensées. Seulement, le cœur n'obéit pas aux ultimatums. Au fil des ans, j'avais tenté de savoir ce qu'elle était devenue, j'avais cherché son nom sur Google, sans aller plus loin, guère convaincu que j'aurais le courage de la recontacter. Je n'avais rien trouvé. À mon avis, après ce qui s'était passé, elle avait eu le bon sens de changer de nom. Lucy était probablement mariée maintenant, comme je l'avais été. J'espérais qu'elle était heureuse.

Bon, assez ruminé. Il fallait que je pense à Gil Perez. Fermant les yeux, je me suis transporté dans le passé. Je l'ai revu à la colo ; on chahutait ensemble, je lui donnais des coups sur le bras, pour rire, et il disait : « Eh, tarlouze ! j'ai rien senti du tout... »

Je le voyais encore avec son torse maigrichon, son short tombant, bien avant que ça devienne à la mode, son sourire qui avait sacrément besoin d'un orthodontiste, sa...

Mes yeux se sont rouverts. Il y avait quelque chose qui clochait.

Je suis descendu au sous-sol. Le carton était là, je l'ai trouvé facilement. Jane marquait tout, avec sa méticulosité coutumière. J'ai reconnu son écriture ultrasoignée sur le côté. C'est tellement personnel, l'écriture. Je l'ai caressée du bout des doigts. J'ai frôlé les lettres, l'imaginant avec le gros marqueur à la main et le capuchon dans la bouche, tandis qu'elle écrivait en majuscules : PHOTOGRAPHIES – COPELAND.

Des erreurs, j'en ai commis beaucoup. Mais Jane... ç'a été la chance de ma vie. Sa générosité m'a transformé, m'a rendu plus fort et meilleur à tous les points de vue. Oui, je l'aimais, passionnément même, mais au-delà de ça, elle avait le don de faire ressortir ce qu'il y avait de mieux en moi. J'étais névrosé, je manquais de confiance en moi, élève boursier dans un établissement qui en comptait très peu, et voilà qu'une créature quasi parfaite s'intéressait à moi. Comment était-ce possible ? Étais-je finalement si nul, puisqu'une fille aussi merveilleuse m'aimait ?

Jane était mon rocher. Puis elle est tombée malade. Mon rocher s'est effrité. Et moi avec.

J'ai retrouvé les photos de cet été-là. Il n'y en avait aucune de Lucy ; j'avais tout jeté. Il y avait eu nos chansons aussi : Cat Stevens, James Taylor, des trucs mièvres jusqu'à l'écœurement. Aujourd'hui encore, j'avais du mal à les entendre. Je les tenais à bonne distance de mon iPod. Et si par malchance la radio diffusait l'une d'elles, je me précipitais pour changer de station.

J'ai feuilleté la pile de photos. C'étaient surtout celles de ma sœur. J'ai fini par tomber sur le cliché pris trois jours avant sa mort. Dessus, il y avait son petit copain, Doug Billingham. Un gosse de riches. Maman avait été enchantée, bien sûr. Cette colo était le théâtre d'une curieuse mixité sociale entre pauvres et riches. Les classes supérieures et inférieures y cohabitaient sur un pied d'égalité quasi absolu. Conformément au souhait de son hippie de directeur, le papa de Lucy, Ira – un sacré rigolo, celui-là.

Margot Green, autre gosse de riches, se tenait pile au centre de la photo. Comme à son habitude. La bombe de la colo. Une blonde au décolleté avantageux qui jouait en permanence de son physique. Elle sortait toujours avec des garçons plus âgés, jusqu'à Gil en tout cas, et, aux yeux des simples mortels, la vie de Margot était comme une série télé, un mélodrame que nous suivions avec passion. En la regardant maintenant, je me la suis imaginée avec la gorge tranchée. Et j'ai fermé brièvement les yeux.

Gil Perez était aussi sur la photo. C'est pour ça que

j'étais descendu. J'ai orienté la lampe articulée que j'avais installée au sous-sol pour mieux voir.

Alors que je me trouvais à mon bureau, je m'étais souvenu de quelque chose. Je suis droitier, mais quand je m'amusais à marteler du poing le bras de Gil, je me servais de ma main gauche. Pour éviter de toucher son horrible cicatrice. Certes, elle était refermée, mais j'avais peur qu'elle ne se rouvre et se remette à pisser le sang. Du coup, j'utilisais ma main gauche pour taper sur son bras droit. J'ai plissé les yeux et me suis penché plus près.

On voyait l'extrémité de la cicatrice dépasser de la manche du tee-shirt.

La pièce s'est mise à tourner.

Mme Perez avait dit que son fils avait une cicatrice au bras droit. Mais dans ce cas, je l'aurais frappé avec la main droite, pour l'atteindre à l'épaule gauche. Or je l'avais frappé avec la main gauche… sur l'épaule droite.

À présent, j'en avais la preuve.

La cicatrice de Gil Perez était bien sur son bras gauche.

Mme Perez avait menti.

Restait à savoir pourquoi.

7

LE LENDEMAIN, JE SUIS ARRIVÉ AU BUREAU de bonne heure. J'ai examiné les notes concernant Chamique Johnson qui devait témoigner dans le procès qu'elle intentait pour le viol qu'elle avait subi. Quand l'horloge a sonné neuf heures, j'étais prêt. J'en ai donc profité pour téléphoner à l'inspecteur York.

— Mme Perez a menti.

Il a écouté mes explications.

— Menti, a-t-il répété lorsque j'ai eu terminé. Vous y allez un peu fort, non ?

— Comment vous appelleriez ça, vous ?

— Disons qu'elle aurait pu se tromper.

— Se tromper à propos d'une cicatrice sur le bras de son propre fils ?

— Et pourquoi pas ? Elle savait déjà que ce n'était pas lui. Ça peut se comprendre.

Mais il ne m'a pas convaincu.

— Sinon, vous avez du nouveau ?

— Nous pensons que Santiago habitait dans le New Jersey.

— Vous avez une adresse ?

— Non. Mais on a sa petite amie. Enfin, on suppose que c'est sa petite amie. Une amie en tout cas.

— Et comment l'avez-vous retrouvée ?

— Le téléphone portable à la mémoire vide. Elle l'a appelé à ce numéro.

— Alors, qui est-ce réellement ? Manolo Santiago, j'entends.

— Aucune idée.

— La fille ne vous l'a pas dit ?

— Elle le connaissait en tant que Santiago. Ah oui, autre chose !

— Quoi ?

— Le corps a été déplacé. On en était sûrs depuis le début. Mais, maintenant, on a la confirmation. D'après notre médecin légiste, compte tenu de l'hémorragie et autres signes pathologiques que je ne pige pas et qui ne me passionnent pas outre mesure, Santiago était mort depuis une heure quand on l'a abandonné dans la rue. Il y a aussi des fibres textiles provenant d'une moquette. Une moquette de voiture, semble-t-il.

— Donc, Santiago a été assassiné, placé dans un coffre et balancé dans Washington Heights ?

— C'est notre hypothèse de travail, oui.

— Vous avez la marque de la voiture ?

— Pas encore. Notre spécialiste dit que c'est un vieux modèle. Il n'en sait pas plus pour l'instant. Mais il y travaille.

— Vieux comment ?

— Je n'en sais rien. Vieux comme pas récent. Lâchez-moi avec ça, Copeland, vous voulez bien ?

— Cette affaire me touche de très près.

— À ce propos…

— Oui ?

— Si vous veniez nous donner un coup de main ?

— Comment ça ?

— Écoutez, je croule sous les dossiers. Et on a une

piste dans le New Jersey… puisque Santiago habitait par
là. Sa petite amie, en tout cas, y habite toujours. C'est là
qu'ils se voyaient, dans le New Jersey.

— Dans mon comté ?

— Non, je crois que c'était Hudson. Ou alors
Bergen. Bon sang, je ne sais plus. De toute façon, c'est
dans le coin. Et, j'ai encore autre chose pour vous.

— Je vous écoute.

— Votre sœur résidait dans le New Jersey, c'est bien
ça ?

— Oui.

— Ce n'est pas ma juridiction. Vous pourrez dire que
c'est la vôtre, même si c'est en dehors du comté. Vous
n'avez qu'à rouvrir l'enquête… je doute que quelqu'un
d'autre veuille s'y coller, à part vous.

J'ai réfléchi à sa suggestion. En un sens, il se servait
de moi. Histoire que je lui mâche le boulot et qu'il en
récolte les lauriers. Mais bon, ça ne me gênait pas.

— La petite amie en question, ai-je dit. Vous avez
son nom ?

— Raya Singh.

— Et une adresse ?

— Vous comptez lui parler ?

— Ça vous dérange ?

— Du moment que vous ne me plantez pas, vous
pouvez faire ce que vous voulez. Mais vous permettez
que je vous donne un conseil d'ami ?

— Bien sûr.

— Ce taré, l'Égorgeur de l'été. Je n'arrive pas à me
rappeler son nom.

— Wayne Steubens.

— Vous l'avez connu, n'est-ce pas ?

— Vous n'avez pas lu le dossier ? ai-je demandé.

— Si. Vous étiez dans leur collimateur, hein ?

Je m'en souviendrai toujours, du shérif Lowell et de sa mine sceptique. Mais après tout, c'était son boulot.

— Où voulez-vous en venir ?

— Au fait que Steubens n'a pas renoncé à l'idée de faire annuler sa condamnation.

— Il n'a pas été jugé pour ces quatre premiers meurtres. Les juges n'en avaient pas besoin ; ils possédaient assez de preuves dans les autres affaires.

— Je sais. Mais n'empêche. Il y était mêlé. Si notre cadavre est vraiment Gil Perez et que Steubens l'apprenne, en un sens ça l'aiderait. Vous voyez ce que je veux dire ?

Il me recommandait la discrétion jusqu'à ce que je sois sûr de mon coup. J'ai reçu le message cinq sur cinq. La dernière chose dont j'avais envie, c'était d'aider Wayne Steubens.

Nous avons raccroché. Loren Muse a passé la tête dans mon bureau.

— Vous avez du nouveau pour moi ? ai-je demandé.

— Non. Désolée. (Elle a consulté sa montre.) Vous êtes prêt pour votre grand show en direct ?

— Je suis prêt.

— Alors allons-y. Le spectacle va commencer.

— Le parquet appelle Chamique Johnson.

Chamique était habillée plutôt classique, mais sans exagération. On sentait bien la rue. On voyait bien les courbes. Je lui avais même fait mettre des talons hauts. Il y a des moments où l'on cherche à obstruer la vision du jury. Et des moments comme celui-ci où votre seule chance est de leur montrer tout le tableau, sans aucune complaisance.

Chamique gardait la tête haute. Ses yeux pivotaient à droite et à gauche, mais pas furtivement façon Nixon

– plutôt pour voir de quel côté viendrait le prochain coup. Elle était un peu trop maquillée. Ça non plus, ce n'était pas un problème. Elle avait l'air d'une gamine qui essaie de se faire passer pour une femme adulte.

Chamique a donné son nom, a juré sur la Bible et s'est rassise. Je lui ai souri. Elle a hoché légèrement la tête pour me signifier qu'elle était prête.

— Est-il exact que vous travaillez comme strip-teaseuse ?

Cette entrée en matière – de but en blanc – a surpris le public. Il y a eu des exclamations étouffées. Chamique a cillé. Elle avait une vague idée de la manière dont j'allais aborder ce procès, mais je ne lui avais dévoilé aucun détail de ma stratégie.

— À temps partiel, a-t-elle dit.

Sa réponse ne m'a pas plu. On avait l'impression qu'elle se méfiait.

— Mais vous retirez vos vêtements pour de l'argent, n'est-ce pas ?

— Ouais.

Sans hésitation. Je préférais ça.

— Vous vous produisez dans un club ou dans des soirées privées ?

— Les deux.

— Dans quel club travaillez-vous ?

— Le *Pink*. C'est à Newark.

— Quel âge avez-vous ? ai-je demandé.

— Seize ans.

— Ne faut-il pas avoir dix-huit ans pour pratiquer le strip-tease ?

— Si.

— Alors comment faites-vous ?

Chamique a haussé les épaules.

91

— J'ai une fausse carte d'identité, sur laquelle il est marqué que j'ai vingt et un ans.

— Donc vous enfreignez la loi ?

— Possible.

— Enfreignez-vous la loi, oui ou non ?

J'ai donné une inflexion sèche à ma voix. Chamique a compris. Je voulais qu'elle soit honnête. Je voulais – désolé pour le calembour, vu qu'elle était strip-teaseuse – qu'elle se mette à nu devant les jurés. D'où ce rappel à l'ordre.

— Oui, j'enfreins la loi.

J'ai jeté un œil sur le banc de la défense. Mort Pubin me dévisageait comme si j'avais perdu la tête. Les mains jointes, Flair Hickory avait posé ses index sur ses lèvres. Leurs deux clients, Barry Marantz et Edward Jenrette, arboraient un blazer bleu et une mine pâle. Nulle trace de suffisance, de morgue ou de dépravation dans leur attitude. Ils avaient l'air contrits, effrayés et très jeunes. Quelqu'un de cynique aurait dit que c'était intentionnel : leurs avocats les avaient briefés sur la façon de se tenir au tribunal. Mais moi, j'étais sûr que non. J'étais simplement résolu à ne pas prendre ce comportement en considération.

J'ai souri à ma plaignante.

— Vous n'êtes pas la seule, Chamique. Nous avons trouvé un paquet de faux papiers d'identité dans la résidence de vos agresseurs… Ça leur permet de sortir faire la fête entre mineurs. Vous, au moins, vous enfreignez la loi pour gagner votre vie.

Mort Pubin a bondi sur ses pieds.

— Objection !

— Accordée.

Mais j'avais marqué un point. Comme dit le proverbe,

on prend les bêtes par les cornes et les hommes par la parole.

— Mademoiselle Johnson, ai-je poursuivi, vous n'êtes plus vierge, n'est-ce pas ?

— Non.

— Vous êtes même mère d'un enfant.

— Oui.

— Quel âge a votre fils ?

— Quinze mois.

— Dites-moi, mademoiselle Johnson, est-ce que le fait que vous ne soyez plus vierge et que vous ayez un enfant naturel fait de vous un être humain de second ordre ?

— Objection !

— Accordée.

Le juge, Arnold Pierce, a froncé ses sourcils broussailleux.

— Je ne fais qu'enfoncer une porte ouverte, Votre Honneur. Si Mlle Johnson avait été une jeune fille aux cheveux blonds issue d'une famille aisée de Short Hills ou de Livingston...

— Gardez ça pour la récapitulation, monsieur Copeland.

J'y comptais bien. Mais je l'avais glissé dans le préambule aussi. Je me suis tourné vers la plaignante.

— Vous aimez vous déshabiller, Chamique ?

— Objection !

Mort Pubin était à nouveau debout.

— C'est hors de propos. Ça intéresse qui de savoir si elle aime se déshabiller ou non ?

Le juge Pierce m'a lancé un regard interrogateur.

— Eh bien ?

— Écoutez, ai-je dit à Pubin, je ne lui parlerai pas d'effeuillage si vous en faites autant.

Mort Pubin est resté coi. Flair Hickory n'avait toujours pas ouvert la bouche. Il n'aimait pas objecter. En règle générale, les jurés n'apprécient guère les objections. Ils ont l'impression qu'on cherche à leur cacher quelque chose. Hickory voulait qu'on l'aime. Du coup, il laissait Pubin faire le sale boulot à sa place. C'était la version côté avocats du duo gentil/méchant flic.

J'ai reporté mon attention sur Chamique.

— Vous n'étiez pas venue pour un strip-tease le soir du viol ?

— Objection !

— Viol présumé, ai-je rectifié.

— Non, a répondu Chamique. On m'avait invitée.

— On vous avait invitée à une soirée d'étudiants à la maison de la fraternité où logent M. Marantz et M. Jenrette ?

— Exact.

— C'est M. Marantz ou M. Jenrette qui vous a invitée ?

— Non, c'était un autre garçon.

— Comment s'appelle-t-il ?

— Jerry Flynn.

— Je vois. Et comment avez-vous connu M. Flynn ?

— J'avais travaillé à la fraternité la semaine d'avant.

— Travaillé, c'est-à-dire… ?

— J'étais venue faire un strip-tease.

J'étais content. On avait trouvé un rythme, Chamique et moi.

— Et M. Flynn était là ?

— Tout le monde était là.

— Quand vous dites « tout le monde »…

Elle a désigné les deux inculpés.

— Eux aussi. Et plein d'autres garçons.

— Combien, d'après vous ?

— Une vingtaine.

— OK, mais c'est M. Flynn qui vous a invitée à leur soirée, la semaine suivante ?

— Oui.

— Et vous avez accepté ?

Malgré ses yeux humides, elle gardait la tête haute.

— Oui.

— Pourquoi avez-vous décidé de vous rendre à cette invitation ?

Chamique a réfléchi un instant.

— C'est comme si un milliardaire vous invitait sur son yacht.

— Ils vous impressionnaient ?

— Ben oui. C'est clair.

— Et leur argent ?

— Ça aussi.

Je l'aurais embrassée.

— Et puis, a-t-elle ajouté, Jerry a été gentil avec moi après mon strip-tease, la première fois.

— M. Flynn vous a bien traitée ?

— Oui.

J'ai hoché la tête. Le terrain devenait glissant, mais je ne pouvais pas reculer.

— À propos, Chamique, pour en revenir à cette séance de strip-tease…

J'ai senti mon souffle s'accélérer.

— Avez-vous fourni d'autres services à l'un ou plusieurs participants de cette soirée ?

Nos regards se sont croisés. Elle a dégluti, mais n'a pas cillé. Sa voix était douce. La défiance avait disparu.

— Oui.

— S'agissait-il de prestations de nature sexuelle ?

— Oui.

Elle a baissé la tête.

— Vous n'avez pas à avoir honte, lui ai-je dit. Vous aviez besoin d'argent.

J'ai désigné d'un geste le banc des accusés.

— Et eux, quelle était leur excuse ?

— Objection !

— Accordée.

Mais Mort Pubin n'entendait pas en rester là.

— Votre Honneur, cette déclaration est proprement scandaleuse !

— Oui, c'est scandaleux, ai-je acquiescé. Vous devriez châtier vos clients sur-le-champ.

Pubin a viré à l'écarlate.

— Votre Honneur ! a-t-il glapi.

— Monsieur Copeland.

J'ai levé la main, paume ouverte, pour signifier au juge que j'obtempérais. Je suis pour qu'on lave le linge sale en public, à condition de décider quand et comment. C'est une façon de déstabiliser la partie adverse.

— M. Flynn vous intéressait-il en tant que petit ami potentiel ?

Mort Pubin, une fois de plus :

— Objection ! Quel rapport ?

— Monsieur Copeland ?

— Bien sûr qu'il y a un rapport. Ils vont alléguer que Mlle Johnson a porté plainte pour soutirer de l'argent à leurs clients. Je m'efforce de déterminer son état d'esprit ce soir-là.

— Je vous y autorise, a déclaré le juge Pierce.

J'ai répété la question.

Chamique s'est trémoussée légèrement ; en cet instant, elle ne faisait guère plus que son âge.

— Jerry était trop bien pour moi.

— Mais ?

— Ben, voilà, quoi. Je n'ai jamais rencontré

96

quelqu'un comme lui. Il me tenait la porte. Il était trop gentil. J'ai pas l'habitude de ça.

— Et il est riche, enfin, comparé à vous.

— Oui.

— C'était important pour vous ?

— Bien sûr.

Un bonheur, cette fille-là.

Le regard de Chamique a pivoté en direction du jury. Elle avait retrouvé son air de défi.

— J'ai des rêves aussi.

J'ai laissé un petit temps avant de reprendre :

— Et à quoi rêviez-vous ce soir-là, Chamique ?

Mort Pubin allait objecter, mais Flair Hickory a posé la main sur son bras.

Elle a haussé les épaules.

— C'est idiot.

— Dites toujours.

— Je pensais... C'est idiot... Je pensais que peut-être je pourrais lui plaire.

— Je comprends. Comment vous êtes-vous rendue à cette soirée ?

— J'ai pris un bus à Irvington, puis j'ai marché.

— Et quand vous êtes arrivée à la résidence, M. Flynn était là ?

— Oui.

— Toujours aussi gentil ?

— Au début, oui.

Une larme a fini par rouler sur sa joue.

— Il était adorable. C'était...

Elle s'est interrompue.

— C'était quoi, Chamique ?

— Au début... (une deuxième larme a suivi la première)... ç'a été la plus belle soirée de ma vie.

97

J'ai marqué une nouvelle pause, afin que tout le monde enregistre. Une troisième larme s'est échappée.

— Ça va ? lui ai-je demandé.

Elle s'est essuyé les yeux.

— Oui, ça va.

— Sûr ?

Sa voix s'est durcie à nouveau.

— Posez votre question, monsieur Copeland.

Elle était merveilleuse. Le jury buvait ses paroles et, je pense, ne doutait pas une seconde de sa sincérité.

— Y a-t-il eu un moment où M. Flynn a changé d'attitude envers vous ?

— Oui.

— Quand ça ?

— Je l'ai vu faire des messes basses avec lui, là-bas.

Elle a pointé le doigt sur Edward Jenrette.

— M. Jenrette ?

— Oui, lui.

Jenrette a tenté sans trop de succès de ne pas se recroqueviller sous le regard de Chamique.

— Vous avez vu M. Jenrette discuter en aparté avec M. Flynn ?

— Oui.

— Et que s'est-il passé ensuite ?

— Jerry m'a demandé si je voulais aller faire un tour.

— Il s'agit de Jerry Flynn, je présume ?

— Oui.

— OK, et ensuite ?

— On est allés dehors. Ils avaient un tonnelet de bière. Il m'a demandé si j'en voulais. J'ai dit non. Il n'avait pas l'air dans son assiette.

Mort Pubin s'est levé.

— Objection.

J'ai tendu le bras, exaspéré.

— Votre Honneur !

— Allez-y, a dit le juge.

— Poursuivez, ai-je dit à Chamique.

— Jerry s'est servi une bière. Il n'arrêtait pas de la regarder.

— Sa bière ?

— Oui. Il ne me regardait plus. Quelque chose avait changé. Je lui ai demandé si ça allait. Il a dit que oui, au poil. Et…

Sa voix ne s'est pas brisée, mais c'était tout comme.

— Il m'a dit que j'étais trop bien roulée et qu'il aimait bien me regarder me déshabiller.

— Ça vous a surprise ?

— Ben, oui. Il ne m'avait jamais parlé comme ça. Sur un ton aussi dur. (Elle a dégluti.) Comme les autres.

— Continuez.

— Il a dit : « Tu veux monter voir ma chambre ? »

— Qu'avez-vous répondu ?

— J'ai dit OK.

— Vous aviez envie d'aller dans sa chambre ?

Chamique a fermé les yeux. Une nouvelle larme a filtré sous ses paupières. Elle a secoué la tête.

— Répondez tout haut, je vous prie.

— Non.

— Alors pourquoi vous y êtes allée ?

— Pour lui plaire.

— Vous pensiez lui plaire en montant avec lui ?

— Je savais qu'il m'en voudrait si je disais non, a-t-elle répliqué dans un souffle.

Je suis retourné à ma table et j'ai fait mine de consulter mes notes. Je voulais que le jury ait le temps de digérer ce qu'elle venait de dire. Chamique se tenait très droite. Le menton relevé. Elle essayait de ne rien montrer, mais on la sentait profondément meurtrie.

— Et une fois que vous êtes montés ?

— Je suis passée devant une porte.

Elle s'est retournée vers Jenrette.

— C'est là qu'il m'a attrapée.

À nouveau, je lui ai demandé de désigner Edward Jenrette et de l'identifier par son nom.

— Y avait-il quelqu'un d'autre dans la chambre ?

— Oui, lui.

Elle a indiqué Barry Marantz. Derrière les inculpés, j'ai aperçu leurs familles. Les parents arboraient cette espèce de masque mortuaire, comme quand la peau paraît trop tirée, les pommettes saillantes, et les yeux enfoncés dans les orbites. Ils formaient la garde rapprochée, postée en faction pour défendre leur progéniture. Ils étaient anéantis. J'avais pitié d'eux. Mais tant pis. Edward Jenrette et Barry Marantz avaient des proches pour veiller sur eux.

Chamique Johnson était seule.

Quelque part, je comprenais ce qui s'était réellement passé. On se prend une cuite, on perd le contrôle, on ne songe pas aux conséquences. Peut-être bien qu'ils ne recommenceraient plus jamais. Peut-être bien qu'ils avaient retenu la leçon. Mais, une fois encore, tant pis.

Il y a des gens foncièrement pervers, nuisibles, qui ne savent que faire du mal aux autres. Et il y a des gens, probablement la majorité de ceux que je vois défiler dans mon bureau, qui commettent des bourdes. Ce n'est pas à moi de faire le tri. Je laisse ce soin au juge à l'heure du verdict.

— OK, ai-je dit. Et ensuite ?

— Il a fermé la porte.

— Lequel des deux ?

Elle a indiqué Marantz.

— Chamique, pour faciliter les choses, pourriez-vous l'appeler M. Marantz et son coïnculpé, M. Jenrette ?

Elle a hoché la tête.

— M. Marantz a donc fermé la porte. Et puis, que s'est-il passé ?

— M. Jenrette m'a dit de me mettre à genoux.

— Où était M. Flynn à ce moment-là ?

— Je ne sais pas.

— Vous ne savez pas ?

J'ai feint la surprise.

— N'était-il pas monté avec vous ?

— Si.

— N'était-il pas à côté de vous quand M. Jenrette vous a attrapée ?

— Si.

— Alors ?

— Je ne sais pas. Il n'est pas entré dans la chambre. Il a laissé la porte se fermer, c'est tout.

— L'avez-vous revu ?

— Pas tout de suite.

J'ai pris une grande inspiration et me suis jeté à l'eau. J'ai demandé à Chamique de me décrire la scène. Son témoignage était très explicite. Elle parlait d'une voix détachée... comme s'il s'agissait de quelqu'un d'autre. Elle a donné tous les détails : ce qu'ils avaient dit, comment ils avaient rigolé, ce qu'ils lui avaient fait. Je ne pense pas que les jurés avaient envie d'entendre ça, ce qui était tout à fait compréhensible. Mais moi, je voulais le plus de précisions possible – qui avait été là, qui avait fait quoi et dans quelle position.

C'était insupportable.

Lorsqu'on en a eu terminé avec l'agression, j'ai marqué une pause avant d'aborder le problème le plus délicat.

— Dans votre déposition, vous avez déclaré que vos agresseurs utilisaient les prénoms Cal et Jim.

— Objection, Votre Honneur.

C'était Flair Hickory qui prenait la parole pour la première fois. Il s'est exprimé doucement, de sorte que tout le monde a retenu son souffle pour mieux entendre.

— Elle n'a pas déclaré qu'ils s'appelaient Cal et Jim. Elle a dit, dans sa déposition comme dans ses témoignages antérieurs, qu'ils étaient Cal et Jim.

— Je reformule, ai-je rétorqué d'un ton agacé, comme pour prendre le jury à témoin de ce pinaillage.

Je me suis tourné vers Chamique.

— Lequel était Cal et lequel était Jim ?

Elle a identifié Barry Marantz comme Cal et Edward Jenrette comme Jim.

— Est-ce qu'ils se sont présentés à vous ?

— Non.

— Alors comment avez-vous su leurs prénoms ?

— C'est comme ça qu'ils s'appelaient entre eux.

— On en revient à votre déposition. M. Marantz, par exemple, a dit : « Penche-la, Jim. » C'est bien ça ?

— Oui.

— Vous n'ignorez pas, ai-je dit, qu'aucun des inculpés ne se nomme Cal et Jim ?

— Je sais.

— Comment expliquez-vous cela ?

— Je ne l'explique pas. Je vous ai juste répété ce qu'ils ont dit.

Aucune hésitation ni tentative de trouver une excuse… c'était la bonne attitude. Je n'ai pas insisté.

— Et qu'est-il arrivé après le viol ?

— Ils m'ont obligée à me laver.

— Comment ça ?

— Ils m'ont collée sous la douche. Et frottée avec du

savon. C'était une espèce de douche à jet. Ils m'ont forcée à me récurer partout.

— Et ensuite ?

— Ils ont pris mes vêtements, ils ont dit qu'ils allaient les brûler. Et ils m'ont passé un short et un tee-shirt.

— Et puis ?

— Jerry m'a raccompagnée à l'arrêt du bus.

— M. Flynn vous a-t-il dit quelque chose en chemin ?

— Non.

— Pas un mot ?

— Pas un mot.

— Et vous, lui avez-vous parlé ?

— Non.

J'ai à nouveau affiché un air étonné.

— Vous ne lui avez pas dit que vous aviez été violée ?

Elle a souri pour la première fois.

— Comme s'il ne le savait pas !

Je n'ai pas insisté non plus. Il était temps de passer la vitesse supérieure.

— Vous avez engagé un avocat, Chamique ?

— Oui, un genre.

— Que voulez-vous dire par là ?

— Je ne l'ai pas vraiment engagé. C'est lui qui est venu me trouver.

— Comment s'appelle-t-il ?

— Horace Foley.

— Vous entendez poursuivre ces deux jeunes gens en justice ?

— Oui.

— Pourquoi ?

— Pour qu'ils paient.

103

— N'est-ce pas ce qu'on est en train de faire là ? ai-je demandé. Chercher que justice soit faite ?

— Oui, mais un procès, c'est de l'argent à la clé.

J'ai plissé le front comme si je ne comprenais pas.

— La défense va répliquer que vous avez porté ces accusations pour extorquer de l'argent. Votre démarche, pour eux, prouve que vous êtes intéressée.

— Intéressée par l'argent, oui, a acquiescé Chamique. Est-ce que j'ai dit le contraire ?

J'ai attendu.

— L'argent ne vous intéresse pas, monsieur Copeland ?

— Si.

— Alors ?

— La défense va arguer que c'est une raison pour mentir.

— Ben, tant pis. Par contre, si je dis que l'argent m'intéresse pas, là ce serait un mensonge.

Elle a regardé le jury.

— Si je vous dis que l'argent, c'est pas important, est-ce que vous allez me croire ? Bien sûr que non. Pareil si vous me dites que l'argent, vous vous en fichez. L'argent, c'était important pour moi avant le viol. Et ça l'est toujours. Je ne mens pas. Ils m'ont violée. Je veux qu'ils aillent en prison pour ça. Et si je peux toucher un peu de sous au passage, pourquoi pas, hein ? Ce serait pas de refus.

J'ai fait un pas en arrière. La sincérité – l'authentique –, il n'y a rien de tel.

— Je n'ai pas d'autres questions.

8

L'AUDIENCE A ÉTÉ SUSPENDUE pour la pause déjeuner.

Normalement, c'est le moment de discuter stratégie avec mes subordonnés. Mais là, je n'en avais pas envie. Je voulais être seul. Me repasser le film de l'interrogatoire dans ma tête pour voir si je n'avais rien oublié et essayer d'imaginer la ligne de défense de Flair Hickory.

J'ai commandé un cheeseburger et une bière à une serveuse qui aurait pu postuler pour une pub du genre « Envie d'évasion ? » Elle m'a donné du « mon chou ». J'adore quand une serveuse m'appelle son chou.

Un procès, c'est deux récits contradictoires qu'on expose au jury. Il faut que votre protagoniste ait l'air crédible. La crédibilité est un critère bien plus important que l'angélisme. Les avocats ont tendance à l'oublier. Ils croient qu'il s'agit de présenter leur client comme quelqu'un de gentil et d'irréprochable. Ils ont tort. C'est pour ça que j'évite de servir des stéréotypes aux jurés. Les gens ont de la jugeote. Ils ont plus de chances de vous croire si vous montrez vos faiblesses. De mon point de vue en tout cas... côté accusation. La défense, elle, cherche plutôt à brouiller les pistes. Comme l'avait souligné Flair Hickory, on marche main dans la main avec M. le Doute-Bien-Fondé. Moi, c'est le contraire. J'aime que les choses soient claires.

La serveuse a reparu.

— Tenez, mon chou, a-t-elle dit en déposant le burger devant moi.

Je l'ai examiné. Il baignait tellement dans la graisse que j'ai failli commander une angiographie en guise de garniture. Mais, à dire vrai, cette cochonnerie était exactement ce qu'il me fallait. J'ai posé les deux mains dessus et senti mes doigts s'enfoncer dans le petit pain rond.

— Monsieur Copeland ?

Je ne connaissais pas le jeune homme qui s'était arrêté à ma table.

— Vous permettez ? ai-je dit. Je suis en train de manger.

— Ceci est pour vous.

Il a laissé tomber un billet sur la table et est reparti. C'était une feuille arrachée d'un bloc-notes et pliée en un petit rectangle. Je l'ai dépliée.

RETROUVEZ-MOI, SVP, À LA TABLE À DROITE DERRIÈRE VOUS.

E. J. JENRETTE

C'était le père d'Edward. On s'est regardés, mon bien-aimé cheeseburger et moi. J'ai horreur de manger froid, ou réchauffé. Alors je l'ai terminé. J'avais une faim de loup. J'ai essayé de ne pas l'engloutir en une seule bouchée. Et la bière, bon sang qu'elle était bonne !

Lorsque j'ai eu fini, je me suis levé et me suis dirigé vers la table au fond à droite. E. J. Jenrette était là. Avec ce qui ressemblait à un verre de scotch. Il tenait son verre à deux mains, comme pour le protéger. Et il fixait sans ciller le liquide ambré.

Il n'a pas levé les yeux quand je me suis assis en face de lui. Si mon retard l'avait contrarié – à supposer qu'il l'ait remarqué, du reste –, E. J. Jenrette n'en a rien laissé paraître.

— Vous vouliez me voir ?

Il a hoché la tête. C'était un grand costaud, genre ancien sportif ; le col de sa chemise griffée donnait l'impression de l'étrangler.

— Vous avez une fille, a-t-il dit.

J'attendais la suite.

— Jusqu'où iriez-vous pour la protéger ?

— Pour commencer, je ne la laisserais pas aller à une fête d'étudiants avec votre fils.

Il a levé la tête.

— Ce n'est pas drôle.

— Vous avez autre chose à me dire ?

Il a bu une longue gorgée.

— Je donnerai cent mille dollars à cette fille. Et cent mille au fonds caritatif que vous avez créé après la mort de votre épouse.

— Excellent. Vous rédigez les deux chèques maintenant ?

— Vous abandonnerez les poursuites ?

— Non.

Il m'a regardé dans les yeux.

— C'est mon fils. Souhaitez-vous vraiment qu'il passe les dix prochaines années derrière les barreaux ?

— Oui. Mais c'est le juge qui décidera de la sentence.

— Ce n'est qu'un gamin. Au pire, il s'est laissé emporter.

— Vous avez aussi une fille, je ne me trompe pas, monsieur Jenrette ?

Il a contemplé son verre.

— Si deux jeunes Noirs d'Irvington l'avaient séquestrée dans une chambre et lui avaient fait subir toutes ces choses, vous voudriez qu'on étouffe l'affaire ?

— Ma fille n'est pas strip-teaseuse.

— Non, monsieur. Elle a été gâtée par la vie. Elle a tous les privilèges. Pourquoi ferait-elle du strip-tease ?

— De grâce, épargnez-moi ce discours social à deux balles. Vous êtes en train de me dire qu'issue d'un milieu défavorisé, cette fille n'a pas eu d'autre choix que de faire la pute ? Allons ! C'est un affront pour toutes les personnes qui sont sorties du ghetto en travaillant dur.

J'ai haussé un sourcil.

— Ghetto ?

Il n'a pas répondu.

— Vous habitez Short Hills, monsieur Jenrette ?

— Oui, et alors ?

— Dites-moi, parmi vos voisines, combien ont choisi le strip-tease ou, selon votre propre expression, de faire la pute ?

— Je n'en sais rien.

— Les activités de Chamique Johnson n'ont rien à voir avec le fait qu'elle a été violée. Ce n'est pas à nous qu'il appartient de juger de son mode de vie. Votre fils n'a pas à décider qui mérite ou ne mérite pas d'être violé. En tout état de cause, Chamique Johnson travaille comme strip-teaseuse parce qu'elle n'a pas beaucoup de choix. Ce qui n'est pas le cas de votre fille.

J'ai secoué la tête.

— Vous n'avez pas compris, hein ?

— Compris quoi ?

108

— Que le fait qu'elle soit obligée de se déshabiller en public et de vendre son corps n'enlève rien à la culpabilité d'Edward. Que ça l'aggrave, même.

— Mon fils ne l'a pas violée.

— Ça sert à ça, un procès, à découvrir la vérité. C'est bon, je peux y aller ?

Il s'est enfin redressé.

— Je peux vous rendre la vie passablement difficile.

— Apparemment, vous vous y employez déjà.

— La suspension des dons ? (Il a haussé les épaules.) Ce n'est rien, ça. Un simple échauffement.

Il a soutenu mon regard sans sourciller. Cette conversation avait assez duré.

— Au revoir, monsieur Jenrette.

Se penchant, il m'a attrapé le bras.

— Ils s'en tireront.

— C'est ce qu'on verra.

— Vous avez marqué des points aujourd'hui, mais il reste encore à apporter la contradiction aux allégations de cette pute. Cette confusion des noms, vous n'êtes pas en mesure de l'expliquer. C'est ce qui vous perdra, vous le savez très bien. Alors écoutez plutôt ce que j'ai à vous proposer.

J'ai attendu.

— Mon fils et le jeune Marantz plaideront coupables quelles que soient les charges que vous formulerez à leur encontre, du moment que ça n'entraîne pas une peine de prison. Ils effectueront des travaux d'intérêt général. Ils resteront en liberté conditionnelle aussi longtemps que vous voudrez. C'est la moindre des choses. Par ailleurs, je fournirai une aide financière à cette jeune personne en difficulté et me chargerai de réunir des fonds pour Jane-Cure. Tout le monde y gagnera.

— Non.

— Vous croyez sérieusement que ces garçons seraient capables de recommencer ?

— Vous voulez mon avis ? ai-je dit. Ça m'étonnerait.

— Je pensais que la prison rééduquait.

— Peut-être, mais la rééducation, ce n'est pas mon rayon. Le mien, c'est la justice.

— Et la justice veut que mon fils aille en prison ?

— Oui. Mais une fois de plus, ce sont les juges et les jurés qui en décident.

— Vous n'avez jamais commis d'erreurs, monsieur Copeland ?

Je n'ai rien dit.

— Parce que j'ai l'intention de fouiller. Je vais fouiller pour exhumer la moindre petite faute que vous ayez pu faire. Et je n'hésiterai pas à m'en servir. Vous avez des cadavres dans vos placards, monsieur Copeland. Nous le savons tous les deux. Si vous persistez dans cette chasse aux sorcières, je les exhiberai au grand jour.

Il reprenait de l'assurance à vue d'œil. Je n'aimais pas ça.

— Au pire, mon fils a commis une grosse erreur. Nous cherchons un moyen de l'amender sans briser sa vie. Vous pouvez le comprendre, ça ?

— Je crois que nous nous sommes tout dit.

Il n'avait toujours pas lâché mon bras.

— Dernier avertissement, monsieur Copeland. Je ferai tout ce qui est en mon pouvoir pour protéger mon enfant.

J'ai regardé E. J. Jenrette, et ma réaction l'a surpris. Car j'ai souri.

— Qu'y a-t-il ?

— Tant mieux, ai-je dit.

110

— Quoi, tant mieux ?

— Qu'il y ait tellement de gens prêts à se battre pour votre fils. Dans la salle d'audience aussi, Edward a l'air très entouré.

— Tout le monde l'aime.

— Tant mieux, ai-je répété en dégageant mon bras. Mais quand je vois tous ces gens assis derrière votre fils, savez-vous ce qui me frappe ?

— Quoi ?

— C'est qu'il n'y a personne derrière Chamique Johnson.

— Il y a un texte que je voudrais vous lire.

Lucy Gold aimait que ses étudiants forment un cercle autour d'elle. Elle-même se tenant en son centre. D'accord, c'était un peu bateau, cette façon d'arpenter « le cercle d'étude » tel un lutteur arpente le ring, mais ça fonctionnait. Lorsqu'ils étaient assis en rond, les étudiants se retrouvaient tous au premier rang. Personne ne pouvait se cacher.

Lonnie était là. Lucy avait pensé lui confier la lecture pour pouvoir mieux étudier les visages, mais, comme il s'agissait d'une narratrice, ça risquait de sonner faux. Par ailleurs, quiconque avait écrit ça se doutait bien que Lucy allait épier sa réaction. Forcément. Il jouait au chat et à la souris avec elle. Elle a donc décidé de lire pendant que Lonnie surveillerait la classe. Et bien sûr, elle marquerait des pauses, lèverait les yeux du papier en espérant capter un signe.

Sylvia Potter, la lèche-cul, était assise face à elle. Les mains jointes et les yeux grands ouverts. Croisant son regard, Lucy l'a gratifiée d'un petit sourire. Le visage de Sylvia s'est illuminé. À côté d'elle, il y avait Alvin Renfro, un branleur de première. Comme la plupart de ses camarades, il était avachi sur sa chaise ; on aurait dit un pantin désarticulé qui allait glisser à terre d'un instant à l'autre.

— « Cela s'est passé quand j'avais dix-sept ans. J'étais dans une colonie de vacances. J'y travaillais comme monitrice stagiaire… »

Tout en lisant le récit de l'incident dans les bois, du baiser échangé entre la narratrice et P., son amoureux, contre un tronc d'arbre, des cris dans la nuit, Lucy se déplaçait à l'intérieur du cercle. Elle avait lu ce texte une bonne dizaine de fois, mais en prononçant les mots tout haut devant ses étudiants, elle sentait sa gorge se nouer. Ses jambes flageolaient. Elle a jeté un coup d'œil en direction de Lonnie. Il avait dû percevoir quelque chose dans sa voix car lui aussi la dévisageait. Elle lui a décoché un regard qui disait : « Ce sont eux que vous êtes censé observer, pas moi », et il s'est détourné à la hâte.

Lorsqu'elle a eu terminé, Lucy a demandé s'il y avait des commentaires. Le rituel était toujours le même. Les étudiants savaient que l'auteur de ces lignes était là, parmi eux, mais comme le seul moyen de se faire mousser était de descendre les autres, ils s'attaquaient au texte avec férocité. Généralement, ça commençait par : « C'est peut-être moi… » ou bien : « Je peux me tromper, mais… » Puis c'était la curée.

— Le style est plat.

— Je n'ai pas l'impression qu'elle soit très amoureuse de ce P.

— La main sous le chemisier ? Franchement…

— Moi, j'ai trouvé ça nul.

— La narratrice dit : « On s'est embrassés avec passion. » Ne me parle pas de passion. *Montre-moi…*

Lucy arbitrait. C'était la partie la plus importante de

son cours. Enseigner à la fac n'était pas facile. Elle repensait souvent à ses propres études, aux heures passées à potasser des ouvrages indigestes dont elle ne se rappelait plus un traître mot. Si elle avait appris une chose – puis intégré et mis en pratique –, c'étaient les remarques brèves qu'un professeur faisait au cours d'un débat. L'enseignement était une affaire de qualité et non de quantité. Si on parlait trop, votre discours devenait vite une sorte de fond sonore insipide. En revanche, si on parlait peu, on avait toutes les chances de marquer les esprits.

Les enseignants aussi aiment qu'on leur porte attention. Ce qui peut très bien devenir un piège. Un de ses premiers professeurs lui avait donné ce conseil simple et lumineux : il ne s'agit pas de vous. Elle le gardait en tête en permanence. D'un autre côté, les étudiants ne tiennent pas à ce que vous restiez au-dessus de la mêlée. Du coup, quand il lui arrivait de raconter une anecdote, elle s'arrangeait pour évoquer un de ses ratages – et Dieu sait qu'il y en avait eu – pour leur montrer que, finalement, elle s'en était sortie quand même.

Autre problème : les étudiants ne disaient pas tant ce qu'ils pensaient que ce qu'ils croyaient susceptible de l'impressionner favorablement. Bien entendu, c'était également le cas des réunions pédagogiques : l'essentiel n'était pas de dire la vérité, mais de faire bonne impression.

Aujourd'hui, cependant, Lucy se montrait plus pointilleuse que d'habitude. Elle voulait les faire réagir. Elle voulait que l'auteur se dévoile. Du coup, elle rajoutait de l'huile sur le feu.

— C'est censé être autobiographique, a-t-elle déclaré. Mais pensez-vous que ce que ce texte décrit est réellement arrivé ?

Ça les a douchés. Il y avait des règles tacites entre eux. Or Lucy venait de provoquer l'auteur, l'avait pratiquement taxé de menteur. Elle a fait machine arrière.

— Ce que j'entends par là, c'est que ça ressemble à de la fiction. En théorie, c'est une bonne chose, mais est-ce que ça nous facilite la tâche ? N'aurait-on pas tendance à douter de la véracité du récit ?

La discussion était animée. Les mains se levaient. Les étudiants débattaient entre eux. C'était le bon côté de la profession. À dire vrai, Lucy n'avait pas grand-chose dans sa vie. Mais elle adorait ces jeunes. Tous les semestres, elle retombait amoureuse. Ils étaient sa famille, de septembre à décembre, et de janvier à mai. Après, ils la quittaient. Certains revenaient. Ils étaient peu nombreux. Elle était contente de les revoir. Mais ils n'étaient plus sa famille. Seuls les étudiants de l'année en cours pouvaient prétendre à ce statut. C'était bizarre.

À un moment donné, Lonnie est sorti de la salle. Lucy s'est demandé où il allait, mais elle était trop absorbée par son cours. Il y avait des jours où le temps lui semblait trop court. Lorsque les étudiants ont commencé à ranger leurs affaires, elle n'en savait pas plus sur l'identité de son auteur anonyme.

— N'oubliez pas, a-t-elle dit. Deux nouvelles pages. Et je les veux pour demain.

Puis elle a ajouté :

— Euh… vous pouvez envoyer plus de deux pages, si vous le désirez. Mettez-moi par écrit tout ce que vous avez envie de dire.

Dix minutes plus tard, elle est entrée dans son bureau où Lonnie se trouvait déjà.

— Vous avez vu quelque chose sur leurs visages ? a-t-elle demandé.

— Non.

Lucy a entrepris de rassembler ses affaires, fourrant des papiers dans la sacoche de son ordinateur.

— Où allez-vous ? a dit Lonnie.

— J'ai rendez-vous.

Son ton l'a dissuadé de poser d'autres questions. Ce « rendez-vous » hebdomadaire, Lucy n'en parlait à personne, pas même à Lonnie.

— Hum, a fait Lonnie en contemplant ses chaussures.

Elle a levé les yeux.

— Qu'y a-t-il ?

— Vous êtes sûre que vous voulez savoir qui a envoyé ce texte ? Pour moi, je ne sais pas, ç'a comme un arrière-goût de trahison.

— Il faut que je sache.

— Pourquoi ?

— Je ne peux pas vous le dire.

Il a hoché la tête.

— OK, d'accord.

— D'accord pour quoi ?

— Vous revenez quand ?

— Dans une heure ou deux.

Lonnie a consulté sa montre.

— D'ici là, a-t-il dit, j'aurai trouvé qui l'a envoyé.

9

LE PROCÈS A ÉTÉ AJOURNÉ POUR L'APRÈS-MIDI.

D'aucuns estimeraient que cela pouvait influencer le cours des débats… que le jury, resté sur mon intervention, allait avoir toute la nuit pour s'en imprégner, et patati et patata. Ce type de raisonnement était absurde. Ça faisait partie du cycle de vie d'un procès. Le revers de la médaille – à supposer qu'il y ait un avers – c'est que Flair Hickory allait avoir plus de temps pour préparer la contre-offensive. C'est ça, une procédure judiciaire. On a beau s'exciter, chaque partie a ses chances.

J'ai appelé Loren Muse sur son portable.

— Toujours rien ?

— J'y travaille.

En raccrochant, j'ai vu que j'avais un message de l'inspecteur York. Je ne savais plus trop comment réagir vis-à-vis de Mme Perez et de son mensonge à propos de la cicatrice de Gil. Si je l'abordais de front, elle dirait qu'elle s'était trompée. Tout le monde peut se tromper.

Mais pourquoi ?

Avait-elle été sincère quand elle avait dit que le défunt n'était pas son fils ? M. Perez et elle avaient-ils commis une erreur, une erreur énorme bien que compréhensible… tant il était difficile d'accepter que leur Gil ait été en vie toutes ces années ?

Ou est-ce qu'ils mentaient ?

Et si oui, pourquoi ?

Avant de les affronter, il me fallait davantage de certitudes. Il fallait prouver par exemple que le mort de l'institut médico-légal, connu sous le nom de Manolo Santiago, était bel et bien Gil Perez, disparu dans les bois avec ma sœur, Margot Green et Doug Billingham vingt ans plus tôt.

Dans son message, York disait : « Désolé d'avoir été si long. Vous m'avez demandé des infos sur Raya Singh, la petite amie de la victime. Croyez-le ou non, tout ce qu'on savait d'elle, c'était son numéro de portable. Bref, on l'a appelée. Elle travaille dans un restaurant indien sur la route 3 à côté du Lincoln Tunnel. » Il me donnait le nom et l'adresse du restaurant. « Elle est censée y être toute la journée. Dites, si vous apprenez quelque chose sur la véritable identité de Santiago, prévenez-moi. D'après nos renseignements, il utilisait ce nom depuis un bon moment. On a retrouvé sa trace, pas grand-chose, dans la région de Los Angeles, et ça remonte à six ans. À plus. »

Avec ça, on n'allait pas bien loin. Mais bon. Je me suis dirigé vers ma voiture. J'ai ouvert la portière et, là, j'ai senti qu'il y avait un problème.

Une enveloppe kraft reposait sur le siège du conducteur.

Elle ne m'appartenait pas. Ce n'est pas moi qui l'avais laissée là. Qui plus est, j'avais verrouillé les portières.

Quelqu'un avait pénétré dans ma voiture.

J'ai ramassé l'enveloppe. Pas d'adresse, pas de cachet postal. Rien. Elle était mince, du reste. Je me suis installé au volant. L'enveloppe était fermée. J'ai glissé mon index sous le rabat…

Et mon sang s'est glacé dans mes veines.

Elle contenait une photo de mon père.

J'ai froncé les sourcils. *Que diable… ?*

Tout en bas, sur la bordure blanche, on avait soigneusement tapé son nom – Vladimir Copeland – et l'année. C'était tout.

Je ne comprenais pas.

Immobile, j'ai contemplé fixement la photo de cet homme que j'avais tant aimé. J'ai songé au jeune médecin de Leningrad, à tout ce qu'il avait perdu, à sa vie qui avait tourné à une interminable succession de drames et de désillusions. Je me suis rappelé ses disputes avec sa femme ; tous deux étaient malheureux, avec l'autre pour seul exutoire. J'ai revu ma mère en train de pleurer dans un coin. Je me suis souvenu d'avoir passé certaines de ces soirées-là avec Camille. On ne se querellait jamais, elle et moi, ce qui est plutôt inhabituel entre un frère et une sœur, mais peut-être qu'on en avait assez entendu comme ça. Quelquefois, elle me prenait la main ou me proposait d'aller faire un tour. Mais la plupart du temps, on allait dans sa chambre ; Camille mettait une chanson débile – elle adorait ça – et me racontait pourquoi elle l'aimait, comme s'il y avait eu un sens caché, ou me parlait d'un garçon qui lui plaisait au lycée. Je l'écoutais et, très bizarrement, je me sentais bien.

Je ne comprenais pas. *Qu'est-ce que cette photo… ?*

Il y avait autre chose dans l'enveloppe.

Je l'ai retournée. Rien. J'ai plongé la main à l'intérieur. On aurait dit une fiche bristol. J'ai fini par l'attraper. Oui, une fiche bristol. Blanche, avec des lignes rouges. Ce côté-là était vierge. Mais au recto

– entièrement blanc – on avait dactylographié trois mots, en majuscules :

LE PREMIER CADAVRE

— Vous avez retrouvé l'auteur du texte ? a demandé Lucy.

— Pas encore. Mais ça ne va pas tarder.

— Comment allez-vous vous y prendre ?

Lonnie gardait la tête baissée. Finies, les fanfaronnades. Elle s'est sentie coupable. Il n'aimait pas ce qu'elle exigeait de lui. Elle non plus n'aimait pas ça. Mais elle n'avait pas le choix. Elle avait tout fait pour enterrer le passé. Elle avait changé de nom. Coupé définitivement les ponts avec Paul. Elle avait troqué sa blondeur naturelle – combien de femmes étaient naturellement blondes à son âge ? – contre une espèce de couleur châtain fadasse.

— OK, a-t-elle dit. Vous serez là quand je rentrerai ?

Il a hoché la tête. Lucy est descendue chercher sa voiture.

À la télé, on change d'identité comme de chemise. Dans la vraie vie, Lucy avait trouvé ça long et compliqué. Elle avait remplacé Silverstein par Gold. L'argent par l'or. Astucieux, non ? Pas vraiment, mais au moins ça permettait de garder un lien avec un père qu'elle chérissait toujours.

Elle avait beaucoup bougé depuis. La colonie de vacances n'existait plus. Liquidés aussi, tous les biens de son père. Et pour finir, en grande partie son père lui-même.

Ce qui restait d'Ira Silverstein résidait dans une maison médicalisée à quinze kilomètres du campus de Reston. Lucy conduisait, savourant ces instants de solitude. Elle écoutait Tom Waits chanter son espoir de ne pas tomber amoureux. Évidemment, ça ne marchait pas.

Elle s'est engagée dans le parking. La résidence, un ancien manoir doté d'un vaste terrain, était plus agréable que la plupart des établissements de sa catégorie. Presque tout le salaire de Lucy y passait.

Elle s'est garée à côté de la vieille voiture de son père, une Coccinelle jaune mangée par la rouille. La Coccinelle était toujours au même endroit. Il était fort possible qu'elle n'ait pas quitté sa place de parking depuis au moins un an. Son père était libre de ses mouvements. Il pouvait sortir et rentrer comme bon lui semblait. Pourtant – c'est ça le plus triste –, il passait le plus clair de son temps dans sa chambre. Les années avaient effacé les slogans sur les autocollants gauchistes qui ornaient la voiture. Lucy avait un double des clés ; régulièrement, elle faisait tourner le moteur, histoire que la batterie ne se décharge pas. Ce simple fait, le fait de s'asseoir dans la voiture, la ramenait loin dans son passé. Elle revoyait Ira au volant, barbu, la vitre grande ouverte, un sourire, un geste de la main et un coup de Klaxon pour tous ceux qu'il croisait sur sa route.

Elle n'avait jamais eu le cœur de rouler avec.

Lucy a signé le registre à la réception. L'établissement était spécialisé dans l'accueil des personnes âgées souffrant d'addiction ou de troubles mentaux. L'éventail était vaste, depuis des gens qui avaient l'air parfaitement « normaux » jusqu'aux spécimens sortis tout droit de *Vol au-dessus d'un nid de coucou*.

Ira, lui, était un peu les deux.

Elle s'est arrêtée sur le pas de la porte. Vêtu de son habituel poncho de chanvre, le cheveu en bataille, il lui tournait le dos. La « stéréo », comme disait toujours son père, diffusait à pleins tubes un classique des Grass-roots, *Let's Live for Today*, une chanson de 1967. Lucy a attendu que P. F. Sloan, le chanteur, compte « Un, deux, trois, quatre » avant que le groupe n'entame un nouveau cha-la-la-la-la. Fermant les yeux, elle a mimé les paroles.

C'était une pure merveille.

Il y avait des perles dans la chambre, des tissus *tie and dye* et un poster Flower Power. Lucy a souri, mais d'un sourire sans joie. La nostalgie est une chose… l'esprit qui se dégrade en est une autre. Ira s'aventurait rarement hors de la capsule spatio-temporelle que représentait sa chambre.

La démence précoce – due peut-être à l'usage prolongé des drogues, allez savoir – gagnait du terrain. Comme Ira avait toujours vécu dans le passé, et à côté de la plaque, il était difficile de déterminer à quelle vitesse progressait le mal. C'est ce qu'expliquaient les médecins. Mais Lucy savait que la cassure initiale, qui avait marqué le début de la dégringolade, s'était produite ce fameux été. Ira avait presque entièrement endossé la responsabilité de ce qui était arrivé dans les bois. C'était sa colonie. Il aurait dû veiller davantage sur ses pensionnaires.

Les médias s'en étaient pris à lui, mais pas aussi violemment que les familles. Ira était un homme trop doux pour y faire face. Ça l'avait brisé.

Cloîtré dans sa chambre, son esprit vagabondait d'une décennie à l'autre, mais celle-ci – les années soixante – était la seule où il se sentait à l'aise. La moitié du temps, il se croyait toujours en 1968. À d'autres moments, il était lucide, ça se voyait à son expression… simplement, il n'avait pas envie de l'assumer. Du coup, dans le cadre de sa nouvelle « thérapie de la validation », l'équipe soignante s'était faite à l'idée que son univers était resté bloqué en 1968.

Ils avaient expliqué que ce type de démence ne s'arrangeait pas avec l'âge ; leur principal souci était donc d'assurer le bien-être du patient et de lui éviter le plus possible de stress, quitte à vivre dans le mensonge. En clair, Ira avait envie qu'on soit en 1968. C'est là qu'il était le plus heureux. Alors pourquoi le contrarier ?

— Salut, Ira.

Ira – il lui avait toujours défendu de l'appeler « papa » – a pivoté lentement, de la manière qu'ont tous ceux qui suivent un traitement médicamenteux lourd. Il a levé la main, tel un plongeur sous l'eau, et remué les doigts.

— Salut, Luce.

Elle a ravalé ses larmes. Il la reconnaissait, il savait qui elle était. Le fait qu'il vivait en 1968 et que sa fille n'était même pas née à cette époque-là ne semblait pas le perturber outre mesure.

Il lui a souri. Ira était quelqu'un de trop bon, trop généreux, trop candide pour notre monde cruel. Lucy aurait pu le qualifier d'« ex-hippie », mais cela aurait signifié qu'à un moment donné, Ira avait renoncé à l'être. Or, longtemps après que tout le monde eut renoncé aux colliers de fleurs, aux tee-shirts délavés et aux perles, après que les autres eurent coupé leurs cheveux et rasé leurs barbes, Ira était demeuré fidèle à son rêve.

Lucy avait vécu une enfance idyllique. Son père n'élevait jamais la voix. Il n'avait élevé pratiquement aucune barrière, n'avait imposé aucune limite ; il voulait que sa fille voie et expérimente tout. Curieusement, cette absence de censure avait rendu son unique enfant passablement pudique par rapport à la norme actuelle.

— Je suis si heureux que tu sois là…

Ira a à moitié titubé vers elle. Elle l'a pris dans ses bras. Il dégageait une odeur de vieux et de corps mal lavé. Le chanvre aussi avait besoin d'un nettoyage.

— Comment tu te sens, Ira ?

— Bien. Merveilleusement bien.

Il a ouvert une fiole et prit une vitamine. C'était une manie qu'il avait. Tout anticapitaliste qu'il était, il avait fait fortune dans les vitamines au début des années soixante-dix. Il avait revendu son entreprise pour acheter une propriété à la frontière entre la Pennsylvanie et le New Jersey. Pendant quelque temps, il y avait dirigé une communauté. Mais ça n'avait pas duré. Alors il l'avait reconvertie en colonie de vacances.

— Ça va ? a-t-elle insisté.

— À merveille.

Et il s'est mis à pleurer. Lucy s'est assise à côté de lui et a pris sa main. Il a pleuré, puis il a ri, puis pleuré à nouveau. Sans cesser de lui répéter combien il l'aimait.

— Tu es tout pour moi, Luce. Je te vois… Je vois les choses telles qu'elles devraient être. Tu comprends ?

— Moi aussi je t'aime, Ira.

— Tu comprends ? C'est de ça que je parle. Je suis l'homme le plus riche du monde.

Et il s'est remis à pleurer.

Elle n'avait pas beaucoup de temps. Il fallait qu'elle retourne au bureau voir ce que Lonnie avait trouvé. Ira avait posé la tête sur son épaule. L'odeur et les pellicules commençaient à incommoder Lucy. Quand une infirmière est entrée, elle a profité de la diversion pour se dégager. Elle n'était pas fière d'elle.

— Je reviendrai la semaine prochaine, d'accord ?

Ira a hoché la tête. Quand elle est partie, il souriait.

L'infirmière – Lucy avait oublié son nom – l'attendait dans le couloir.

— Comment ça se passe ? a demandé Lucy.

En général, la réponse à cette question est purement formelle. Les patients allaient tous mal, mais leurs proches n'avaient pas envie de l'entendre dire. Du coup, l'infirmière répondait : « Oh, très bien. » Mais cette fois, ç'a été :

— Votre père a été plus agité ces temps-ci.

— Comment ça ?

— D'habitude, Ira est adorable, une vraie crème. Mais il a des sautes d'humeur…

— Il a toujours eu des sautes d'humeur.

— Pas comme en ce moment.

— Il a été désagréable ?

— Non, ce n'est pas ça…

— C'est quoi, alors ?

L'infirmière a haussé les épaules.

— Il reparle beaucoup du passé.

— C'est normal, son sujet favori, c'est les années soixante.

— Non, un passé plus récent.

— Lequel ?

— Il parle d'une colonie de vacances.

Lucy a ressenti un coup sourd dans sa poitrine.

— Et que dit-il ?

— Il raconte qu'il possédait une colonie de vacances. Qu'il l'a perdue. Puis il se met à divaguer sur le sang, les bois, l'obscurité, des choses comme ça. Et d'un coup, il se tait. Ça donne la chair de poule. Avant la semaine dernière, je ne l'avais jamais entendu parler d'une colonie de vacances, et encore moins d'une colonie dont il aurait été le propriétaire. Peut-être qu'il déraille ? Peut-être qu'il a tout inventé ?

C'était une question, mais Lucy n'a pas réagi. Au bout du couloir, une autre infirmière a appelé :

— Rebecca ?

Rebecca, puisque c'était son nom, a dit :

— Il faut que je me sauve.

Restée seule, Lucy a jeté un coup d'œil en direction de la chambre. Le dos tourné, son père était en train de fixer le mur. Elle s'est demandé ce qui se passait dans sa tête. Ce qu'il lui cachait.

Ce qu'il savait réellement au sujet de cette nuit-là.

Secouant sa torpeur, elle s'est dirigée vers la sortie. La réceptionniste l'a priée de signer dans la colonne « départ ». Chaque patient avait sa propre page. La jeune femme a ouvert le registre à la page d'Ira et l'a fait pivoter vers Lucy. Le stylo à la main, celle-ci allait esquisser distraitement le même gribouillis qu'à son arrivée quand elle a suspendu son geste.

Il y avait là un autre nom.

La semaine dernière, Ira avait reçu un visiteur. Son seul et unique autre visiteur depuis qu'il était ici. Fronçant les sourcils, elle a lu son nom. Il ne lui disait rien.

Qui pouvait bien être Manolo Santiago ?

10

Le premier cadavre

J'AVAIS TOUJOURS LA PHOTO DE MON PÈRE à la main.

Il fallait que je m'arrête en route avant de rencontrer Raya Singh. J'ai regardé la fiche bristol. Le premier cadavre. Sous-entendu, il y en aurait d'autres.

Mais commençons par celui-ci : mon père.

Une seule personne pouvait m'aider, s'agissant de mon père et des éventuels cadavres cachés dans son placard. J'ai sorti mon portable et pressé la touche six. J'appelais rarement ce numéro, mais il continuait à figurer dans les raccourcis de mon répertoire. Et il avait de grandes chances pour qu'il y reste.

Il a répondu dès la première sonnerie, de sa voix grave et rocailleuse :

— Paul ?

Un seul mot, mais on entendait l'accent à couper au couteau.

— Bonjour, oncle Sash.

Sash n'était pas vraiment mon oncle. C'était un ami de la famille, de là-bas. Je ne l'avais pas revu depuis trois mois, depuis l'enterrement de mon père, mais en entendant sa voix, je me suis aussitôt représenté le bonhomme, taillé comme une armoire à glace. Mon père disait que l'oncle Sash avait été l'homme le plus puissant et le plus redouté de Pulkovo, la ville des environs de Leningrad où ils avaient grandi l'un et l'autre.

— Ça fait un bail, a-t-il dit.

— Je sais. Désolé.

— Pfff, a-t-il rétorqué, comme agacé par mes excuses. Mais je pensais bien que tu appellerais aujourd'hui.

— Ah oui ? ai-je dit, surpris. Pourquoi ?

— Parce que, mon jeune neveu, il faut qu'on parle.

— De quoi ?

— De la raison pour laquelle je ne parle jamais de rien au téléphone.

Les affaires de Sash, sans dire qu'elles étaient illégales, se situaient quand même côté ombre.

— Je suis chez moi, en ville.

Il possédait un luxueux appartement avec terrasse sur la 36e Rue à Manhattan.

— Tu peux être là dans combien de temps ?

— Une demi-heure si ça roule.

— Parfait. À tout de suite.

— Oncle Sash ?

Il attendait la suite. J'ai regardé la photo de mon père sur le siège du passager.

— Tu peux me dire en deux mots de quoi il s'agit ?

— Il s'agit de ton passé, Pavel, a-t-il répondu avec son accent guttural, en m'appelant par mon prénom russe. Le passé doit rester le passé.

— Ça veut dire quoi ?

— On en parlera tout à l'heure.

Et il a raccroché.

Comme il n'y avait pas de circulation, le trajet m'a pris en tout et pour tout vingt-cinq minutes. Le portier arborait un de ces uniformes ridicules à glands. Ça m'a fait penser à Brejnev lors d'un défilé du 1er Mai. Pour Sash, c'était le pompon ! L'homme connaissait mon visage et avait été prévenu de mon arrivée. Un portier, s'il n'est pas prévenu, ne décroche pas l'interphone. On n'entre pas, un point c'est tout.

Alexei, le vieil ami de Sash, se tenait devant l'ascenseur. C'était son garde du corps depuis toujours. Bientôt septuagénaire, de quelques années plus jeune que Sash, il était d'une laideur repoussante, le nez rouge et bulbeux, le visage strié de veinules… d'avoir trop picolé sans doute. Le veston et le pantalon de son costume étaient mal ajustés, mais il faut dire que la haute couture n'avait rien prévu pour les gens de son gabarit.

Alexei n'avait pas l'air ravi de me voir. De toute façon, il n'a jamais été très avenant. Il m'a ouvert la porte de l'ascenseur. J'ai pénétré dans la cabine sans dire un mot. Avec un bref hochement de tête, il a laissé la porte se refermer. Je me suis retrouvé seul.

L'ascenseur montait directement à l'appartement.

L'oncle Sash se tenait à quelques pas de la porte. La pièce était immense. Le mobilier, cubiste. Par la baie vitrée, on avait une vue à couper le souffle, mais la couleur probablement baptisée « merlot » ou quelque chose du même genre, de l'épais papier mural ressemblait à celle du sang.

Quand Sash m'a vu, son visage s'est illuminé. Il m'a ouvert les bras. Un des souvenirs les plus marquants de mon enfance, c'est la taille de ses mains. Elles me paraissaient tellement énormes. Ses cheveux grisonnaient aujourd'hui mais, alors qu'il avait allègrement franchi les soixante-dix ans, sa stature et l'aura d'autorité qui émanait de lui inspiraient toujours un sentiment de crainte mêlée de respect.

Je suis sorti de l'ascenseur.

— Quoi, a-t-il fait, tu es trop grand maintenant pour venir m'embrasser ?

Son étreinte était vigoureuse, à la russe. Cet homme-là était aussi fort qu'un ours. Les muscles de ses avant-bras saillaient. Quand il m'a attiré contre lui, j'ai senti qu'il lui suffisait de serrer un peu plus pour me briser l'échine.

Pour finir, Sash m'a empoigné à la hauteur des biceps et m'a tenu à bout de bras pour mieux m'examiner.

— Ton père, a-t-il décrété avec un accent plus prononcé que jamais. Tu es le portrait craché de ton père.

Sash avait débarqué aux États-Unis peu de temps après nous. Il travaillait pour Intourist, le tour-opérateur soviétique, dans leurs bureaux de Manhattan. Son job consistait à assister les touristes américains désireux de visiter Moscou et la ville qui à l'époque se nommait encore Leningrad.

C'était il y a longtemps. Après la chute du régime soviétique, il s'était lancé dans une activité obscurément appelée « import-export ». Je n'ai jamais bien su ce que ça voulait dire, sinon que l'argent ainsi gagné lui avait permis de s'offrir cet appartement luxueux.

Sash m'a dévisagé quelques secondes encore. Il portait une chemise blanche largement déboutonnée avec un maillot de corps en dessous. Une grosse touffe de poils gris s'en échappait. Je savais que ce silence ne durerait pas. L'oncle Sash n'était pas homme à s'embarrasser de préliminaires.

Comme s'il lisait dans mes pensées, il a planté son regard dans le mien.

— J'ai reçu des coups de fil dernièrement.

— De qui ?

— De vieux amis.

J'attendais la suite.

— De là-bas.

— Je ne vois pas très bien.

— Il y a des gens qui posent des questions.

— Sash ?

— Oui ?

— Au téléphone, tu avais peur qu'on nous écoute. Ici aussi ?

— Non. Ici on n'a rien à craindre. Je fais inspecter cette pièce une fois par semaine.

— Bon, alors si tu arrêtais de parler par énigmes et m'expliquais de quoi il s'agit ?

Il a souri. Ma brusquerie lui avait plu.

— Il y a des gens. Des Américains. À Moscou. Qui claquent de l'argent et posent des questions à droite et à gauche.

J'ai hoché imperceptiblement la tête.

— Des questions sur quoi ?

— Sur ton père.

— Quel genre de question ?

— Tu te rappelles les vieilles rumeurs ?

— Tu rigoles ?

Non, il ne rigolait pas. Et, bizarrement, ça faisait sens. Premier cadavre. J'aurais dû m'en douter.

Bien sûr que je me souvenais de ces rumeurs. Elles avaient failli détruire ma famille.

Ma sœur et moi avions vu le jour en Union soviétique à l'époque de la guerre froide. On avait interdit à mon père, docteur en médecine, d'exercer, accusé qu'il était d'incompétence simplement parce qu'il était juif. C'était comme ça durant ces années-là.

Au même moment, une synagogue d'obédience non orthodoxe, ici, aux États-Unis – plus précisément à Skokie, dans l'Illinois –, avait entrepris d'aider les juifs soviétiques. Au milieu des années soixante-dix, ces derniers étaient devenus une « cause célèbre » : il s'agissait de les faire sortir d'URSS.

Nous avons eu de la chance. Ils ont réussi à nous faire quitter le pays.

Pendant un bon moment, on a été considérés comme des héros dans notre nouvelle patrie. Mon père parlait avec ferveur du calvaire des juifs soviétiques à l'office du vendredi soir. Des gamins arboraient des badges de soutien. Les gens donnaient de l'argent. Mais, environ un an après notre arrivée, mon père s'est disputé avec le premier rabbin, et soudain, il y a eu des murmures qui laissaient supposer que, si mon père avait pu quitter l'Union soviétique, c'était parce qu'il appartenait au KGB, qu'il n'était même pas juif, que tout cela était un coup monté. Ces accusations, pitoyables et contradictoires, remontaient à plus de trente ans maintenant.

J'ai secoué la tête.

— Ils cherchent à prouver que mon père était membre du KGB ?

— Oui.

Foutu Jenrette ! Pas besoin de me faire un dessin. J'étais un personnage public à présent. Ces accusations, même si elles se révélaient fausses, ne pouvaient que me nuire. J'étais bien placé pour le savoir. Il y a trente ans, ma famille avait pratiquement tout perdu à cause de ces accusations-là. De Skokie, nous avions déménagé à Newark. Et plus rien n'a été comme avant.

J'ai levé les yeux.

— Au téléphone, tu m'as dit que tu t'attendais à mon coup de fil.

— Si tu n'avais pas appelé, je t'aurais contacté aujourd'hui même.

— Pour me mettre en garde ?

— Oui.

— Donc, ils ont trouvé quelque chose.

Le colosse n'a pas répondu. Je scrutais son visage. Et tout mon univers, tout ce à quoi j'avais cru depuis mon enfance, a chaviré lentement.

— Est-ce qu'il était au KGB, Sash ?

— Tout ça, c'est de l'histoire ancienne.

— Ça veut dire oui ?

Il a souri brièvement.

— Tu n'as pas idée de ce que c'était.

— Encore une fois, ça veut dire oui ?

— Non, Pavel. Mais ton père… ç'aurait été logique qu'il en fasse partie.

— Qu'est-ce que tu entends par là ?

— Sais-tu comment je suis arrivé ici ?

— Tu travaillais pour un voyagiste.

— C'était l'Union soviétique, Pavel. L'entreprise privée, ça n'existait pas. Intourist était géré par le gouvernement. Tout était géré par le gouvernement. Tu comprends ?

— Je pense, oui.

— Quand le gouvernement soviétique envoyait quelqu'un à New York, crois-tu qu'ils choisissaient l'homme le plus compétent en matière de séjours touristiques ou l'homme susceptible de leur être utile à d'autres égards ?

J'ai songé à la taille de ses mains. À sa force physique.

— Alors comme ça, tu appartenais au KGB ?

— J'étais colonel dans l'armée. Le KGB, c'était autre chose. Mais il est vrai que j'étais ce qu'on pourrait appeler… (il a esquissé en l'air des guillemets avec ses doigts)… un espion. Je rencontrais des fonctionnaires américains. J'essayais de les retourner. Les gens s'imaginent qu'on recueille des informations importantes qui pourraient infléchir l'équilibre des forces mais c'est de la foutaise. On n'apprenait rien d'intéressant. Rien. Et les espions américains non plus n'apprenaient rien sur nous. On se repassait des tuyaux crevés d'un camp à l'autre. C'était un jeu idiot.

— Et mon père ?

— Le gouvernement soviétique l'a laissé sortir. Vos amis juifs croient que c'est parce qu'ils ont mis suffisamment de pression. Allons donc. Une poignée de juifs dans une synagogue ? Faire céder un gouvernement qui n'avait de comptes à rendre à personne ? Ce n'est pas sérieux. C'en est même presque comique, quand on y réfléchit…

— Tu es en train de dire… ?

— Je te dis ce qui est. Ton père a-t-il promis de collaborer avec le régime ? Évidemment. Mais c'était juste pour pouvoir partir. C'est compliqué, Pavel. Tu n'imagines pas la situation dans laquelle il se trouvait là-bas. Ton père était un bon médecin et un homme bien. Accusé à tort d'avoir commis une faute professionnelle, il a perdu le droit d'exercer. Puis ton grand-père et ta grand-mère – les merveilleux parents de Natacha –, mon Dieu, tu étais trop jeune pour t'en souvenir…

— Je m'en souviens, ai-je dit.

— C'est vrai ?

À quel point était-ce vrai ? J'ai gardé cette image de mon papy, de sa crinière blanche et peut-être de son rire tonitruant, et de ma mamie en train de le gronder gentiment. Mais je n'avais que trois ans quand on était venu les chercher. S'agissait-il d'un véritable souvenir ou du fruit de mon imagination, à force de regarder leur photo sur mon bureau ? À moins que je ne l'aie recréé à partir des récits de ma mère.

— Tes grands-parents étaient des intellectuels, professeurs à l'université. Ton grand-père était le doyen de la faculté d'histoire et ta grand-mère était une brillante mathématicienne. Mais tu sais tout cela, n'est-ce pas ?

J'ai hoché la tête.

— Ma mère disait qu'elle apprenait davantage à travers les discussions à table qu'à l'école.

Sash a souri.

— Ça ne m'étonne pas. Tes grands-parents fréquentaient les plus grands savants de leur temps. Naturellement, ç'a attiré l'attention du gouvernement. On les considérait comme des dissidents. Ils représentaient un danger pour le régime. Tu te rappelles leur arrestation ?

— Je me souviens, ai-je répondu, des conséquences.

Il a fermé les yeux l'espace d'une longue seconde.

— Et de l'effet que ç'a eu sur ta mère ?

— Oui.

— Natacha n'a plus jamais été la même. Tu comprends ?

— Oui.

— Et ton père qui, de son côté, avait perdu tant de choses : son travail, sa réputation, ses beaux-parents enfin... voilà que le régime lui offrait une porte de sortie. Une chance de refaire sa vie.

— Aux États-Unis.

— Exactement.

— Il suffisait pour ça qu'il devienne un espion ?

Sash a balayé ma provocation d'un geste de la main.

— Tu ne comprends pas que c'était un jeu ? Un homme comme ton père, que pouvait-il apprendre ?

Même s'il essayait... ce qui n'a pas été le cas. Qu'aurait-il pu leur rapporter ?

— Et ma mère ?

— À leurs yeux, Natacha n'était qu'une femme. Ils n'avaient que faire d'une femme. Au début, elle leur a posé un problème. Comme je viens de te le dire, ses parents passaient pour des dissidents. Ils avaient fondé un groupe pour dénoncer publiquement les atteintes aux droits de l'homme. Ils faisaient du bon boulot, jusqu'au jour où quelqu'un les a dénoncés. Les agents ont débarqué en pleine nuit.

Il s'est interrompu.

— Oui ? ai-je dit.

— C'est difficile d'en parler. Compte tenu de ce qui leur est arrivé.

J'ai haussé les épaules.

— Le mal est fait.

Il n'a pas répondu.

— Que s'est-il passé, Sash ?

— On les a envoyés au goulag. Les conditions étaient épouvantables. Et tes grands-parents n'étaient plus tout jeunes. Tu sais comment ça s'est terminé ?

— Ils sont morts tous les deux.

Sash s'est approché de la baie vitrée. Il avait une vue absolument magnifique sur l'Hudson. Deux énormes paquebots avaient jeté l'ancre dans le port. Sur la gauche, on apercevait même la statue de la Liberté. C'est petit, Manhattan, treize kilomètres de long et, comme avec Sash, partout on ressent son rayonnement.

— Sash ?

Il a baissé la voix.

— Sais-tu comment ils sont morts ?

— Tu l'as dit toi-même. Les conditions étaient lamentables. Et mon grand-père était cardiaque.

Il continuait à me tourner le dos.

— Les autorités ont refusé de le soigner. Il n'a même pas eu droit à des médicaments. Il est mort au bout de trois mois.

Il y a eu un silence.

— Tu ne m'as pas tout dit, hein, Sash ?

— Sais-tu ce qui est arrivé à ta grand-mère ?

— Je sais ce que m'en a raconté ma mère.

— C'est-à-dire ?

— Mamie est tombée malade à son tour. Son cœur a lâché. C'est souvent comme ça dans les vieux couples. Quand l'un meurt, l'autre se laisse mourir aussi.

Il se taisait.

— Sash ?

— C'est un peu vrai, a-t-il dit, en un sens.

— En un sens ?

Ses yeux restaient rivés sur le panorama au-dehors.

— Ta grand-mère s'est suicidée.

Mes muscles se sont raidis. J'ai secoué la tête.

— Elle s'est pendue avec un drap.

Assis sans bouger, j'ai songé à la photo de ma mamie. À son sourire complice. À ce que je connaissais d'elle par ma mère, sa vivacité d'esprit, son franc-parler. Suicidée…

— Ma mère était au courant ? ai-je demandé.

— Oui.

— Elle ne me l'a jamais dit.

— J'aurais peut-être mieux fait de ne pas te l'apprendre non plus.

— Alors pourquoi l'avoir fait ?

— Je veux que tu comprennes quelle était la situation. Ta mère était une belle femme. Fine, délicate. Ton père l'adorait. Mais l'arrestation et, on peut le dire,

136

l'assassinat de ses parents l'ont transformée. Tu as dû le sentir, non ? Une certaine mélancolie. Même avant ta sœur.

Je l'avais senti, en effet.

— Je voulais que tu le saches. Pour ta mère. Pour t'aider à y voir plus clair.

— Sash ?

Il était toujours à la fenêtre.

— Sais-tu où elle est ?

Le colosse n'a pas répondu tout de suite.

— Sash ?

— Je l'ai su. Au début, au moment de son départ.

J'ai dégluti.

— Où est-elle allée ?

— Natacha est rentrée chez elle.

— Je ne comprends pas.

— Elle est retournée en Russie.

— Pourquoi ?

— Il ne faut pas lui en vouloir, Pavel.

— Je ne lui en veux pas. J'aimerais juste savoir pourquoi.

— On peut quitter son pays comme tes parents l'ont fait. On essaie de changer. On hait le régime, mais pas ses habitants. Ton pays reste toujours ton pays.

Il s'est retourné vers moi. Son regard a accroché le mien.

— C'est pour ça qu'elle est partie ?

Il s'est contenté de me regarder.

— C'était ça, son raisonnement ?

Mon sang n'a fait qu'un tour. Je criais presque.

— Parce que son pays restait toujours son pays ?

— Tu ne m'écoutes pas.

— Si, Sash, je t'écoute. Ton pays reste toujours ton pays. C'est n'importe quoi. Et ta famille reste toujours ta famille, non ? Ton mari reste toujours ton mari… et, tant qu'on y est, ton fils reste toujours ton fils ?

Il n'a pas répondu.

— Et nous là-dedans ? Nous, Sash… Papa et moi ?

— Je n'ai pas de réponse à ça, Pavel.

— Sais-tu où elle est maintenant ?

— Non.

— C'est la vérité ?

— Oui.

— Mais tu serais capable de la retrouver, non ?

Il n'a pas dit oui, mais il n'a pas non plus dit non.

— Tu as une fille, a-t-il déclaré. Tu as une belle carrière.

— Oui, et alors ?

— Tout ça, c'est du passé. Le passé appartient aux morts, Pavel. On ne ramène pas les morts. On les enterre, et la vie continue.

— Ma mère n'est pas morte, n'est-ce pas ?

— Je ne sais pas.

— Dans ce cas, pourquoi parler des morts ? Au fait, Sash, en parlant de morts, j'en ai une bonne pour toi…

C'est sorti presque malgré moi.

— Je ne suis même plus sûr que ma sœur soit morte.

Je pensais voir apparaître la stupeur sur son visage. Pas du tout. Il avait l'air à peine surpris.

— Pour toi, a-t-il dit.

— Quoi, pour moi ?

— Pour toi, elles devraient être mortes toutes les deux.

11

EN SORTANT, J'AI CHASSÉ DE MON ESPRIT ma conversation avec l'oncle Sash et repris le Lincoln Tunnel en sens inverse. Il fallait que je me concentre sur deux objectifs, et deux seulement. Objectif numéro un : faire condamner les deux petits salopards qui avaient violé Chamique Johnson. Et objectif numéro deux : découvrir où diable Gil Perez avait passé ces vingt dernières années.

À propos de l'objectif numéro deux, j'ai vérifié l'adresse du témoin, alias la petite amie, fournie par l'inspecteur York. Raya Singh travaillait dans un restaurant indien nommé *In'Curry*. Je déteste les jeux de mots dans les noms. Ou alors j'aime ça ? Allez, on va dire que j'aime.

C'est à cette adresse que je me rendais maintenant.

J'avais toujours la photo de mon père sur le siège avant. Ces allégations d'appartenance au KGB ne m'inquiétaient pas plus que ça. Depuis mon entrevue avec Sash, je trouvais ça presque normal. Puis j'ai relu la fiche bristol :

LE PREMIER CADAVRE.

Le premier. Une fois de plus, ça voulait dire qu'il y en aurait d'autres. À l'évidence, le sieur Jenrette, sûrement avec l'aide financière de Marantz, ne regardait pas à la dépense. S'ils avaient ressorti ces accusations contre mon père, vieilles de plus de trente ans, c'est qu'ils devaient être à bout.

Que pourraient-ils trouver d'autre ?

Je n'étais pas un salaud. Mais je n'étais pas un saint non plus. Les saints, ça n'existe pas. Ils allaient forcément déterrer quelque chose. Ça risquait de prendre de l'ampleur. Et d'éclabousser JaneCure, ma réputation, mes ambitions politiques. Mais bon, Chamique elle aussi avait des cadavres dans ses placards. Et je l'avais convaincue de les exhumer au grand jour.

Pouvais-je me montrer moins exigeant envers moi-même ?

Arrivé devant le restaurant indien, je me suis garé et j'ai coupé le contact. Ce n'était pas ma juridiction, mais tant pis. J'ai jeté un coup d'œil par la vitrine et, repensant à ce premier cadavre, j'ai appelé Loren Muse.

— J'ai peut-être un petit problème.

— Quel genre ? a-t-elle demandé.

— Le père Jenrette me cherche des crosses.

— De quelle sorte ?

— Il est en train de fouiller dans mon passé.

— Il peut trouver quelque chose ?

— Fouillez dans le passé de n'importe qui, ai-je répondu, et vous trouverez quelque chose.

— Pas dans le mien.

— Ah bon ? Et les morts de Reno ?

— J'ai été complètement blanchie.

— Génial.

— Je vous fais marcher, Cope. C'était juste pour rire.

— Vous êtes désopilante, Muse. Et vous savez choisir le bon moment. Comme une vraie pro.

— Bon, d'accord, parlons peu mais parlons bien. Qu'attendez-vous de moi ?

— Vous connaissez des détectives privés dans le coin, hein ?

— Exact.

— Appelez-les pour essayer de savoir qui est dans le coup.

— OK, je m'en occupe.

— Muse ?

— Oui ?

— Ce n'est pas une urgence. Si vous n'avez pas le temps, laissez tomber.

— Je vous l'ai dit, Cope, je m'en occupe.

— Comment vous nous avez trouvés aujourd'hui ?

— Ç'a été un jour faste pour la veuve et l'orphelin, a-t-elle répondu.

— Certes.

— Mais pas suffisamment à mon sens.

— Cal et Jim ?

— J'ai envie de buter tous les mecs qui portent ces noms-là.

— Alors, au boulot !

Et j'ai raccroché.

En termes de décoration intérieure, les restaurants indiens semblent se diviser en deux catégories : les très sombres et les très colorés. Celui-ci était chamarré, style temple hindou ultrakitsch. Il y avait de fausses mosaïques, des statues éclairées de Ganesh et d'autres divinités que je ne connaissais pas. Les serveuses étaient déguisées en sirènes, le nombril à l'air.

Les stéréotypes ont la vie dure. On se serait cru dans un film de Bollywood, il ne manquait plus que les chants et les danses. J'essaie de respecter les cultures étrangères, toutes les cultures, mais j'ai beau faire, je ne supporte pas la musique qu'on passe dans les restaurants indiens. Là, au lieu d'un sitar, on aurait dit un chat qu'on torturait.

En me voyant entrer, l'hôtesse a froncé les sourcils.

— Combien de personnes ?

— Je ne viens pas pour manger.

Elle m'a regardé.

— Est-ce que Raya Singh est là ?

— Qui ?

J'ai répété le nom.

— Je ne… Oh, attendez ! Ça doit être la nouvelle.

Elle a croisé les bras et n'a plus bougé.

— Est-ce qu'elle est là ?

— Et qui la demande ?

J'ai haussé un sourcil. Je ne suis pas très doué pour jouer les séducteurs. Je vise la désinvolture, mais, à l'arrivée, ça me donne plutôt un air constipé.

— Le président des États-Unis ?

— Hein ?

Je lui ai tendu une carte professionnelle. Elle l'a lue et, me prenant au dépourvu, a crié :

— Raya ! Raya Singh !

Raya Singh s'est avancée, et j'ai reculé. Elle était plus jeune que je ne l'aurais cru, vingt ans et quelques, et absolument renversante. La première chose qui sautait aux yeux – forcément, avec cet accoutrement de sirène –, c'étaient ses courbes défiant toutes les lois de l'anatomie. Bien qu'immobile, on avait l'impression qu'elle était en mouvement. Ses cheveux noirs emmêlés appelaient la caresse. Sa peau était plus dorée que brune, et elle avait des yeux en amande dans lesquels un homme pouvait se perdre sans espoir de retour.

— Raya Singh ? ai-je dit.

— Oui.

— Je suis Paul Copeland, procureur du comté d'Essex dans le New Jersey. Puis-je vous parler une minute ?

— C'est au sujet du meurtre ?

— Oui.

— Dans ce cas, allons-y.

Il perçait dans sa voix une pointe d'accent de jeune fille de bonne famille qui tranchait sur le décor ambiant. Je me retenais de la détailler trop ouvertement. Elle s'en est aperçue et a souri légèrement. Surtout ne me prenez pas pour un pervers. Ça n'a rien à voir. La beauté féminine me bouleverse. Je ne dois pas être le seul. Elle me touche autant qu'un Rembrandt ou un Michel-Ange. Comme une vue de Paris la nuit, comme le soleil levant sur le Grand Canyon ou couchant dans le ciel turquoise de l'Arizona. Mes pensées étaient tout sauf inavouables. Elles étaient, raisonnais-je en mon for intérieur, davantage d'ordre artistique.

Elle m'a conduit dehors, au calme. Elle avait replié les bras sur la poitrine, comme si elle avait froid. Ses moindres gestes ressemblaient à une invite. Elle n'y était pour rien, sans doute. En la regardant, on avait des visions de clair de lune, de lit à baldaquin… et là, mon raisonnement « artistique » ne tenait plus la route. J'ai eu envie de la draper dans mon pardessus, mais il ne faisait pas froid du tout. Et puis, je n'avais pas de pardessus.

— Vous connaissiez le dénommé Manolo Santiago ?

— Il a été assassiné, a-t-elle dit.

Cette inflexion chantante dans sa voix, on aurait dit qu'elle répétait un rôle.

— Mais vous l'avez connu ?

— Je l'ai connu, oui.

— Vous étiez amants ?

— Il n'était pas question de cela entre nous.

— Pas question de cela ?

— Notre relation, a-t-elle dit, était platonique.

Mon regard a glissé sur le trottoir d'en face. Voilà qui était mieux. Au fond, je me moquais de savoir qui avait tué Manolo Santiago. C'était l'homme lui-même qui m'intéressait.

— Savez-vous où il habitait ?

— Non, je regrette.

— Comment l'avez-vous rencontré ?

— Il m'a abordée dans la rue.

— Dans la rue ? Comme ça, de but en blanc ?

— Oui.

— Et ensuite ?

— Il m'a invitée à boire un café.

— Et vous avez accepté ?

— Oui.

J'ai risqué un autre coup d'œil sur elle. Magnifique. Ce bleu-vert avec son teint mat, ça lui allait à ravir.

— Ça vous arrive souvent ? ai-je demandé.

— Quoi ?

— D'accepter de suivre des inconnus dans la rue ?

Ç'a eu l'air de l'amuser.

— J'ai des comptes à vous rendre, monsieur Copeland ?

— Non.

Elle n'a rien ajouté.

— Il faut qu'on en sache davantage sur M. Santiago.

— Puis-je vous demander pourquoi ?

— Manolo Santiago n'était pas son vrai nom. Pour commencer, j'essaie déjà de découvrir sa véritable identité.

144

— Je ne la connais pas.

— Au risque d'outrepasser les limites de la courtoisie, ai-je observé, j'avoue que j'ai du mal à
comprendre.

— Comprendre quoi ?

— Les hommes doivent vous solliciter en permanence.

Elle a eu un petit sourire oblique.

— Vous me flattez, monsieur Copeland. Merci.

Je n'ai pas voulu me laisser distraire.

— Alors pourquoi l'avez-vous suivi, lui ?

— Quelle importance ?

— Ça pourrait m'aider à mieux le cerner.

— Je ne vois pas comment. Admettons, par exemple,
que je vous dise que je l'ai trouvé beau. Ça vous servirait
à quoi ?

— Et c'est le cas ?

— Quoi… que je l'ai trouvé beau ?

Nouveau sourire. Une mèche de cheveux lui est
tombée sur l'œil droit.

— On dirait que vous êtes jaloux.

— Mademoiselle Singh ?

— Oui ?

— J'enquête sur un meurtre. Alors cessons ce petit
jeu, voulez-vous ?

— Vous croyez ?

Elle a rejeté ses cheveux en arrière. J'ai tenu bon.

— Bon, d'accord, a-t-elle répondu. Vous avez
raison.

— Pouvez-vous m'aider à découvrir qui il était
réellement ?

Elle a réfléchi un instant.

— Les communications enregistrées sur son
portable, peut-être ?

— Nous avons vérifié le téléphone qu'il avait sur lui. Le seul numéro qu'on a relevé, c'est le vôtre.

— Il avait un autre téléphone, a-t-elle dit. Avant celui-là.

— Vous vous souvenez du numéro ?

Elle a hoché la tête. J'ai sorti un petit stylo et l'ai noté au dos d'une de mes cartes.

— Vous voyez autre chose ?

— Non, pas vraiment.

J'ai pris une autre carte et griffonné le numéro de mon portable.

— Si vous vous rappelez quoi que ce soit, vous voudrez bien me contacter ?

— Promis.

Je lui ai tendu la carte. Elle m'a regardé en souriant.

— Vous ne portez pas d'alliance, monsieur Copeland.

— Je ne suis pas marié.

— Divorcé ?

— Pourquoi pas célibataire endurci ?

Raya Singh n'a pas pris la peine de répondre.

— Veuf, ai-je dit.

— Mes condoléances.

— Merci.

— Ça fait longtemps ?

J'ai failli lui dire de se mêler de ses affaires, mais j'avais besoin de son aide. Et puis, Dieu me pardonne, elle était vraiment trop belle.

— Presque six ans.

— Je vois.

Ses yeux incroyables étaient rivés sur moi.

— Merci de votre coopération, ai-je dit.

— Et si vous m'invitiez à sortir avec vous ?

— Je vous demande pardon ?

— Je sais que vous me trouvez jolie. Vous êtes célibataire, moi aussi. Pourquoi ne pas nous revoir ?

— Je ne mélange pas vie privée et vie professionnelle.

— Je viens de Calcutta. Vous connaissez ?

Le changement de sujet m'a brièvement désarçonné.
Son accent m'évoquait davantage une école privée de la
Nouvelle-Angleterre, mais aujourd'hui ça ne voulait
plus dire grand-chose. J'ai répondu que je n'y étais
jamais allé, mais que j'en avais entendu parler, comme
tout le monde.

— C'est encore pire, a-t-elle déclaré, que tout ce que
vous avez pu entendre.

Où voulait-elle en venir ?

— J'ai un projet de vie. La première partie, c'était
d'arriver ici. Aux États-Unis.

— Et la seconde ?

— Ici, les gens feraient n'importe quoi pour s'en
sortir. Il y en a qui jouent au loto. D'autres qui rêvent de
devenir, je ne sais pas, athlètes de haut niveau. Il y en a
qui se tournent vers la délinquance, le strip-tease ou la
prostitution. Je connais mes atouts. Je suis belle. Je suis
aussi quelqu'un de gentil et j'ai appris… (elle s'est interrompue, cherchant le mot juste)… comment rendre un
homme heureux. Celui qui me choisira n'aura pas à le
regretter. Je l'écouterai. Je serai à ses côtés. Je lui
remonterai le moral. Nos nuits seront inoubliables. Je
me donnerai à lui chaque fois qu'il en aura envie et je
ferai tout ce qu'il me demandera. Qui plus est, de bon
cœur.

« Hou là », me suis-je dit.

Nous étions dans une rue passante mais, je le jure, le
silence était si profond qu'on aurait entendu une mouche
voler. J'avais la bouche sèche.

147

— Manolo Santiago, ai-je dit d'une voix qui semblait venir de loin. Croyez-vous qu'il aurait pu être cet homme-là ?

— Je l'ai cru. Mais je me suis trompée. Vous, vous avez l'air gentil. Je suis sûre qu'une femme peut vous faire confiance.

Raya Singh avait dû se rapprocher de moi car soudain, l'espace entre nous semblait avoir rétréci.

— Je vois bien que vous êtes soucieux. Que vous dormez mal. Alors comment le savez-vous, monsieur Copeland ?

— Comment je sais quoi ?

— Que je ne suis pas la femme de votre vie. Celle qui vous comblera de bonheur. Celle auprès de qui vous vous endormirez comme un nouveau-né nuit après nuit.

Nom d'un chien !

— Je ne le sais pas, en effet.

Elle m'a regardé. Ce regard, je l'ai senti jusque dans mes orteils. Elle me menait en bateau, c'était clair. Et pourtant, cette approche directe, sans chichis, franco de port, ça m'a plutôt attendri.

Ou alors, une fois encore, j'étais aveuglé par sa beauté.

— Il faut que j'y aille, ai-je dit. Vous avez mon numéro.

— Monsieur Copeland ?

Je me suis retourné.

— Pourquoi êtes-vous venu jusqu'ici ?

— Pardon ?

— En quoi le meurtre de Manolo vous intéresse-t-il ?

— J'ai cru vous l'avoir dit. En tant que procureur du comté...

— Ce n'est pas pour ça que vous êtes venu jusqu'ici.

Elle me dévisageait sans ciller. J'ai fini par demander :

— Qu'est-ce qui vous fait dire ça ?

Sa réponse a fusé comme une gifle :

— Est-ce vous qui l'avez tué ?

— Quoi ?

— J'ai dit…

— J'ai entendu. Bien sûr que non. Pourquoi cette question ?

Mais Raya Singh n'a pas jugé bon de réagir.

— Au revoir, monsieur Copeland.

Elle m'a gratifié d'un dernier sourire, et je me suis senti comme un poisson qu'on aurait jeté sur la digue.

— J'espère que vous trouverez ce que vous cherchez.

12

LUCY AURAIT VOULU CHERCHER LE NOM « Manolo Santiago » sur Google – c'était probablement un journaliste qui enquêtait sur l'autre salopard, Wayne Steubens, l'Égorgeur de l'été –, mais Lonnie l'attendait dans son bureau. Il n'a pas levé les yeux quand elle est entrée. Elle s'est penchée sur lui, histoire de montrer qui était le chef.

— Vous savez qui a envoyé ce texte.

— Je ne peux pas en être sûr.

— Mais ?

Lonnie a pris une longue inspiration, se préparant, espérait-elle, à plonger.

— Savez-vous comment on localise la provenance d'un e-mail ?

— Non, a dit Lucy, en s'asseyant à son bureau.

— Quand vous recevez un message, il est accompagné de tout un charabia sur les chemins, le SMTP, les identifiants et tutti quanti. Vous me suivez ?

— Faites comme si.

— En gros, ça montre comment l'e-mail est arrivé jusqu'à vous. D'où il vient, où il est allé, quelle messagerie l'a acheminé du point A au point B. C'est un peu comme les cachets postaux.

— OK.

— Bien sûr, il y a moyen de l'expédier anonymement. Mais en général, il reste toujours des traces.

— Super, Lonnie, formidable.

Il cherchait à gagner du temps.

— Dois-je en déduire que vous avez relevé des traces dans l'e-mail envoyé avec le texte ?

— Oui.

Lonnie a fini par lever la tête. Il a ébauché un sourire.

— Je ne vous demanderai plus pourquoi vous tenez à connaître le nom de l'auteur.

— C'est mieux comme ça.

— Parce que je vous connais, Lucy. Comme la plupart des jolies nanas, vous êtes une sacrée emmerdeuse. Mais vous avez aussi une éthique en béton. Si vous avez décidé de trahir la confiance de vos étudiants – les trahir eux, moi et vos propres principes avec –, c'est que vous avez une bonne raison de le faire. Genre question de vie ou de mort.

Lucy n'a rien dit.

— C'est une question de vie ou de mort, hein ?

— Allez, Lonnie, crachez le morceau.

— L'e-mail provient d'un des ordinateurs de la bibliothèque Frost.

— La bibliothèque, a-t-elle répété. Il y a au moins cinquante ordinateurs là-dedans, non ?

— Quelque chose comme ça.

— On ne saura donc jamais qui l'a envoyé.

Lonnie a esquissé un geste, moitié oui moitié non.

— Nous connaissons l'heure de l'envoi. Dix-huit heures quarante-deux, avant-hier.

— Et ça nous avance à quoi ?

— Les étudiants qui utilisent les ordinateurs sont obligés de s'inscrire. Pas pour avoir telle ou telle machine – ça ne se fait plus depuis deux ans –, mais pour accéder à un ordinateur, il faut le réserver pour une heure précise. Je suis donc allé à la bibliothèque pour avoir leur grille horaire. J'ai comparé la liste de vos étudiants avec ceux qui avaient réservé un ordinateur avant-hier, entre six et sept heures du soir.

Il s'est tu.

— Et ?

— Il n'y a qu'un seul nom qui est sorti.

— Lequel ?

Lonnie s'est approché de la fenêtre, a jeté un œil dans la cour.

— Je vous donne un indice.

— Lonnie, je ne suis vraiment pas d'humeur…

— Elle aurait tendance à fayoter.

Lucy s'est figée.

— Sylvia Potter ?

Il lui tournait le dos.

— Lonnie, vous êtes en train de me dire que c'est Sylvia Potter qui a écrit ce texte ?

— Oui. C'est exactement ce que je dis.

Sur le chemin du tribunal, j'ai appelé Loren Muse.

— J'ai besoin d'un autre service.

— Allez-y, je vous écoute.

— Trouvez-moi un maximum d'infos sur un numéro de téléphone. À qui il a appartenu. Qui on a appelé avec. Tout.

— Je vous écoute.

Je lui ai dicté le numéro que m'avait donné Raya Singh.

— J'en ai pour dix minutes.

— C'est tout ?

— Eh, je ne suis pas devenue enquêteur principal parce que j'ai un beau cul !

— C'est vous qui le dites.

Elle a rigolé.

— J'aime bien quand vous vous lâchez, Cope.

— Une fois n'est pas coutume.

J'ai raccroché. Ma boutade avait été déplacée… ou était-ce la réponse du berger à la bergère ? Il est facile de critiquer le politiquement correct. Les extrêmes constituent une cible de choix pour la dérision. Mais j'ai vu ce que ça donne en milieu professionnel, quand on ne pose pas de limites. Un climat trouble, ça finit par vous paralyser.

C'est comme ces règles de sécurité, draconiennes en apparence, qu'on impose aujourd'hui aux gamins. Quand votre enfant fait du vélo, le port du casque est obligatoire. On doit utiliser un paillis spécial pour les aires de jeux, des cages à poules pas trop hautes et, ah oui, votre gosse ne peut pas faire dix pas dans la rue sans être accompagné, et puis attendez, n'oubliez pas le masque et les lunettes de protection, et ainsi de suite. On en rit, et il y a toujours un petit malin qui envoie un e-mail groupé pour dire : « On a fait tout ça et on a survécu. » Sauf qu'il y a des gosses qui ne survivent pas.

À mon époque, les jeunes jouissaient d'une liberté quasi totale. Ils ignoraient le mal tapi dans les ténèbres. Ils partaient en colonie où la surveillance était relâchée et où on les laissait vivre, tout simplement. Certains s'aventuraient dans les bois en pleine nuit, et on ne les revoyait plus jamais.

Lucy Gold a appelé la chambre de Sylvia Potter. Ça ne répondait pas. Pas étonnant. Elle a consulté l'annuaire du campus, mais les numéros de portable n'y figuraient pas. Se souvenant d'avoir vu Sylvia avec un BlackBerry,

Lucy lui a envoyé un bref message pour lui demander de la contacter le plus rapidement possible.

Dix minutes plus tard, son téléphone sonnait.

— Vous avez cherché à me joindre, professeur Gold ?

— Oui, Sylvia. Merci d'avoir rappelé. Pourriez-vous passer à mon bureau ?

— Quand ?

— Maintenant, si c'est possible.

Quelques secondes de silence.

— Sylvia ?

— Mon cours de littérature anglaise va commencer. Je présente mon exposé aujourd'hui. Je peux venir après ?

— Parfait.

— Je devrais être là dans deux heures.

— Je serai dans mon bureau.

Nouveau silence.

— C'est à propos de quoi, professeur Gold ?

— Ne vous inquiétez pas, Sylvia, ça peut attendre. À tout à l'heure.

— Salut.

C'était Loren Muse. J'étais de retour au tribunal. Dans quelques minutes, Flair Hickory allait entamer le contre-interrogatoire.

— Salut, ai-je répondu.

— Vous en avez une sale tête.

— Quel fin limier vous faites !

— Ça vous inquiète, le contre-interrogatoire ?

— Évidemment.

— Chamique s'en tirera. Vous avez fait un boulot d'enfer.

J'ai hoché la tête, essayant de me remettre dans le bain. Muse s'est approchée de moi.

154

— Au fait, ce numéro de téléphone que vous m'avez donné. Mauvaise nouvelle. C'est un jetable.

Autrement dit, la personne l'avait acheté avec un nombre de minutes prédéterminé et payé en liquide, sans laisser son nom.

— Je n'ai pas besoin de savoir qui l'a acheté, ai-je dit. Ce que je veux, ce sont les appels entrants ou sortants.

— Hum, c'est pas facile à obtenir, a-t-elle répondu. Et même impossible par des voies classiques. Votre gars, il l'a acheté en ligne à un vendeur éphémère sous une identité officieuse. Ça va me prendre un petit moment pour remonter la filière.

J'ai secoué la tête. Nous avons gagné la salle d'audience.

— Autre chose, a-t-elle ajouté, EDC, ça vous dit quelque chose ?

— Enquêteurs détectives de choc.

— Exact, le plus gros cabinet de détectives privés de l'État. Celia Shaker, la fille que j'ai chargée d'enquêter sur nos deux lascars, a travaillé chez eux. Il paraît qu'ils font des recherches sur vous – budget illimité et objectif avoué : vous flinguer.

J'étais arrivé au pied de l'estrade.

— Super.

Je lui ai tendu une vieille photo de Gil Perez. Elle l'a regardée.

— Oui, eh bien ?

— Notre responsable en informatique est toujours Farrell Lynch ?

— Oui.

— Dites-lui d'appliquer le procédé de vieillissement. Qu'il lui rajoute vingt ans. Un crâne rasé et une barbe.

Loren Muse allait poser une question, mais quelque chose dans mon expression l'en a empêchée. Elle a haussé les épaules et s'est éloignée. Je me suis assis. Le juge Pierce est entré. Tout le monde s'est levé. Puis Chamique Johnson est allée à la barre.

Flair Hickory a reboutonné soigneusement son veston. J'ai froncé les sourcils. La dernière fois que j'avais vu un costume bleu ciel, c'était sur la photo d'un bal d'étudiants en 1978. Il a souri à Chamique.

— Bonjour, mademoiselle Johnson.

Chamique avait l'air tétanisée.

— B'jour, a-t-elle soufflé.

Flair Hickory s'est présenté comme s'ils venaient de se rencontrer à un cocktail mondain. Et il a enchaîné direct sur le casier judiciaire de Chamique. Il était bienveillant mais ferme. Elle avait été arrêtée pour racolage, n'est-ce pas ? Elle avait été arrêtée pour possession de drogue, n'est-ce pas ? Elle avait été accusée d'avoir escroqué un client et de lui avoir volé quatre-vingt-quatre dollars, n'est-ce pas ?

Je n'ai pas objecté.

Tout ceci faisait partie de ma stratégie « cartes sur table ». J'avais abordé bon nombre de ces points dans mon propre interrogatoire, mais Flair Hickory, lui, avait opté pour l'efficacité. Il ne lui demandait pas – pas encore – de justifier sa déposition. Pour l'instant, il s'en tenait aux faits et aux rapports de police.

Au bout de vingt minutes, il a fini par attaquer de front :

— Vous avez fumé du cannabis, n'est-ce pas ?

Chamique a dit :

— Ouais.

— En avez-vous fumé le soir de votre présumée agression ?

— Non.

— Non ?

Hickory a porté la main à sa poitrine comme si cette réponse l'avait profondément ulcéré.

— Hum. Avez-vous ingéré de l'alcool ?

— Ingé… quoi ?

— Avez-vous bu de l'alcool ? Du vin ou de la bière, par exemple ?

— Non.

— Rien du tout ?

— Rien du tout.

— Hum. Une boisson ordinaire, alors ? Peut-être un soda ?

J'allais objecter, mais bon, j'avais décidé, dans la mesure du possible, de la laisser se débrouiller seule.

— J'ai bu du punch, a dit Chamique.

— Du punch, je vois. Et il ne contenait pas d'alcool ?

— C'est ce qu'ils ont dit.

— Qui ?

— Les garçons.

— Quels garçons ?

Elle a hésité.

— Jerry.

— Jerry Flynn ?

— Ouais.

— Et qui d'autre ?

— Hein ?

— Vous avez dit les garçons. Avec un « s » à la fin. Donc, ils étaient plusieurs. Jerry Flynn, ça fait un garçon. Alors qui d'autre vous a dit que le punch que vous avez consommé… à propos, combien de verres ?

— Je ne sais pas.

— Plus d'un ?

— Je crois.

— Il ne suffit pas de croire, mademoiselle Johnson. Était-ce plus d'un verre ?

— Probablement, oui.

— Plus de deux ?

— Je ne sais pas.

— Mais c'est une possibilité ?

— Ouais.

— Donc peut-être plus de deux verres. Plus de trois ?

— Je ne pense pas.

— Mais vous n'en êtes pas certaine.

Chamique a haussé les épaules.

— Parlez, que tout le monde vous entende.

— Je ne pense pas avoir bu trois verres. Deux peut-être. Ou peut-être moins.

— Et la seule personne qui vous a dit que le punch n'était pas alcoolisé, c'était Jerry Flynn. Est-ce exact ?

— Je crois.

— Tout à l'heure, vous avez parlé de garçons. Au pluriel. Maintenant, vous dites qu'il n'y en avait qu'un. Êtes-vous en train de revenir sur votre déposition ?

Je me suis levé.

— Objection.

Flair Hickory a agité la main dans ma direction.

— Il a raison, peu importe. Continuons.

Il s'est éclairci la voix et a posé la main sur sa hanche droite.

— Avez-vous pris de la drogue ce soir-là ?

— Non.

— Même pas une bouffée, disons, de cigarette de cannabis ?

Chamique a secoué la tête, puis, se rappelant qu'elle devait parler à haute et intelligible voix, elle s'est penchée vers le micro.

— Non, rien.

— Hum, soit. Et la dernière fois que vous avez pris de la drogue, ça remonte à quand ?

158

Je me suis levé à nouveau.

— Objection. Le mot drogue peut désigner n'importe quelle substance médicamenteuse : somnifère, tranquillisant…

Hickory avait l'air de s'amuser.

— Tout le monde sait de quoi je parle, ne croyez-vous pas ?

— Je préfère clarifier.

— Mademoiselle Johnson, je veux parler de drogues illégales. Comme le cannabis. La cocaïne. Le LSD ou l'héroïne. Ces choses-là. Vous comprenez ?

— Oui.

— Donc, à quand remonte votre dernière prise de drogue illégale ?

— Je ne m'en souviens plus.

— Vous dites que vous n'en avez pas pris au cours de cette soirée.

— C'est exact.

— Et la veille ?

— Non plus.

— Et l'avant-veille ?

Chamique a bougé légèrement sur son siège et, quand elle a répondu par la négative, je n'étais pas certain qu'elle disait la vérité.

— Voyons si j'arrive à vous aider à vous replacer dans le temps. Votre fils a seize mois, n'est-ce pas ?

— Oui.

— Avez-vous consommé des drogues illégales depuis qu'il est né ?

— Oui, a-t-elle dit tout bas.

— Quelle sorte de drogues ?

Une fois de plus, j'étais debout.

— Objection. On a compris le message. Mlle Johnson a pris de la drogue dans le passé. Personne ne dit le contraire. Cela n'excuse en rien l'acte abominable commis par les clients de M\ Hickory.

Le juge a regardé Flair Hickory.

— Maître Hickory ?

— Nous pensons que Mlle Johnson est toxicomane. Nous pensons que ce soir-là elle était sous l'emprise de stupéfiants, et le jury devra en tenir compte lorsqu'il jugera de l'intégrité de son témoignage.

— Mlle Johnson a déjà déclaré n'avoir pas pris de drogue ni ingéré (j'ai souligné le mot avec ironie) d'alcool le soir de la fête.

— Et moi, je me permets de mettre en doute ses déclarations. Le punch était bel et bien alcoolisé. Je ferai venir à la barre M. Flynn, et il confirmera que la plaignante le savait au moment de le boire. Je tiens aussi à préciser que cette femme n'a pas hésité à se droguer alors même qu'elle venait de donner naissance à un enfant...

— Votre Honneur ! ai-je crié.

— OK, ça suffit.

Le juge a abattu son marteau.

— Pourrait-on avancer, maître Hickory ?

— Tout à fait, Votre Honneur.

Je me suis rassis. Mon objection avait été stupide. On avait l'impression que je cherchais à intervenir à tout bout de champ et, pire, j'avais offert à Hickory l'occasion d'enfoncer le clou. Ma stratégie avait consisté à garder le silence. J'avais perdu mon sang-froid, et on était en train de le payer.

— Mademoiselle Johnson, vous accusez ces garçons de vous avoir violée, n'est-ce pas ?

J'ai bondi sur mes pieds.

— Objection ! Elle n'est pas juriste et ne connaît pas la terminologie. Elle vous a raconté ce qui lui est arrivé. C'est au tribunal de formuler les définitions exactes.

Une fois de plus, Hickory n'a pas caché son amusement.

— Je ne lui demande pas de termes juridiques. Je suis curieux de l'entendre exposer les faits dans son langage à elle.

— Pourquoi ? Vous avez l'intention de la soumettre à un test de vocabulaire ?

— Votre Honneur, a dit Flair Hickory, puis-je poursuivre mon interrogatoire ?

— Si vous nous expliquiez ce que vous avez en tête, maître Hickory ?

— Très bien, je reformule. Mademoiselle Johnson, en parlant à vos amis, leur avez-vous dit que vous aviez été violée ?

Elle a hésité.

— Ouais.

— Bien, bien. Et dites-moi, mademoiselle Johnson, connaissez-vous quelqu'un d'autre qui aurait prétendu avoir subi un viol ?

Encore moi.

— Objection. Quel rapport ?

— J'autorise la question.

Hickory se tenait à côté de Chamique.

— Vous pouvez répondre, a-t-il dit comme pour l'aider.

— Oui.

— Qui ça ?

— Deux ou trois filles avec qui je bosse.

— Combien ?

Elle a levé les yeux, cherchant à se souvenir.

— Deux, sûr.

— Sont-elles strip-teaseuses ou prostituées ?

— Les deux.

— Un de chaque type d'activités ou…

161

— Non, elles font les deux toutes les deux.

— Je vois. Et ces crimes ont-ils été commis pendant leurs heures de travail ou en dehors ?

— Votre Honneur, assez. Quel est le rapport ?

— Mon éminent confrère a raison.

Hickory a esquissé un grand geste dans ma direction.

— Et quand il a raison, il a raison. Je retire la question.

Il m'a souri. Je me suis rassis lentement, au comble de l'écœurement.

— Mademoiselle Johnson, vous en connaissez, des violeurs ?

Et moi :

— À part vos clients, vous voulez dire ?

Flair Hickory m'a lancé un regard et s'est tourné vers le jury, l'air de dire : « Un coup aussi bas, non mais, vous voyez un peu ? »

La vérité, c'est qu'il n'avait pas tort.

Chamique, elle, a déclaré :

— Je ne comprends pas.

— Peu importe, mon petit, a rétorqué Hickory comme si sa réponse ne l'intéressait guère. J'y reviendrai plus tard.

Ça m'horripile quand il dit ça.

— Au cours de cette prétendue agression, mes clients M. Jenrette et M. Marantz portaient-ils un masque ?

— Non.

— Portaient-ils un quelconque déguisement ?

— Non.

— Ont-ils essayé de dissimuler leur visage ?

— Non.

Flair Hickory a secoué la tête, comme en proie à une profonde perplexité.

— D'après votre témoignage, on vous a séquestrée dans une chambre. Est-ce exact ?

— Oui.

— C'était la chambre de M. Jenrette et M. Marantz ?

— Oui.

— Ils ne vous ont pas agressée à l'extérieur, dans le noir, ni dans quelque autre lieu où personne ne les connaissait. C'est bien ça ?

— Oui.

— Bizarre, vous ne trouvez pas ?

J'allais objecter, mais je me suis abstenu.

— Vous affirmez donc avoir été violée par deux hommes qui ne portaient pas de masques ni de déguisements d'aucune sorte ; ils se sont montrés à vous à visage découvert, et ça s'est passé dans leur chambre en présence d'un témoin qui les a vus vous entraîner à l'intérieur. Est-ce exact ?

J'ai imploré silencieusement Chamique de ne pas mollir. Ma prière a été exaucée.

— Ça me paraît juste, ouais.

— Et cependant, pour une raison X... (là encore, Hickory a pris un air immensément perplexe)... ils ont utilisé de faux noms ?

Pas de réponse. C'était une bonne chose.

Flair Hickory secouait la tête comme si on lui demandait de prouver que deux et deux faisaient cinq.

— Vos agresseurs ont employé les prénoms Cal et Jim au lieu des leurs. C'est ce que vous affirmez, n'est-ce pas, mademoiselle Johnson ?

— Oui.

— Vous y comprenez quelque chose, vous ?

— Objection, ai-je dit. Elle ne comprend rien à la violence dont elle a été victime.

— Tout à fait, a dit Hickory. J'espérais seulement, comme elle était là, que Mlle Johnson aurait une explication quant au fait qu'ils ont agi à visage découvert, dans leur propre chambre… et sous de faux noms.

Il a eu un sourire charmeur.

— Vous en avez une, mademoiselle Johnson ?

— Une quoi ?

— Une explication pour qu'on sache pourquoi deux garçons prénommés Edward et Barry se sont fait appeler Cal et Jim.

— Non.

Flair Hickory a regagné son banc.

— Je vous ai demandé tout à l'heure si vous connaissiez des violeurs. Vous vous en souvenez ?

— Ouais.

— Parfait. Alors ?

— Je ne crois pas.

Il a hoché la tête et pris une feuille de papier.

— Et cet homme actuellement incarcéré à Rahway pour agression sexuelle, qui s'appelle – écoutez bien, mademoiselle Johnson – Jim Broodway ?

Chamique a ouvert de grands yeux.

— Vous parlez de James ?

— Je parle de Jim – ou James, si vous préférez le prénom officiel – Broodway, qui a habité au 1189, Central Avenue à Newark, dans l'État du New Jersey. Vous le connaissez ?

— Oui, a-t-elle répondu doucement. Je l'ai connu dans le temps.

— Vous saviez qu'il était en prison ?

Elle a haussé les épaules.

— J'en connais des tas, des gars qui sont en prison.

— Je n'en doute pas une seconde.

Pour la première fois, Flair Hickory a pris un ton caustique.

— Mais ce n'était pas ma question. Je vous ai

demandé si vous saviez que Jim Broodway était en prison.

— Son nom, c'est pas Jim. C'est James…

— Je vous demande une dernière fois, mademoiselle Johnson, après quoi je ferai appel à la cour pour avoir une réponse…

Je me suis levé.

— Objection. C'est du harcèlement de témoin.

— Objection rejetée. Répondez à la question.

— J'ai entendu dire ça, oui, a dit Chamique docilement.

Hickory a poussé un soupir théâtral.

— Oui ou non, mademoiselle Johnson, saviez-vous que Jim Broodway était en train de purger une peine dans un centre pénitentiaire ?

— Oui.

— Eh bien, voilà ! C'était si dur que ça ?

Moi :

— Votre Honneur…

— Épargnez-nous les effets de manches, maître Hickory. Allez-y, continuez.

Flair Hickory a repris sa place.

— Avez-vous jamais eu des rapports sexuels avec Jim Broodway ?

— Son nom, c'est James ! a répété Chamique.

— On n'a qu'à l'appeler M. Broodway, d'accord ? Avez-vous jamais eu des rapports sexuels avec M. Broodway ?

Je ne pouvais pas laisser passer ça.

— Objection. Sa vie sexuelle n'a rien à voir avec la présente affaire. Le code pénal est clair là-dessus.

Le juge Pierce a regardé Flair Hickory.

— Maître Hickory ?

— Je ne cherche nullement à ternir la réputation de

Mlle Johnson ni à donner d'elle l'image d'une femme de mœurs légères. La partie adverse a déjà clairement démontré que Mlle Johnson se livrait à la prostitution et avait donc eu commerce avec quantité d'hommes.

Quand est-ce que j'apprendrais à me taire ?

— Mon propos est tout autre et ne saurait mettre la plaignante dans l'embarras. Elle a reconnu coucher avec des hommes. Le fait que M. Broodway soit du nombre ne la marque pas forcément au fer rouge.

— C'est préjudiciable, ai-je protesté.

Hickory m'a considéré comme si j'avais été un animal de ferme subitement doué de parole.

— Je viens de vous expliquer à l'instant pourquoi ça ne l'est pas. La vérité, c'est que Chamique Johnson a accusé deux jeunes gens d'un crime très sérieux. Elle déclare avoir été violée par un dénommé Jim. Ma question est simple. A-t-elle jamais eu des rapports sexuels avec M. Jim Broodway – ou James, si elle préfère – qui purge actuellement une peine de prison pour agression sexuelle ?

Je voyais maintenant à quoi il voulait en venir. Et ça ne me disait rien qui vaille.

— J'autorise la question, a dit le juge.

Je me suis rassis.

— Mademoiselle Johnson, avez-vous déjà couché avec M. Broodway ?

Une larme a roulé sur sa joue.

— Oui.

— Plus d'une fois ?

— Oui.

On aurait cru que Flair Hickory allait entrer dans le détail, mais il était suffisamment fin pour ne pas en rajouter. Il a donc changé légèrement d'orientation.

— Ça vous est arrivé de coucher avec M. Broodway en état d'ivresse ou sous l'emprise de la drogue ?

— Peut-être bien.

— Oui ou non ?

Sa voix était douce mais ferme. Et il ne cachait plus son indignation.

Chamique pleurait à présent.

Je me suis levé.

— Je demande une brève pause, Votre Honneur.

Hickory a botté en touche avant que le juge ait eu le temps de répondre :

— Est-il déjà arrivé qu'un autre homme participe à vos ébats avec Jim Broodway ?

La salle a explosé.

— Votre Honneur ! ai-je crié.

— Silence !

Le juge a actionné le marteau.

— Silence !

Le calme est revenu rapidement. Le juge Pierce s'est tourné vers moi.

— Je sais combien c'est pénible à entendre, mais je vais autoriser la question.

Il a regardé Chamique.

— Répondez, je vous prie.

Le greffier a relu la question à voix haute. Chamique pleurait à chaudes larmes. Quand il a eu terminé, elle a dit :

— Non.

— M. Broodway pourra témoigner que…

— Un copain à lui était là pour mater ! s'est-elle écriée. C'est tout. Jamais il m'a touchée ! Vous entendez ? Jamais !

Tout le monde se taisait. Je m'efforçais de garder la tête haute, de ne pas fermer les yeux.

— Ainsi donc, a repris Flair Hickory, vous avez couché avec un dénommé Jim…

— James ! Il s'appelle James !

— … pendant qu'un autre homme se trouvait dans la pièce, et vous ne savez toujours pas d'où vous viennent les noms de Cal et Jim ?

— Je connais aucun Cal. Et lui, il s'appelle James.

Hickory s'est rapproché. Il avait l'air soucieux, comme s'il s'inquiétait pour elle.

— Vous êtes sûre de ne pas avoir imaginé tout ça, mademoiselle Johnson ?

Il parlait comme un de ces psys dans une émission de télé-réalité.

Elle s'est essuyé le visage.

— Oui, monsieur Hickory. J'en suis sûre. Plus que sûre, même.

Mais Flair Hickory n'a pas désarmé.

— Je ne dis pas nécessairement que vous mentez…

J'ai ravalé mon objection.

— … mais peut-être que vous avez bu trop de punch – ce ne serait pas votre faute, vous avez cru qu'il était sans alcool –, après quoi vous avez consenti à des rapports et confondu ce moment avec un autre épisode de votre vie. Cela expliquerait, n'est-ce pas, votre persistance à affirmer que vos violeurs se prénommaient Jim et Cal.

J'étais déjà debout pour signaler qu'il y avait là deux questions mais, encore une fois, Hickory savait ce qu'il faisait.

— Je retire cette dernière remarque, a-t-il déclaré comme si c'était un drame qui frappait toutes les parties concernées. Je n'ai plus d'autres questions.

13

PENDANT QU'ELLE ATTENDAIT SYLVIA POTTER, Lucy a cherché sur Google des renseignements sur le visiteur d'Ira, Manolo Santiago. Des informations, il y en avait, mais toutes inutiles. Il n'était pas journaliste – rien ne l'indiquait, en tout cas. Alors qui était-ce ? Et pourquoi avait-il rendu visite à son père ?

Bien sûr, elle pouvait poser la question à Ira. À supposer qu'il s'en souvienne.

Deux heures ont passé. Puis trois, quatre. Elle a appelé la chambre de Sylvia. Pas de réponse. Elle a renvoyé un message sur son BlackBerry. Pas de réponse non plus.

Ce n'était pas bon signe.

Comment diable Sylvia Potter connaissait-elle son passé ?

Lucy a consulté l'annuaire du campus. Sylvia logeait à Stone House, du côté de la fac de sciences sociales. Elle a décidé d'aller voir sur place.

Un campus universitaire est un lieu magique. Un lieu clos, protégé… C'est ce qu'on lui reproche, d'ailleurs, mais c'est dans l'ordre des choses. Certaines plantes grandissent mieux sous cloche. Quand on est jeune, on s'y sent en sécurité. Quand on est plus vieux, comme Lonnie et elle, ça devient un refuge.

Stone House avait jadis abrité la fraternité Psi U. Il y a dix ans, l'université avait dissous ces associations d'étudiants, les jugeant « anti-intellectuelles ». Les fraternités avaient leurs défauts, Lucy en convenait, mais les interdire purement et simplement lui semblait trop brutal et un brin dictatorial. Une affaire de viol dans une fraternité d'une université voisine était jugée en ce moment. Mais ç'aurait aussi bien pu être une équipe de hockey ou un groupe d'ouvriers du bâtiment dans une boîte de strip-tease. Elle n'avait pas la solution, mais une chose était sûre : liquider les institutions qu'on n'aimait pas n'en était pas une.

Punissons le crime, se disait-elle, pas la liberté.

La façade en brique était toujours d'un classicisme conquérant. Mais l'intérieur de l'édifice n'avait plus aucun cachet. Disparus, les tapisseries, les boiseries et l'acajou massif d'autrefois, remplacés par des tons beige, blanc cassé et un décor neutre à souhait. Dommage.

Les étudiants allaient et venaient. Son arrivée lui a valu quelques regards, sans plus. Les chaînes hi-fi – ou plus vraisemblablement les iPod avec leurs systèmes d'enceintes – beuglaient par les portes ouvertes. Sur le mur, il y avait des posters du Che. Peut-être qu'elle tenait plus de son père qu'elle ne l'aurait pensé. Les campus universitaires aussi étaient restés bloqués dans les années soixante. La musique et les modes changeaient, mais l'esprit était toujours le même.

Elle a emprunté l'escalier central, tout aussi dénué d'originalité. Sylvia Potter occupait une chambre indivi-duelle au premier étage. Sur sa porte, il y avait cette espèce de tableau effaçable sur lequel on écrit avec un marqueur, d'une blancheur immaculée, parfaitement centré. Le prénom « Sylvia » y était tracé avec une préci-sion de calligraphe professionnel, flanqué d'une fleur rose. Elle semblait complètement incongrue, cette porte, surgie d'un autre monde et d'un autre âge.

Lucy a frappé. Pas de réponse. Elle a tourné la poignée. C'était fermé à clé. Elle a pensé laisser un mot – c'est à ça que servaient ces tableaux effaçables –, mais elle ne voulait pas le salir. Et puis, ça risquait d'être un peu *too much*. Elle avait déjà appelé. Envoyé un message. Se déplacer en personne, c'était pousser le bouchon trop loin.

Au moment où elle redescendait, la porte d'entrée de Stone House s'est ouverte. Sylvia Potter est entrée. En reconnaissant son professeur, elle s'est figée. Lucy s'est arrêtée devant elle. Sans rien dire. Le regard de Sylvia la fuyait obstinément.

— Oh ! bonsoir, professeur Gold.

Lucy se taisait.

— Le cours s'est terminé tard, désolée. Et j'ai un autre exposé pour demain. J'ai pensé que, vu l'heure, vous deviez déjà être partie et que ça pouvait attendre demain.

Lucy la laissa patauger.

— Vous voulez que je passe demain ?

— Vous avez une minute, là ?

Sylvia a regardé sa montre sans la voir.

— Franchement, cet exposé, ça me prend trop la tête. Ça ne peut pas attendre demain ?

— Il est pour qui ?

— Comment ?

— Quel professeur vous a chargée de cet exposé, Sylvia ? Si je prends trop de votre temps, je peux lui faire un mot.

Silence.

— On peut aller parler dans votre chambre, a dit Lucy.

Sylvia a fini par lever les yeux.

— Professeur Gold ?

Lucy attendait.

— Je ne crois pas que j'aie envie de vous parler.

— C'est au sujet de votre texte.

— Mon… ?

Elle a secoué la tête.

— Mais je l'ai envoyé anonymement. Comment savez-vous lequel est le mien ?

— Sylvia…

— Vous avez dit ! Vous avez promis ! Les envois étaient anonymes. C'est vous-même qui l'avez dit.

— Je sais ce que j'ai dit.

— Comment avez-vous… ?

La jeune fille s'est redressée.

— Je n'ai pas envie de vous parler.

Lucy a raffermi sa voix.

— Il le faudra pourtant.

Mais Sylvia ne voulait rien entendre.

— Non. Vous ne pouvez pas m'y forcer. Et… mon Dieu, comment avez-vous pu faire ça ? Nous dire que c'est anonyme et confidentiel, et ensuite…

— C'est très important.

— Non, ça ne l'est pas. Je ne suis pas obligée de vous parler. Et si vous dites un mot là-dessus, j'irai voir le doyen. Vous serez virée.

D'autres étudiants les dévisageaient ouvertement. Lucy sentait que la situation lui échappait.

— S'il vous plaît, Sylvia, il faut que je sache…

— Rien du tout !

— Sylvia…

— Je n'ai rien à vous dire ! Laissez-moi tranquille !

Sylvia Potter a pivoté sur elle-même et, poussant la porte, est repartie en courant.

14

APRÈS QUE FLAIR HICKORY EN A EU TERMINÉ avec
Chamique, j'ai retrouvé Loren Muse dans mon bureau.

— Aïe ! a-t-elle dit. Ça craint.

— Occupez-vous de cette histoire de nom.

— Quelle histoire de nom ?

— Trouvez-moi ce Broodway Jim ou James, comme
le soutient Chamique.

Muse a froncé les sourcils.

— Qu'y a-t-il ?

— Vous pensez que ça va changer quelque chose ?

— Ça ne pourra pas être pire.

— Vous la croyez toujours ?

— Voyons, Muse. C'est un rideau de fumée.

— Drôlement efficace, en tout cas.

— Rien de neuf de la part de votre amie Celia ?

— Pas encore.

La journée était finie, Dieu merci. Et je n'avais pas eu
besoin d'Hickory pour m'enferrer. Je sais bien qu'il
s'agit avant tout de rendre la justice et que ce n'est pas
une compétition, mais bon, soyons réalistes.

Cal et Jim étaient de retour, plus coriaces que jamais.

Mon portable a sonné. Un numéro qui m'était
inconnu.

— Allô ?

— C'est Raya.

Raya Singh. La ravissante serveuse indienne. J'en avais la gorge sèche.

— Ça va ?

— Bien.

— Vous avez pensé à quelque chose ?

Muse m'a regardé. Je lui ai adressé une mimique pour signifier que c'était personnel. Pour une enquêtrice, elle avait la comprenette un peu lente. Ou alors elle le faisait exprès.

— J'aurais dû vous en parler plus tôt, a déclaré Raya.

J'ai attendu.

— Mais de vous voir débarquer comme ça, j'ai été prise de court. D'ailleurs, je ne sais toujours pas si j'ai raison de faire ça.

— Mademoiselle Singh…

— S'il vous plaît, appelez-moi Raya.

— Raya, ai-je répété, de quoi parlez-vous ?

— C'est pour ça que je vous ai demandé pourquoi vous étiez venu. Vous vous rappelez ?

— Oui.

— Savez-vous pourquoi je voulais connaître… le véritable objet de votre visite ?

J'ai opté pour l'honnêteté :

— Parce que ma façon de vous lorgner n'était pas très professionnelle ?

— Non.

— OK, je vous écoute. Pourquoi vouliez-vous connaître le véritable objet de ma visite ? Et, tant qu'on y est, pourquoi m'avoir demandé si c'est moi qui l'avais tué ?

Muse a haussé un sourcil. Ça m'était égal.

Elle n'a pas répondu.

174

— Mademoiselle Singh ? Raya ?

— Parce que, a-t-elle dit, il a mentionné votre nom.

Croyant avoir mal entendu, j'ai lâché bêtement :

— Qui a mentionné mon nom ?

Elle a rétorqué, légèrement agacée :

— De qui parle-t-on ?

— Manolo Santiago a mentionné mon nom ?

— Parfaitement.

— Vous auriez quand même pu me le dire, non ?

— Je ne savais pas si je pouvais vous faire confiance.

— Et qu'est-ce qui vous a fait changer d'avis ?

— J'ai regardé sur Internet. Vous êtes réellement procureur de comté.

— Que disait Santiago à mon sujet ?

— Il a dit que vous aviez menti.

— À propos de quoi ?

— Je ne sais pas. Il gardait aussi des coupures de presse chez lui. Des articles sur vous.

— Chez lui ? Je croyais que vous ne saviez pas où il habitait.

— Ça, c'était parce que je n'avais pas confiance en vous.

— Et maintenant ?

Elle n'a pas répondu directement.

— Passez me prendre au restaurant dans une heure. Je vous montrerai où habitait Manolo.

15

DE RETOUR DANS SON BUREAU, Lucy a trouvé Lonnie avec des feuilles de papier à la main.

— Qu'est-ce que c'est ?

— La suite du texte.

Elle s'est retenue à grand-peine de les lui arracher.

— Vous avez vu Sylvia ? a-t-il demandé.

— Oui.

— Et alors ?

— Elle était furieuse contre moi. Elle a refusé de me parler.

Lonnie s'est assis dans le fauteuil et a posé les pieds sur le bureau.

— Vous voulez que j'essaie ?

— Je doute que ce soit une bonne idée.

Il lui a adressé un sourire enjôleur.

— Je peux être très persuasif, vous savez.

— Vous seriez prêt à payer de votre personne pour me donner un coup de main ?

— S'il le faut, oui.

— Je crains pour votre réputation.

Elle s'est assise, serrant les pages dans ses doigts.

— Vous l'avez déjà lu ?

— Ouais.

176

Elle a hoché la tête et s'est mise à lire à son tour :

« P. s'est dégagé de notre étreinte et s'est précipité en direction des cris. Je l'ai appelé, mais il ne s'est pas arrêté. Deux secondes plus tard, la nuit l'a entièrement englouti. J'ai voulu le suivre. Mais il faisait noir. Pourtant, j'étais censée connaître ces bois mieux que lui. Car c'était sa première année ici.

C'était une fille qui criait. Ça, j'en étais sûre. J'ai marché à travers les bois. Je n'appelais plus. J'avais trop peur. Je voulais retrouver P., mais je n'avais pas envie qu'on sache où j'étais. Je sais, ça paraît absurde, mais c'est ce que je ressentais.

J'avais peur.

Il y avait la lune cette nuit-là. Un clair de lune dans les bois, ça change les couleurs. C'est un peu comme ces spots que papa avait chez lui. On appelle ça la lumière noire, mais en fait, c'est plutôt violet. Ça joue sur les couleurs. Le clair de lune, c'est pareil.

Du coup, quand j'ai fini par tomber sur P. et que j'ai vu cette couleur bizarre sur sa chemise, je n'ai pas tout de suite compris ce que c'était. Ce n'était pas du rouge. Ça ressemblait plutôt à du bleu dilué. Il m'a regardée, les yeux agrandis.

"Partons, a-t-il dit. Surtout, il ne faut dire à personne qu'on est venus ici…" »

C'était tout. Lucy l'a relu deux fois. Puis elle a reposé les feuilles. Lonnie l'observait.

— Alors, a-t-il fait en étirant les voyelles, ce serait donc vous, la narratrice de cette petite fable ?

— Quoi ?

— J'ai essayé de comprendre, Lucy, et je ne vois qu'une seule explication possible. L'héroïne du récit, c'est vous. Quelqu'un est en train de raconter votre vie.

— C'est ridicule.

— Allons, Luce. Il y a des histoires d'inceste dans cette pile, et on ne cherche même pas à identifier leurs auteurs. Et vous, vous faites une fixation sur des cris dans des bois.

— Laissez tomber, Lonnie.

Il a secoué la tête.

— Désolée, ma douce, ce n'est pas dans mon caractère. Même si vous n'étiez pas une superstar et que je n'aie pas convoité votre place.

Elle n'a pas pris la peine de relever.

— Si je peux vous être utile…

— Vous ne pouvez pas.

— J'en sais plus que vous ne le croyez.

Lucy a levé les yeux.

— De quoi vous parlez ?

— Vous… euh, n'allez pas vous fâcher ?

Elle n'a rien dit.

— J'ai fait des recherches sur vous.

Elle a senti son estomac se nouer, mais extérieurement, elle n'en a rien laissé paraître.

— Lucy Gold n'est pas votre vrai nom. Vous avez changé de nom de famille.

— Comment le savez-vous ?

— Voyons, Luce, il suffit d'avoir accès à un ordinateur.

Comme elle se taisait, il a poursuivi :

— Quelque chose dans ce récit me turlupinait.

L'histoire de la colonie de vacances. J'étais jeune à l'époque, mais je me souviens d'avoir entendu parler de l'Égorgeur de l'été. Du coup, j'ai fouillé plus en profondeur.

Il a eu un sourire qui se voulait coquin.

— Vous devriez revenir à votre blond naturel.

— Ç'a été une période difficile.

— J'imagine.

— C'est pour ça que j'ai changé de nom.

— Oh ! je vois. Votre famille a subi un sacré choc. Vous avez voulu tourner la page.

— C'est ça.

— Et aujourd'hui, bizarrement, cette histoire revient sur le tapis.

Elle a hoché la tête.

— Pourquoi ? a demandé Lonnie.

— Je ne sais pas.

— J'aimerais vous aider.

— Je vous l'ai dit, je ne vois pas comment.

— Je peux vous poser une question ?

Elle a haussé les épaules.

— Je me suis renseigné. Il y a quelques années, Discovery Channel a consacré une émission spéciale à ces meurtres. Vous le saviez ?

— Je le sais, oui.

— Ils ne mentionnent pas votre présence là-bas. Dans les bois, j'entends.

Elle n'a rien dit.

— Comment ça se fait ?

— Je ne peux pas en parler.

— Qui est P. ? C'est Paul Copeland, n'est-ce pas ? Vous savez qu'il est devenu procureur ou quelque chose de ce genre ?

Elle a secoué la tête.

179

— Vous ne me facilitez pas la tâche.

Lucy ne desserrait pas les dents.

— OK, a-t-il dit en se levant. Je vais vous aider malgré tout.

— Comment ?

— Sylvia Potter.

— Oui, eh bien ?

— Je la ferai parler.

— Comment ?

Lonnie s'est dirigé vers la porte.

— J'ai mes méthodes.

Sur le chemin du restaurant indien, j'ai fait un détour par la tombe de Jane.

Je ne savais pas très bien pourquoi. Je ne le fais pas souvent... peut-être trois fois par an. Je n'y sens pas vraiment la présence de ma femme. Jane avait choisi elle-même son lieu de sépulture avec ses parents. « C'est important pour eux », avait-elle expliqué sur son lit de mort. Effectivement, ça les avait occupés, sa mère surtout, et leur avait donné l'impression de se rendre utiles.

Moi, ça m'était égal. J'étais dans le déni le plus total vis-à-vis de la mort programmée de Jane ; même quand son état s'était aggravé, je continuais à penser qu'elle s'en sortirait. Pour moi, la mort, c'est la fin, rideau, le terminus de la ligne. Et ni le cercueil capitonné ni la tombe bien entretenue, même aussi bien entretenue que celle de Jane, n'y changeront quoi que ce soit.

Je me suis garé sur le parking et j'ai longé l'allée. Il y avait des fleurs fraîches sur sa tombe. Nous autres, qui sommes de confession israélite, n'avons guère l'habitude de ça. Nous plaçons des pierres sur la dalle. Et ça me plaît bien. Ces fleurs, si vivantes, si colorées, tranchaient de manière presque obscène sur la grisaille de la pierre tombale. Ma femme, ma jolie Jane, était en train de pourrir six pieds sous ces lis fraîchement coupés. Et ça me révoltait.

Je me suis assis sur un banc de béton. Je ne lui ai pas parlé. La fin avait été très dure. Jane souffrait beaucoup. Je restais à côté d'elle. Du moins au début. Puis elle avait été admise en soins palliatifs. Elle voulait mourir à la maison, mais il y avait la perte de poids, l'odeur, la déchéance physique, les gémissements. Le bruit dont je me souviens le plus, celui qui aujourd'hui encore hante mes nuits, c'est cette horrible toux, comme si elle s'étouffait : Jane ne parvenait pas à expectorer ses mucosités, ça lui faisait très mal, et ç'a duré des mois et des mois. J'essayais d'être fort, mais je n'étais pas aussi fort que ma femme, et elle le savait.

Il y avait eu un temps au début de notre relation où elle m'avait senti hésiter. J'avais perdu ma sœur. Ma mère était partie en m'abandonnant. Et là, pour la première fois depuis longtemps, je laissais entrer une femme dans ma vie. Je me souviens d'une nuit d'insomnie ; je fixais le plafond pendant que Jane dormait à côté de moi. J'entendais sa respiration, profonde, régulière, tellement paisible, tellement différente de ce qu'elle serait à la fin. Son souffle s'est accéléré tandis qu'elle s'éveillait lentement. Elle m'a enlacé et s'est blottie contre moi.

— Je ne suis pas elle, a-t-elle dit doucement, comme si elle avait lu dans mes pensées. Jamais je ne t'abandonnerai.

Et pourtant, elle l'a fait.

Des femmes, j'en ai rencontré depuis sa disparition. Certaines de ces rencontres m'ont même beaucoup marqué. J'espère bien me remarier un jour. Mais en cet instant, alors que je songeais à cette nuit-là dans notre lit, je me suis rendu compte que ça n'arriverait probablement jamais.

« Je ne suis pas elle », avait dit ma femme.

Bien entendu, elle parlait de ma mère.

J'ai contemplé la pierre tombale. Avec le nom de ma femme. Mère, fille et épouse aimante. Et des ailes d'ange sur les côtés. Je me suis imaginé mes beaux-parents en train de choisir les ailes d'ange, la bonne taille, le bon motif, tout. Ils avaient acheté la parcelle à côté de la tombe de Jane sans me le dire. Si je ne me remariais pas, à tous les coups elle serait pour moi. Et si je me remariais, ma foi, je ne voyais pas bien ce que mes beaux-parents en feraient.

J'avais envie de demander à ma Jane de m'aider. De jeter un œil autour d'elle, où qu'elle soit, pour essayer d'apercevoir ma sœur et me faire savoir si Camille était morte ou pas. J'ai souri comme un benêt. Puis je me suis redressé.

Normalement, téléphoner dans un cimetière, c'est interdit. Mais j'étais sûr que Jane ne m'en voudrait pas. J'ai donc sorti mon portable et appuyé de nouveau sur la touche six.

Sash a répondu dès la première sonnerie.

— J'ai un service à te demander.

— Je te l'ai déjà dit. Pas au téléphone.

— Trouve-moi ma mère, Sash.

Silence.

— Tu peux le faire. Je te le demande. En souvenir de mon père et de ma sœur. Retrouve-la.

— Et si je ne peux pas ?

— Tu peux.

— Ça fait longtemps qu'elle est partie.

— Je sais.

— T'est-il déjà venu à l'esprit qu'elle ne tient pas forcément à ce qu'on la retrouve ?

— Oui.

— Eh bien ?

— Eh bien, tant pis ! On ne fait pas toujours ce qu'on veut, dans la vie. Trouve-la-moi, oncle Sash. S'il te plaît.

J'ai raccroché. J'ai regardé la tombe.

— Tu nous manques, ai-je dit tout haut à ma femme défunte. Tu nous manques beaucoup, à Cara et à moi.

Sur ce, je me suis relevé et je suis retourné à la voiture.

16

RAYA SINGH M'ATTENDAIT SUR LE PARKING du restaurant. Elle avait troqué son uniforme de sirène contre un jean et un chemisier bleu foncé. Ses cheveux étaient noués en queue-de-cheval. L'effet n'en était pas moins éblouissant. J'ai secoué la tête. Je venais de me rendre sur la tombe de ma femme… c'était bien le moment de baver d'admiration devant une jolie fille !

Nous vivons dans un monde intéressant.

Raya s'est glissée sur le siège du passager. Elle sentait divinement bon.

— Où va-t-on ?

— Vous connaissez la route 17 ?

— Oui.

— Prenez-la en direction du nord.

Je me suis dirigé vers la sortie du parking.

— Si vous me disiez la vérité maintenant ?

— Je ne vous ai jamais menti. J'ai préféré omettre certaines choses, c'est tout.

— Vous prétendez toujours avoir rencontré Santiago dans la rue ?

— Absolument.

Je ne la croyais pas.

— Ne l'auriez-vous pas par hasard entendu prononcer le nom de Perez ?

Elle n'a pas répondu.

— Gil Perez ? ai-je insisté.

— La sortie pour la 17 est sur la droite.

— Je sais où est la sortie, Raya.

J'ai jeté un œil sur son profil de déesse. Elle regardait par la vitre, belle à damner un saint.

— Racontez-moi ce qu'il a dit sur moi.

— Je vous en ai déjà parlé.

— Redites-le-moi.

Elle a inspiré silencieusement. Ses yeux se sont fermés une fraction de seconde.

— Manolo a dit que vous aviez menti.

— À quel sujet ?

— C'était… (elle a hésité)… une histoire de bois ou de forêt, je ne sais plus.

Mon cœur a manqué un battement.

— Il a parlé de bois ou de forêt ?

— Oui.

— Quelles ont été ses paroles exactes ?

— Je ne m'en souviens plus.

— Faites un effort.

— « Paul Copeland a menti à propos de ce qui s'est passé dans ces bois. »

Elle a penché la tête.

— Oh, attendez !

J'ai attendu.

Et là, elle a ajouté quelque chose qui a failli me faire quitter la route. Elle a dit :

— Lucy.

— Pardon ?

— C'était l'autre nom. Il a dit : « Paul Copeland a

menti à propos de ce qui s'est passé dans ces bois. Et Lucy, pareil. »

À mon tour de rester sans voix.

— Paul, a dit Raya, qui est cette Lucy ?

Le reste du trajet s'est déroulé en silence.

J'étais perdu dans les pensées de Lucy. J'essayais de me remémorer la caresse de ses cheveux de lin, leur senteur exquise. Et je n'y arrivais pas. Les souvenirs étaient trop flous. J'avais du mal à distinguer le réel de l'imaginaire. Tout ce que je me rappelais, c'était l'émerveillement. Et le désir. Nous étions tous les deux neufs, maladroits, inexpérimentés... Mais mon Dieu, la violence de ce désir ! Comment ç'avait commencé ? Et à quel moment le désir s'était mué en quelque chose qui ressemblait à de l'amour ?

Les amours de vacances, ça ne dure pas. C'est une chose entendue. Elles sont comme certaines espèces d'insectes ou de plantes – incapables de survivre au-delà d'une saison. Je pensais que Luce et moi, ce serait différent. Et ça l'a été en un sens, mais pas comme je l'aurais cru. J'étais sincèrement convaincu que nous ne nous quitterions jamais.

Ce qu'on peut être bête à cet âge-là !

La résidence hôtelière *AmeriSuites* se situait à Ramsey, dans le New Jersey. Raya avait la clé. Elle a ouvert la porte d'un studio au deuxième étage. Le seul mot pour décrire le décor, c'était « impersonnel ». Un studio meublé dans une résidence hôtelière, quoi.

En entrant, elle a poussé un petit cri.

— Qu'y a-t-il ? ai-je demandé.

Son regard a fait le tour de la pièce.

— Il y avait des tas de papiers sur cette table. Des dossiers, des revues, des crayons, des stylos.

— C'est vide maintenant.

Elle a ouvert un tiroir.

— Ses vêtements… Ils ne sont plus là.

Nous avons fouillé partout. Il ne restait plus rien, ni papiers, ni dossiers, ni articles de magazine, ni brosse à dents, ni affaires personnelles. Raya s'est assise sur le canapé.

— Quelqu'un est passé et a tout vidé.

— Quand êtes-vous venue ici pour la dernière fois ?

— Il y a trois jours.

Je me suis dirigé vers la porte.

— Vous venez ?

— Où allez-vous ?

— À la réception.

Mais la réception était tenue par un jeune qui ne nous a pas appris grand-chose. Le locataire s'était inscrit sous le nom de Manolo Santiago. Il avait réglé en liquide, jusqu'à la fin du mois. Non, le garçon ne se rappelait pas comment était M. Santiago ni s'il avait quelque chose de particulier. C'est le problème de ces résidences. On n'a pas besoin de traverser le hall. Il est donc facile de passer inaperçu.

Raya et moi sommes remontés dans le studio.

— Vous dites qu'il y avait des papiers ?

— Oui.

— Quel genre de papiers ?

— Je n'ai pas été voir.

— Raya, ai-je dit.

— Quoi ?

— Il faut que je sois honnête avec vous : votre numéro de sainte-nitouche ne me convainc pas vraiment.

Elle s'est contentée de me regarder de ses yeux de gazelle.

— Quoi ?

— Vous voulez que je vous fasse confiance ?

— Oui.

— Et pourquoi vous ferais-je confiance ?

J'ai réfléchi à la réponse que j'allais lui donner.

— Vous m'avez menti la première fois où je vous ai vu, a-t-elle ajouté.

— Menti à propos de quoi ?

— Vous avez dit que vous enquêtiez sur un meurtre. Comme s'il s'agissait d'une enquête ordinaire. Mais ce n'était pas vrai, n'est-ce pas ?

Je me suis tu.

— Manolo n'avait pas confiance en vous. J'ai lu les articles. Je sais qu'il y a vingt ans il vous est arrivé quelque chose à tous les deux dans ces bois. Il pensait que vous avez menti à ce sujet.

Je me suis accordé une seconde pour rassembler mes pensées. Elle venait de marquer un point.

— Alors comme ça, vous avez lu ces articles ?

— Oui.

— Vous savez donc que j'étais dans cette colonie de vacances ce fameux été.

— Exact.

— Vous savez aussi que ma sœur a disparu cette nuit-là.

Elle a hoché la tête. Je me suis tourné vers elle.

— C'est pour ça que je suis ici.

— Pour venger votre sœur ?

— Non, ai-je répondu. Pour la retrouver.

— Je croyais qu'elle était morte. Que Wayne Steubens l'avait assassinée.

— C'est ce que je croyais aussi.

Raya s'est détournée un instant. Puis son regard m'a traversé sans s'arrêter sur moi.

— Et à propos de quoi vous avez menti ?

— À propos de rien.

Ses yeux sur moi.

— Vous pouvez me faire confiance, a-t-elle dit.

— Mais je vous fais confiance.

Une pause.

— Qui est Lucy ?

— Une fille de la colo.

— Et que vient-elle faire dans tout ça ?

— La colo appartenait à son père.

Puis :

— On sortait ensemble à l'époque.

— Et comment avez-vous menti tous les deux ?

— On n'a pas menti.

— Alors de quoi parlait Manolo ?

— Si je le savais ! C'est ce que je cherche à découvrir.

— Je ne comprends pas. Comment pouvez-vous être aussi sûr que votre sœur est en vie ?

— Je ne suis sûr de rien. Mais je pense qu'il y a de fortes chances que ce soit le cas.

— Pourquoi ?

— À cause de Manolo.

— Comment ça ?

J'ai scruté son visage. Me faisait-elle marcher ?

— Tout à l'heure, quand j'ai cité le nom de Gil Perez, vous vous êtes refermée comme une huître.

— J'ai lu son nom dans les articles. Lui aussi a été tué cette nuit-là.

— Non.

— Je ne comprends pas.

— Savez-vous pourquoi Manolo s'intéressait à cette histoire ?

— Il ne l'a jamais dit.

189

— Et vous n'étiez pas curieuse ?

Elle a haussé les épaules.

— Il disait que ça le regardait.

— Raya, ai-je dit, Manolo Santiago n'était pas son vrai nom.

J'ai marqué une pause, attendant de voir si elle allait saisir la perche. Mais elle n'a pas réagi.

— Son vrai nom était Gil Perez.

Elle a mis une seconde à digérer l'information.

— Le garçon des bois ?

— Oui.

— Vous en êtes sûr ?

Bonne question. Mais j'ai acquiescé sans la moindre hésitation. Elle a paru réfléchir.

— Vous êtes en train de me dire – à supposer que ce soit la vérité – qu'il a été vivant pendant tout ce temps.

J'ai hoché la tête.

— Et s'il était vivant…

Raya Singh s'est interrompue. J'ai terminé la phrase à sa place :

— … peut-être que ma sœur l'est encore.

— Ou alors, a-t-elle repris, c'est Manolo – ou Gil, comme vous préférez – qui les a tués tous.

Bizarre. Je n'y avais pas pensé. Ce n'était pas totalement idiot. Gil tue tout le monde et brouille les pistes en se faisant passer pour une victime. Mais était-il assez intelligent pour monter une machination pareille ? Et Wayne Steubens dans tout ça ?

À moins que Wayne ne dise la vérité…

— Si c'est le cas, ai-je rétorqué, je finirai par le savoir.

Raya a froncé les sourcils.

— Manolo affirmait que vous et Lucy aviez menti. Si c'est lui, l'assassin, pourquoi aurait-il dit ça ? Pourquoi aurait-il réuni tous ces papiers et fait toutes ces recherches ? S'il était le coupable, il connaissait les réponses, non ?

Elle a traversé la pièce et s'est plantée face à moi. Si jeune, si belle que j'ai eu envie de l'embrasser.

— Vous ne m'avez pas tout dit, a-t-elle commencé.

Mon portable a sonné. C'était Loren Muse. J'ai répondu :

— Oui ?

— On a un problème.

J'ai fermé les yeux.

— C'est Chamique. Elle veut se rétracter.

Mon bureau est situé au centre de Newark. J'entends tout le temps parler de réhabilitation, mais je n'en vois pas le début. Cette ville périclite depuis que je la connais. Et j'ai appris à bien la connaître. L'histoire est là, qui affleure à la surface. Les gens sont formidables. Dans notre société, nous sommes très forts pour classer les villes comme nous le faisons avec les communautés ethniques et autres minorités. Il est facile de les juger à distance. Je me souviens des parents conservateurs de Jane et de leur mépris pour tout ce qui avait trait à l'homosexualité. Helen, la fille qui partageait sa chambre sur le campus, était lesbienne. Ils l'ignoraient, bien sûr. Quand ils l'ont rencontrée, tous deux, le père et la mère de Jane, ont tout simplement adoré Helen. Et quand ils ont appris son homosexualité, ils ont continué à l'aimer. Et ils ont aimé sa compagne aussi.

C'est souvent comme ça que ça se passe. Il est facile de haïr les homos, les Noirs, les juifs ou les Arabes. Il est plus difficile de haïr des individus.

Newark, c'était la même chose. On pouvait détester la ville dans son ensemble, mais pris séparément, certains de ses quartiers, ses commerçants, ses habitants étaient si attachants, si dynamiques qu'on ne pouvait s'empêcher de tomber sous le charme.

Chamique était assise dans mon bureau. Ce n'était qu'une gamine, mais on sentait qu'elle avait beaucoup trinqué. La vie n'avait pas été tendre avec elle. Et ça n'allait probablement pas s'arranger. Son avocat, Horace Foley, était trop imbibé d'eau de toilette et avait les yeux trop largement écartés. Étant avocat moi-même, je n'aime pas qu'on critique mes collègues, mais j'étais pratiquement certain que si une ambulance venait à passer par là, ce gars-là sauterait par ma fenêtre du deuxième étage pour la ralentir.

— Nous aimerions retirer la plainte contre M. Jenrette et M. Marantz, a annoncé Foley.

— C'est impossible.

Je me suis tourné vers Chamique ; même si elle ne baissait pas la tête, elle ne semblait pas disposée à me regarder en face.

— Avez-vous menti à la barre hier ? lui ai-je demandé.

— Ma cliente ne ment jamais, a protesté Foley.

Je l'ai ignoré. Je parlais à Chamique ; nos yeux se sont rencontrés. Elle a dit :

— De toute façon, vous arriverez pas à les faire condamner.

— Vous n'en savez rien.

— Vous êtes sérieux ?

— Absolument.

Chamique a souri, comme confondue par tant de naïveté.

— Vous comprenez pas bien, hein ?

— Ah ! mais si, je comprends parfaitement. Ils vous ont offert de l'argent en échange de votre rétractation.

Et, compte tenu de la somme, votre avocat ici présent, M[e] À-quoi-bon-se-laver-quand-il-y-a-l'eau-de-toilette, pense que le jeu en vaut la chandelle.

— Comment m'avez-vous appelé ?

J'ai regardé Muse.

— Ouvrez la fenêtre, voulez-vous ?

— Bien, chef.

— Dites donc ! Comment m'avez-vous appelé ?

— La fenêtre est ouverte. Allez-y, vous pouvez sauter.

Je me suis retourné vers Chamique.

— Si vous vous rétractez maintenant, ça voudra dire que votre déposition d'hier et d'aujourd'hui est mensongère. Ça voudra dire que vous avez commis un parjure. Ça voudra dire que ce bureau aura dépensé des milliers de dollars du budget de l'État pour votre mensonge… votre parjure. Ce qui est considéré comme un crime, soit dit en passant. Vous irez en prison.

— Adressez-vous à moi, monsieur Copeland, a dit Foley, pas à ma cliente.

— M'adresser à vous ? J'ai du mal à respirer en votre présence.

— Je ne tolérerai pas ce…

— Chut.

J'ai porté la main à mon oreille.

— Écoutez ce bruissement.

— Comment ?

— J'ai l'impression que votre eau de toilette racornit mon papier peint. Si vous tendez l'oreille, vous l'entendrez aussi. Chut, écoutez.

Même Chamique a esquissé un sourire.

— Ne vous rétractez pas, lui ai-je dit.

— J'ai pas le choix.

— Dans ce cas, je vous ferai inculper.

Son avocat était prêt à se jeter dans la bataille, mais Chamique a posé la main sur son bras.

— Vous ne ferez pas ça, monsieur Copeland.

— Détrompez-vous.

Mais elle n'était pas dupe. Je bluffais. Une pauvre fille effrayée, victime d'un viol, voilà que soudain on lui offrait de l'argent… plus d'argent qu'elle n'en verrait sans doute de toute sa vie. Qui étais-je pour lui faire une leçon de morale ?

Ils se sont levés. Horace Foley a déclaré :

— Nous signons l'accord demain matin.

Je n'ai rien dit. Quelque part, honteusement, j'étais soulagé. JaneCure allait survivre. La mémoire de mon père – bon, d'accord, ma carrière politique – ne serait pas inutilement ternie. Mieux encore, ce n'est pas moi qui étais en cause. La décision ne venait pas de moi. Elle venait de Chamique.

Elle m'a tendu la main.

— Merci.

— Ne faites pas ça, ai-je dit.

Mais le cœur n'y était pas, et elle l'a senti. Elle m'a souri. Ils ont quitté mon bureau. Chamique, puis son avocat qui laissait dans son sillage un relent d'eau de toilette.

Muse a haussé les épaules.

— Que voulez-vous y faire ?

Je me le demandais moi-même.

De retour à la maison, j'ai dîné avec Cara. Elle avait un « devoir » à faire : découper tout ce qui était rouge dans des magazines. La tâche paraissait facile mais, bien entendu, rien de ce que nous avions trouvé ne lui convenait. Ni le camion rouge, ni la robe rouge du manne-quin, ni même la voiture de pompiers. Le problème, me suis-je aperçu, c'est que je m'enthousiasmais pour toutes ses trouvailles.

— Mais oui, chérie, elle est rouge, cette robe ! Tu as raison. C'est exactement ce qu'il nous faut !

Au bout de vingt minutes de cet exercice, j'ai compris mon erreur. Lorsqu'elle est tombée sur la photo d'une bouteille de ketchup, j'ai haussé les épaules et lâché d'un ton blasé :

— Je n'aime pas ça, le ketchup.

Elle s'est emparée d'une paire de ciseaux à bouts ronds et s'est mise au travail.

Les mômes...

Tout en faisant ses découpages, Cara fredonnait une chanson. Tirée du dessin animé *Dora l'exploratrice*, celle-ci consistait essentiellement à chanter les mots « sac à dos » encore et encore, jusqu'à ce que la tête du parent qui était dans la même pièce explose en mille morceaux. J'avais eu le malheur, il y a deux mois, de lui acheter un sac à dos parlant *Dora l'exploratrice* (« Sac à dos, sac à dos », on reprend) avec une carte parlante assortie (chanson : « Je suis la carte, je suis la carte, je suis la carte », on reprend). Quand sa cousine Madison venait chez nous, elles jouaient à *Dora l'exploratrice*. L'une des deux était Dora. L'autre était le singe curieusement prénommé Babouche. Je n'en connais pas beaucoup, de singes avec un nom de chaussure.

J'étais en train de penser à Babouche, aux disputes entre ma fille et sa cousine pour savoir qui serait Dora et qui serait Babouche, quand soudain ça m'est monté au cerveau.

J'en suis littéralement resté cloué sur place. Même Cara s'en est aperçue.

— Papa ?

— Une petite seconde, chaton.

Je suis monté quatre à quatre en faisant trembler la maison. Où diable avais-je fourré ces factures de la résidence universitaire ? J'ai mis la pièce sens dessus dessous. Il m'a fallu plusieurs minutes pour les localiser... j'avais été à deux doigts de les jeter après mon entrevue avec Chamique.

Ça y est, les voilà.

Je les ai parcourues rapidement. Une fois que j'ai eu trouvé les factures mensuelles des commandes en ligne, j'ai décroché mon téléphone et appelé Muse. Elle a répondu tout de suite.

— Oui ?

— Quand vous étiez à la fac, ai-je demandé, vous passiez souvent des nuits blanches ?

— Au moins deux fois par semaine.

— Et comment faisiez-vous pour vous tenir éveillée ?

— M&M's. En quantité illimitée. Les orange sont des amphétamines.

— Achetez-en autant qu'il vous en faudra. Vous pouvez même les passer en frais professionnels.

— J'aime bien le ton de votre voix, Cope.

— Je viens d'avoir une idée, mais je ne sais pas si nous avons le temps.

— Ne vous inquiétez pas pour le temps. C'est quoi, votre idée ?

— Ça concerne nos vieux copains, ai-je dit, Cal et Jim.

17

J'AI TROUVÉ LE NUMÉRO DE Me COCOTTE FOLEY et je l'ai
appelé chez lui. Manifestement, il dormait.

— Ne signez pas ces papiers avant demain
après-midi.

— Pourquoi ? a-t-il demandé.

— Parce que, si vous refusez, je ferai en sorte de vous
rendre la vie impossible, à vous et à vos clients. Tout le
monde saura que nous ne négocions pas avec Horace
Foley, que nous veillons à ce que le client écope de la
peine maximale.

— Vous ne pouvez pas faire ça.

Je n'ai pas relevé.

— J'ai une obligation vis-à-vis de ma cliente.

— Dites-lui que j'ai demandé un sursis. Dans son
intérêt à elle.

— Et que dois-je dire à la partie adverse ?

— Je ne sais pas, Foley, trouvez un vice de forme, ce
que vous voudrez. Mais faites traîner les choses jusque
dans l'après-midi.

— Et où est l'intérêt de ma cliente là-dedans ?

— Si j'ai de la chance, vous pourrez renégocier. Ça
fera plus d'argent dans votre escarcelle.

Il a marqué une pause. Puis :

— Dites-moi, Cope…

— Oui ?

— C'est une drôle de gamine, Chamique.

— Dans quel sens ?

— N'importe quelle autre fille à sa place aurait sauté sur l'occasion. Elle, j'ai dû la pousser à accepter l'argent parce que, franchement, c'est la meilleure solution pour elle. Vous le savez aussi bien que moi. À vrai dire, elle ne voulait pas en entendre parler jusqu'à ce qu'ils lui martèlent cette histoire de Jim-James au tribunal. Vous comprenez, avant ça, et malgré ce qu'elle a pu dire à la barre, elle tenait davantage à les voir en prison qu'à toucher une compensation financière. Elle cherchait juste à obtenir justice.

— Ça vous surprend ?

— Vous êtes nouveau à ce poste. Moi, ça fait vingt-sept ans que je suis là-dedans. À force, on devient cynique. Ben oui, elle m'a sacrément surpris.

— Y a-t-il une raison pour que vous me racontiez tout ça ?

— Oui. Vous savez ce qui m'intéresse… Toucher mon tiers de la somme versée à titre de réparation. Mais Chamique, c'est différent. Cet argent va changer sa vie. Alors, quoi que vous mijotiez, monsieur le procureur, ne la plantez pas.

Lucy buvait seule.

Il faisait nuit. Elle habitait sur le campus, dans une résidence réservée au corps enseignant. L'endroit était sinistre. La plupart des professeurs travaillaient dur pour économiser de l'argent, dans l'espoir de déménager un jour. Lucy vivait là depuis un an. Avant elle, une prof de littérature anglaise nommée Amanda Simon avait passé ses trente années de célibat entre ces murs. Le cancer du poumon l'avait fauchée à l'âge de cinquante-huit ans. Son souvenir était resté sous forme d'odeur de fumée. Lucy avait eu beau tout repeindre et arracher la moquette, ça continuait à empester la cigarette. C'était un peu comme vivre dans un cendrier.

Lucy, son truc, c'était la vodka. Elle a jeté un œil par la fenêtre. Au loin, on entendait de la musique. C'était un campus. Il y avait toujours de la musique quelque part. Elle a consulté sa montre. Il était minuit.

Elle a allumé son iPod aux enceintes bon marché et l'a mis sur la playlist qu'elle avait baptisée « Détente ». Chaque chanson était non seulement lente, mais totalement déchirante. Elle buvait sa vodka dans son appartement sinistre en respirant la fumée d'une morte et écoutait des chansons tristes qui parlaient de séparation, de manque et de désespoir. Pitoyable, mais au moins elle ressentait quelque chose. Que ça la déprime ou pas, peu importe. L'essentiel était de ressentir.

En cet instant précis, Joseph Arthur était en train de chanter *Honey And The Moon*. Il disait à celle qu'il aimait que si elle n'avait pas existé, il l'aurait inventée. Fabuleux, non ? Lucy a essayé d'imaginer un homme, un homme digne de ce nom, lui disant la même chose. Elle a secoué la tête, incrédule.

Fermant les yeux, elle s'est efforcée de remettre de l'ordre dans ses idées. Elle avait du mal à y voir clair. Le passé était en train de refaire surface. Toute sa vie d'adulte, Lucy avait fui ces satanés bois autour de la colonie de vacances de son père. Elle avait traversé le pays jusqu'en Californie, avant de rebrousser chemin. Elle avait changé son nom et la couleur de ses cheveux. Mais le passé lui collait aux basques. Quelquefois, il la laissait prendre de l'avance – elle pensait alors, momentanément rassurée, avoir mis assez de distance entre cette nuit-là et le moment présent –, mais les morts finissaient toujours par franchir le fossé.

Et tôt ou tard, cette nuit de cauchemar finissait par la rattraper.

Ces écrits prétendument autobiographiques, d'où venaient-ils ? Sylvia Potter était à peine née quand l'Égorgeur de l'été avait frappé la colonie de vacances PLUS (Peace Love Universellement Soudés). Qu'en savait-elle ? Bien sûr, comme Lonnie, elle aurait pu chercher sur Internet, fouiner dans le passé de Lucy. Ou alors quelqu'un de plus âgé et de mieux informé lui avait dit quelque chose.

N'empêche. Comment pouvait-elle connaître cette histoire ? Elle ou n'importe qui d'autre ? Une seule personne au monde savait que Lucy avait menti à propos de ce qui s'était passé cette nuit-là.

Et, évidemment, Paul ne dirait rien.

Elle a regardé fixement à travers le liquide transparent contenu dans son verre. Paul. Paul Copeland. Elle le revoyait, silhouette dégingandée, torse svelte, longs cheveux et sourire craquant. Curieusement, ils s'étaient rencontrés par l'intermédiaire de leurs pères. Celui de Paul, gynécologue-obstétricien dans son pays, avait fui la répression en Union soviétique pour découvrir qu'ici, aux États-Unis, la situation n'était guère plus brillante. Ira, le père de Lucy au grand cœur, n'avait pu rester insensible au récit de ses malheurs. Il avait donc engagé Vladimir Copeland comme médecin de la colo. Et offert à sa famille l'occasion de s'échapper de Newark le temps d'un été.

Lucy se rappelait la scène : leur voiture, une Oldsmobile Cutlass Ciera déglinguée, avait débouché du chemin de terre ; les quatre portières s'étaient ouvertes simultanément, et les quatre membres de la famille en étaient descendus comme un seul homme. Dès que Lucy avait vu Paul, que leurs regards s'étaient croisés… crac, boum, coup de foudre. Pareil pour lui. Il y a des instants dans la vie, des instants rares, où l'on reçoit cette décharge électrique, c'est exaltant et ça fait un mal de chien, mais on se sent vivant, vraiment vivant, et soudain les couleurs paraissent plus vives, les sons plus clairs, les mets plus savoureux, et on n'arrête pas de penser à l'autre, sachant tout au fond de soi que c'est pareil pour lui.

— Comme maintenant, a dit Lucy tout haut en avalant une gorgée de vodka tonic.

Comme avec ces chansons geignardes qu'elle se repassait en boucle. Un sentiment. Une bouffée d'émotion. Joie ou tristesse, qu'importe. Sauf que ce n'était plus comme avant. Que chantait Elton John déjà, sur les paroles de Bernie Taupin, à propos de vodka tonic ? Deux ou trois vodkas tonic, ça vous remettait d'aplomb, un truc de ce genre.

Pour Lucy, ça n'avait pas marché. Mais bon, pourquoi baisser les bras ?

La petite voix dans sa tête a dit : « Arrête de boire. »

L'autre voix, bien plus autoritaire, a conseillé à la petite de la fermer et d'aller se faire pendre ailleurs.

Lucy a brandi le poing.

— Vas-y, Big Voice !

Elle a ri, et l'écho de son propre rire dans cette pièce silencieuse lui a fait peur. Rob Thomas, de sa liste « Détente », lui a demandé s'il pouvait la tenir dans ses bras pendant qu'elle tombait en morceaux, s'il pouvait la tenir dans ses bras pendant qu'ils tombaient tous les deux. Elle a hoché la tête. Pas de problème. Rob a senti qu'elle avait froid, qu'elle avait peur, qu'elle était cassée et que, nom de Dieu, elle avait envie d'écouter cette chanson avec Paul.

Paul.

Il faudrait lui parler de ces e-mails.

Ils ne s'étaient pas vus depuis vingt ans, mais il y a six ans, Lucy avait cherché à savoir ce qu'il était devenu grâce à Internet. Elle savait que cette porte-là, mieux valait la garder fermée mais elle avait bu – surprenant, hein ? – et comme l'ivresse donne à certains le courage de téléphoner en état d'ébriété, Lucy était allée sur Google.

Ce qu'elle avait trouvé avait douché son audace, mais il n'y avait pas de quoi s'étonner. Paul était marié. Il exerçait le métier d'avocat. Il avait une petite fille. Lucy avait même réussi à dégotter une photo de sa superbe épouse, issue d'une famille aisée, prise lors d'une quelconque manifestation caritative. Jane – c'était son nom – était grande et mince, et portait un collier de perles. Ça lui allait bien, les perles. Elle était faite pour.

Encore une gorgée.

Les choses avaient pu changer en six ans, mais, à l'époque, Paul habitait Ridgewood, New Jersey, à une trentaine de kilomètres de là où elle se trouvait en cet instant. Elle a regardé son ordinateur à l'autre bout de la pièce.

Ce serait bien de le prévenir, non ?

Une petite recherche, ce n'était pas un problème. Pour avoir son numéro de téléphone – chez lui ou, encore mieux, à son bureau. Elle le contacterait. Pour le mettre en garde. En tout bien tout honneur. Sans arrière-pensée, sans intention cachée, rien.

Elle a reposé sa vodka. Dehors, il pleuvait. L'ordinateur était déjà allumé. L'écran de veille était celui de Windows par défaut. Pas de photo de famille. Pas de diaporama des gosses ni même, comme souvent chez les vieilles filles, de photo d'un animal familier. Juste le logo sautillant de Windows, comme si l'écran était en train de lui tirer la langue.

Lamentable.

Elle a ouvert sa page d'accueil et allait pianoter sur le clavier quand on a frappé à la porte. Elle a suspendu son geste.

On a frappé à nouveau. Lucy a jeté un coup d'œil sur la petite horloge dans le coin droit de son ordinateur.

Zéro heure dix-sept.

C'était drôlement tard pour une visite.

— Qui est là ?

Pas de réponse.

— Qui…

— C'est Sylvia Potter.

Il y avait des larmes dans sa voix. Lucy a titubé jusqu'à la cuisine. Elle a vidé le reste de son verre dans l'évier et rangé la bouteille dans le placard. La vodka est inodore, enfin presque, donc rien à craindre de ce côté-là. Elle a jeté un rapide coup d'œil dans le miroir. Elle avait une sale tête, mais bon, elle ne pouvait pas y faire grand-chose.

— J'arrive.

Elle a ouvert la porte, et Sylvia a trébuché en avant comme si elle avait attendu appuyée au battant. Elle était trempée. L'air conditionné marchait à fond. Lucy a failli dire quelque chose du genre « Vous allez attraper la mort », mais elle ne voulait pas paraître trop maternelle. Elle a fermé la porte.

Sylvia a dit :

— Désolée de venir si tard.

— Ne vous inquiétez pas. Je n'étais pas couchée.

Elle s'est arrêtée au milieu de la pièce.

— Je m'excuse pour tout à l'heure.

— Il n'y a pas de mal.

— C'est que...

Sylvia a regardé autour d'elle et croisé les bras sur sa poitrine.

— Vous voulez une serviette ?

— Non.

— Je vous sers quelque chose à boire ?

— Ça ira.

Lucy, d'un geste, l'a invitée à s'asseoir. Sylvia s'est écroulée sur le canapé IKEA. Lucy détestait IKEA et ses guides de montage purement visuels – on aurait dit qu'ils étaient conçus par des ingénieurs de la NASA. Sans mot dire, elle a pris place à côté de la jeune fille.

— Comment avez-vous su que c'était moi qui avais écrit ça ? a demandé Sylvia.

— Aucune importance.

— Je l'ai envoyé anonymement.

— Je sais.

— Vous aviez dit que ça resterait confidentiel.

— Je sais. Et j'en suis désolée.

Sylvia s'est essuyé le nez et a regardé ailleurs. Ses cheveux dégoulinaient.

— Je vous ai même menti.

— Comment ça ?

— Sur ce que j'ai écrit. Quand je suis passée à votre bureau l'autre jour. Vous vous rappelez ?

— Oui.

— Vous vous souvenez de ce que je vous ai dit sur mon texte ? De quoi ça parlait ?

Lucy a réfléchi une seconde.

— De votre première fois.

Sylvia a eu un sourire sans joie.

— Dans un sens quelque peu sordide, on peut dire que c'est la vérité.

Lucy a réfléchi encore. Puis :

— Je ne comprends pas très bien, Sylvia.

Pendant un long moment, Sylvia n'a rien dit. Lucy s'est rappelé que Lonnie avait promis de lui parler. Mais il devait le faire dans le courant de la matinée.

— Est-ce que Lonnie est passé vous voir ce soir ?

— Lonnie Berger ? De votre cours ?

— Oui.

— Non. Pourquoi serait-il passé me voir ?

— Ça n'a pas d'importance. Donc, vous êtes venue de votre propre chef ?

Sylvia a dégluti, l'air mal assuré.

— Je n'aurais pas dû ?

— Mais non, au contraire. Je suis contente de vous voir.

— J'ai très peur.

Lucy a hoché la tête, histoire de la rassurer, de l'encourager. Il ne servait à rien de lui forcer la main, il fallait éviter le retour de bâton. Du coup, elle a attendu. Elle a attendu deux bonnes minutes avant de craquer.

— Il n'y a aucune raison d'avoir peur, Sylvia.

— Que dois-je faire, à votre avis ?

— Dites-moi tout, OK ?

— C'est ce que j'ai fait. Enfin, en grande partie.

Lucy se demandait comment aborder le sujet.

— Qui est P. ?

Sylvia a froncé les sourcils.

— Hein ?

— Dans votre texte, il est question d'un garçon nommé P. Qui est ce P. ?

— De quoi parlez-vous ?

Lucy a fait une nouvelle tentative.

— Dites-moi exactement pourquoi vous êtes ici, Sylvia.

Mais Sylvia se méfiait maintenant.

— Pourquoi vous êtes venue dans ma chambre aujourd'hui ?

— Pour vous parler de ce que vous avez écrit.

— Alors pourquoi ces questions sur un gars nommé P. ? Il n'y a aucun P. dans mon récit. Je dis carrément que c'était…

Les mots sont restés coincés dans sa gorge. Elle a fermé les yeux et chuchoté :

— … mon père.

Le barrage a cédé. Les larmes ont jailli comme la pluie, à torrents.

Lucy s'est mordu la lèvre. L'histoire d'inceste, qui les avait frappés d'horreur, Lonnie et elle. Zut. Lonnie avait tout faux. Ce n'était pas Sylvia qui avait parlé de la nuit dans les bois.

— Votre père a abusé de vous quand vous aviez douze ans.

Sylvia s'était caché le visage dans ses mains. Les sanglots lui déchiraient la poitrine. Tout son corps a été secoué quand elle a hoché la tête. Lucy a regardé cette pauvre fille, si anxieuse de plaire, et a imaginé le père. Elle a posé sa main sur celle de Sylvia. Puis elle s'est rapprochée et l'a prise dans ses bras. Sylvia s'est blottie en pleurant contre elle. Lucy l'a bercée, l'a cajolée en murmurant des paroles d'apaisement.

18

JE N'AI PAS FERMÉ L'ŒIL DE LA NUIT. Muse non plus. Je me suis rasé en vitesse. Je sentais tellement mauvais que je me suis demandé si je n'allais pas emprunter pas un peu de son eau de toilette à Horace Foley.

— Trouvez-moi ces papiers, ai-je dit à Muse.

— Je fais mon possible.

Lorsque le juge a réclamé le silence, j'ai convoqué à la barre un témoin surprise.

— Le parquet appelle Jerry Flynn.

Flynn était le « gentil » garçon qui avait invité Chamique à la fête. Il avait bien la tête de l'emploi avec son visage lisse, ses boucles blondes soigneusement séparées par une raie et ses grands yeux bleus qui semblaient contempler le monde environnant avec candeur. Étant donné que je pouvais clore le dossier à n'importe quel moment, la défense l'avait fait attendre. Vu qu'il était censé être leur témoin clé.

Flynn avait apporté un soutien sans faille à ses deux camarades. Mais mentir à la police était une chose, raconter des bobards en public en était une autre. J'ai regardé Muse. Assise au dernier rang, elle s'efforçait de garder une mine impassible. Le résultat était mitigé.

Personnellement, je réfléchirais à deux fois avant d'en faire ma complice au poker.

Je lui ai demandé de décliner son identité pour le greffe.

— Gerald Flynn.

— Mais on vous appelle Jerry, n'est-ce pas ?

— Oui.

— Parfait. Commençons par le commencement, voulez-vous ? Quand avez-vous rencontré la plaignante, Mlle Chamique Johnson, pour la première fois ?

Chamique se trouvait dans la salle. Deux rangs devant le mur du fond, à côté de Horace Foley. Drôle de place. Comme si elle n'était plus concernée. Plus tôt dans la matinée, j'avais entendu hurler dans les couloirs. Les familles Jenrette et Marantz n'étaient pas ravies de son retournement de dernière minute. Elles avaient tenté de faire pression, mais ça n'avait pas marché. Du coup, l'audience avait pris du retard. Néanmoins, ils étaient fin prêts pour la bataille. Ils avaient même retrouvé leur air grave et préoccupé, leur air de prétoire.

Pour eux, ce n'était qu'une question de délai. Une question d'heures.

— Quand elle est venue à la fraternité le 12 octobre, a-t-il répondu.

— Vous vous souvenez de la date ?

— Oui.

J'ai fait mine de trouver ça intéressant, même si ça ne l'était pas. Évidemment qu'il s'en souvenait. Il était mouillé jusqu'au cou dans cette affaire.

— Pour quelle raison Mlle Johnson est-elle venue à la fraternité ?

— Elle a été engagée comme danseuse exotique.

— C'est vous qui l'avez engagée ?

— Non. Enfin, je veux dire, c'était toute la frat. Mais ce n'est pas moi qui ai téléphoné, non.

— Je vois. Elle est donc venue à la fraternité exécuter son numéro de danseuse exotique ?

— Oui.

— Vous y avez assisté ?

— Oui.

— Et comment l'avez-vous trouvée ?

Mort Pubin s'est levé d'un bond.

— Objection !

Le juge me regardait déjà en fronçant les sourcils.

— Monsieur Copeland ?

— Selon Mlle Johnson, c'est M. Flynn qui l'a invitée à la soirée où le viol a eu lieu. J'essaie de comprendre pourquoi il a fait ça.

— Vous n'avez qu'à lui demander, a lancé Pubin.

— Votre Honneur, puis-je procéder à ma façon ?

— Tâchez de reformuler, a dit le juge Pierce.

Je me suis retourné vers Flynn.

— Avez-vous trouvé que Mlle Johnson était une bonne danseuse exotique ?

— Plus ou moins.

— Oui ou non ?

— Ce n'était pas génial. Mais je l'ai trouvée plutôt bien, oui.

— L'avez-vous trouvée jolie ?

— Oui… enfin, je crois.

— Oui ou non ?

— Objection !

Pubin, encore une fois.

— Il n'a pas à répondre par oui ou par non à ce genre de question. Peut-être qu'il l'a trouvée mignonne, sans plus. On ne peut pas toujours être aussi catégorique.

— Tout à fait d'accord, Mort, ai-je rétorqué, ce qui

l'a surpris. Je reformule. Monsieur Flynn, comment la jugeriez-vous… physiquement, j'entends ?

— Sur une échelle de un à dix, par exemple ?

— Excellent, monsieur Flynn. Sur une échelle de un à dix.

Il a réfléchi un instant.

— Je lui donnerais un sept, voire un huit.

— Très bien, je vous remercie. Au cours de cette soirée, avez-vous parlé avec Mlle Johnson ?

— Oui.

— De quoi avez-vous parlé ?

— Je ne sais plus.

— Essayez de vous rappeler.

— Je lui ai demandé où elle habitait. Elle a répondu Irvington. J'ai demandé si elle allait au lycée, si elle avait un copain. Des choses comme ça. Elle m'a dit qu'elle avait un gosse. Elle m'a questionné sur mes études. J'ai dit que je voulais faire médecine.

— Autre chose ?

— C'était ça, la conversation.

— Je vois. Et combien de temps elle a duré, d'après vous ?

— Je ne sais pas.

— Voyons si je peux vous aider. Était-ce plus de cinq minutes ?

— Oui.

— Plus d'une heure ?

— Non, je ne crois pas.

— Plus d'une demi-heure ?

— Je ne sais plus.

— Plus de dix minutes ?

— Peut-être bien.

Le juge Pierce m'a fait comprendre qu'on avait compris, et que maintenant il fallait avancer.

— Comment Mlle Johnson est-elle repartie ce soir-là ? Le savez-vous ?

— Une voiture est venue la chercher.

— Ah… était-elle la seule danseuse exotique de la soirée ?

— Non.

— Combien étaient-elles ?

— Trois en tout.

— Je vous remercie. Les deux autres sont-elles parties en même temps que Mlle Johnson ?

— Oui.

— Leur avez-vous parlé ?

— Pas vraiment. Je leur ai peut-être dit bonjour.

— Serait-il correct d'affirmer que Chamique Johnson est la seule des trois danseuses exotiques avec laquelle vous ayez engagé la conversation ?

Pubin, sur le point d'objecter, a paru se raviser.

— Oui, a répondu Flynn. Ce serait correct.

Assez de préliminaires.

— Chamique Johnson déclare avoir arrondi ses gains en se livrant à des actes sexuels avec certains des jeunes gens présents à la soirée. Savez-vous si c'est vrai ?

— Aucune idée.

— Vraiment ? Vous n'avez donc pas eu recours à ses services ?

— Pas moi, non.

— Et vous n'avez entendu aucun de vos camarades faire allusion à ce genre de prestation de la part de Mlle Johnson ?

Flynn était pris au piège. Il était obligé soit de mentir, soit de reconnaître l'existence d'activités illicites au sein de la fraternité. Il a opté pour la solution la moins futée : la voie du milieu.

— J'ai dû entendre quelques rumeurs là-dessus.

Gentil et niais… avec ça, il avait l'air d'un parfait menteur.

Moi, incrédule :

— Vous avez dû entendre quelques rumeurs ?

— Oui.

— Vous n'en êtes donc pas certain, ai-je commenté comme s'il s'agissait de la chose la plus saugrenue au monde. Peut-être que vous avez entendu des rumeurs, et peut-être pas. En fait, vous ne vous en souvenez pas. C'est ça, votre déposition ?

Cette fois, c'est Flair Hickory qui s'est levé.

— Votre Honneur ?

Le juge l'a regardé.

— S'agit-il d'une affaire de viol ou bien M. Copeland travaille-t-il maintenant à la brigade des mœurs ?

Il a écarté les bras.

— Est-il tellement à court d'arguments que, faute de mieux, il cherche à accuser ces garçons d'avoir fait appel à une prostituée ?

J'ai rétorqué :

— Ce n'est pas ça qui m'intéresse.

Hickory m'a souri.

— Alors soyez gentil de poser au témoin des questions en rapport avec cette prétendue agression. Ne lui demandez pas de dresser la liste des écarts de conduite de tous ses petits camarades.

— Il faut qu'on avance, monsieur Copeland, a dit le juge.

Maudit Hickory.

— Avez-vous demandé son numéro de téléphone à Mlle Johnson ?

— Oui.

— Pour quoi faire ?

— Je pensais l'appeler.

— Elle vous plaisait ?

— Elle m'attirait, oui.

— Parce qu'elle méritait un sept, voire un huit ?

J'ai levé la main avant même que Pubin n'ait eu le temps de bouger le petit doigt.

— Je retire la question. Et vous l'avez appelée ?

— Oui.

— Pouvez-vous nous dire à quelle date et, dans la mesure du possible, nous rapporter la teneur de votre conversation ?

— J'ai téléphoné dix jours après pour lui proposer de venir à une soirée à la fraternité.

— En tant que danseuse exotique ?

— Non.

J'ai vu Flynn déglutir ; ses yeux brillaient d'une façon suspecte.

— En tant qu'invitée.

J'ai marqué une pause. J'ai regardé Jerry Flynn. J'ai laissé au jury le temps de le regarder. Il y avait quelque chose dans son expression. Avait-il réellement eu un faible pour Chamique Johnson ? Je n'étais pas pressé de continuer. Car j'étais dérouté. J'avais cru que Flynn était dans le coup – qu'il avait appelé Chamique pour l'attirer dans ce traquenard. J'essayais de comprendre.

Le juge a dit :

— Monsieur Copeland ?

— Mlle Johnson a-t-elle accepté votre invitation ?

— Oui.

— Dans votre esprit, cette invitation… (j'ai esquissé des guillemets avec les doigts)… était-elle en fait un rendez-vous ?

— Oui.

J'ai repris avec lui les différentes étapes, de l'arrivée

de Chamique jusqu'au moment où il était allé lui chercher du punch.

— Lui avez-vous dit qu'il était alcoolisé ?

— Oui.

Mensonge. Et ç'avait bien l'air d'un mensonge, mais je tenais à faire ressortir l'invraisemblance de ses assertions.

— Décrivez-moi la scène, lui ai-je dit.

— Je ne comprends pas la question.

— Vous avez demandé à Mlle Johnson si elle voulait boire quelque chose ?

— Oui.

— Et elle a dit oui ?

— Oui.

— Et ensuite, qu'avez-vous dit ?

— Je lui ai demandé si elle voulait du punch.

— Et qu'a-t-elle répondu ?

— Elle a dit oui.

— Et ensuite ?

Il s'est trémoussé sur son siège.

— J'ai dit qu'il était alcoolisé.

J'ai haussé un sourcil.

— Comme ça, de but en blanc ?

— Objection !

Pubin s'est levé.

— Il a dit à la plaignante que le punch était alcoolisé. Il a répondu à la question.

Exact. Laissons-lui la responsabilité de ce mensonge. J'ai fait signe au juge que je n'insisterais pas. On a poursuivi le récit de la soirée. Flynn s'en tenait à la version selon laquelle Chamique avait bu et s'était mise à flirter avec Edward Jenrette.

— Comment avez-vous réagi face à cela ?

Il a haussé les épaules.

— Edward est en troisième année, moi en première. Ce sont des choses qui arrivent.

— Vous pensez donc que Chamique était impressionnée par M. Jenrette parce qu'il était plus âgé que vous ?

Là encore, Pubin s'est abstenu d'objecter.

— Je ne sais pas, a dit Flynn. Peut-être.

— Oh ! à propos, êtes-vous déjà entré dans la chambre de M. Marantz et M. Jenrette ?

— Bien sûr.

— Combien de fois ?

— Je ne sais pas. Souvent.

— Ah bon ? Pourtant, vous n'êtes qu'en première année.

— Ça n'empêche pas l'amitié.

J'ai esquissé une moue sceptique.

— Vous y avez été plus d'une fois ?

— Oui.

— Plus de dix fois ?

— Oui.

J'ai affiché mon scepticisme de plus belle.

— OK, alors dites-moi, qu'est-ce qu'ils ont comme chaîne hi-fi dans la chambre ?

La réponse a été instantanée :

— Une station iPod avec des enceintes Bose.

Ça, je le savais déjà. Nous avions fouillé leur chambre. Et pris des photos.

— Et le téléviseur ? Comment est-il ?

Flynn a souri comme s'il avait senti le piège.

— Ils n'en ont pas.

— Pas de téléviseur ?

— Du tout.

— Bon, revenons à cette soirée…

Flynn a repris le cours de son histoire à dormir

debout. À un moment de la fête, il avait vu Chamique monter main dans la main avec Jenrette. Naturellement, il ignorait ce qui s'était passé ensuite. Plus tard, il avait revu Chamique et l'avait raccompagnée à l'arrêt du bus.

— Est-ce qu'elle avait l'air perturbé ?

Non, au contraire. Chamique était « souriante », « radieuse » et « gaie comme un pinson ». Cette description idyllique, c'était un vrai bonheur.

— Donc, quand Chamique Johnson raconte être sortie dehors avec vous, puis vous avoir suivi à l'étage et avoir été violentée, elle ment ?

Flynn était suffisamment intelligent pour ne pas mordre à l'hameçon.

— Je vous dis ce que j'ai vu.

— Connaissez-vous quelqu'un qui s'appelle Cal ou Jim ?

Il a réfléchi brièvement.

— Jim, j'en connais deux. Mais Cal, je ne vois pas.

— Êtes-vous au courant que, d'après Mlle Johnson, les hommes qui l'ont violée se prénommaient…

Je ne voulais pas que Hickory m'oppose ses astuces sémantiques, mais je n'en ai pas moins levé les yeux au ciel en prononçant ces mots.

— … se prénommaient Cal et Jim ?

Il se demandait quelle attitude adopter. Finalement, il a opté pour la vérité.

— J'ai entendu ça, oui.

— Y avait-il un Cal et un Jim à votre soirée ?

— Pas que je sache.

— Je vois. Et connaîtriez-vous la raison pour laquelle M. Jenrette et M. Marantz se feraient appeler ainsi ?

— Non.

— Vous n'avez jamais entendu ces deux noms conjointement ? Avant le présumé viol, je veux dire ?

— Je ne m'en souviens pas.

— Vous ne pouvez donc pas nous expliquer pourquoi Mlle Johnson affirme que ses agresseurs s'appelaient réciproquement Cal et Jim ?

Pubin a hurlé son objection.

— Comment saurait-il pourquoi cette toxicomane à l'esprit dérangé s'emploie à nous mentir ?

J'avais les yeux rivés sur le témoin.

— Vous ne voyez rien à ajouter, monsieur Flynn ?

— Rien, a-t-il répondu fermement.

Je me suis retourné vers Loren Muse. La tête baissée, elle était en train de tripatouiller son BlackBerry. Levant les yeux, elle a croisé mon regard et hoché la tête.

— Votre Honneur, j'aurai d'autres questions à poser au témoin, mais je pense que le moment est venu de nous arrêter pour la pause déjeuner.

Le juge Pierce a acquiescé.

Je me suis retenu pour ne pas me précipiter vers Loren Muse.

— C'est bon, a-t-elle annoncé avec un grand sourire. Le fax est dans votre bureau.

19

C'ÉTAIT UNE CHANCE QU'ELLE N'AIT PAS DE COURS dans la matinée. Après avoir avalé toute cette vodka et reçu la visite tardive de Sylvia Potter, Lucy était restée au lit jusqu'à midi. Une fois debout, elle a donné un coup de fil à l'une des psychologues de l'établissement, Katherine Lucas, une thérapeute dont elle pensait le plus grand bien. Elle lui a expliqué le cas de Sylvia. Lucas était mieux placée qu'elle pour faire face à la situation.

Elle a repensé au texte qui avait abouti à cette révélation terrible. Les bois. Les cris. Le sang. Si ce n'était pas Sylvia Potter, qui l'avait envoyé alors ?

Mystère.

La veille au soir, elle avait décidé de contacter Paul. Il fallait qu'il sache. Mais ça, c'était quand elle était bourrée. Maintenant qu'elle avait dessoûlé et qu'il faisait jour, était-ce toujours aussi opportun ?

Une heure plus tard, elle a trouvé le numéro de bureau de Paul. Il était procureur du comté d'Essex… et, malheureusement, veuf. Jane était décédée d'un cancer. Paul avait créé une fondation qui portait son nom. Lucy n'aurait su dire quel sentiment lui inspirait cette nouvelle. De toute façon, l'heure n'était pas à l'introspection.

La main tremblante, elle a composé le numéro. Mise en relation avec le standard, elle a demandé à parler à Paul Copeland. Ça lui a fait mal quand elle a dit son nom. Voilà vingt ans qu'elle ne l'avait pas prononcé tout haut.

Paul Copeland.

Une femme lui a répondu :

— Bureau du procureur du comté.

— J'aimerais parler à Paul Copeland, s'il vous plaît.

— De la part de qui, je vous prie ?

— Une amie de longue date.

Silence.

— Je m'appelle Lucy. Dites-lui que c'est Lucy. D'il y a vingt ans.

— Avez-vous un nom de famille, Lucy ?

— Dites-lui juste ça, d'accord ?

— Le procureur Copeland n'est pas à son bureau. Désirez-vous laisser un numéro pour qu'il vous rappelle ?

Lucy a donné le numéro de chez elle, celui de son bureau et celui de son portable.

— Puis-je lui communiquer l'objet de votre appel ?

— Dites-lui simplement que c'est Lucy. Et que c'est urgent.

Muse et moi étions dans mon bureau. La porte était fermée. On avait commandé des sandwiches chez le traiteur : poulet-crudités avec du pain de campagne pour moi et un grec pour Muse, de la taille d'une planche de surf.

J'avais le fax à la main.

— Où est votre détective ? Celia Machin-Chose ?

— Shaker. Celia Shaker. Elle ne va pas tarder.

J'ai parcouru mes notes.

219

— Vous voulez qu'on revoie ça ensemble ? a-t-elle demandé.

— Non.

Elle avait toujours son sourire jusqu'aux oreilles.

— Quoi ? ai-je dit.

— J'ai horreur de dire ça, Cope, vu que vous êtes mon chef et tout, mais nom d'un chien, je trouve que vous êtes un génie.

— Oui, c'est mon avis aussi.

Et je suis retourné à mes notes.

— Vous voulez que je vous laisse ? a dit Muse.

— Non, je pourrais avoir besoin de vous.

Elle a soulevé son sandwich. Sans l'aide d'une grue, ça m'a épaté.

— Votre prédécesseur, a-t-elle déclaré en mordant dedans à belles dents, quand l'affaire était de taille, il restait assis là, l'œil dans le vague, en disant qu'il approchait de la zone. Comme s'il était Michael Jordan. Ça ne vous arrive jamais ?

— Non.

— Alors… (et que je mastique, et que j'avale)… Ça ne vous dérange pas si j'aborde un autre sujet ?

— Sans rapport avec notre procès, vous voulez dire ?

— Absolument.

J'ai levé les yeux.

— Au contraire, ça va me changer les idées. De quoi voulez-vous me parler ?

Elle n'a pas répondu tout de suite. Son regard a pivoté à droite. Puis :

— J'ai des amis à la brigade criminelle de Manhattan.

Je subodorais déjà ce qu'elle avait derrière la tête. Délicatement, j'ai pris une bouchée de mon sandwich au poulet.

— Trop sec, ai-je dit.

— Pardon ?

— Le poulet-crudités… Il est trop sec.

J'ai posé le sandwich et je me suis essuyé les doigts avec la serviette.

— Laissez-moi deviner. Un de vos amis de la criminelle vous a parlé du meurtre de Manolo Santiago.

— Ouais.

— Vous ont-ils dit ce que je pense ?

— Que ce serait un des jeunes de la colo assassinés par l'Égorgeur de l'été, même si les parents persistent à nier ?

— C'est exactement ça, oui.

— C'est ce qu'on m'a dit.

— Et ?

— Et ils trouvent que vous déraillez.

J'ai souri.

— Et vous, vous en pensez quoi ?

— J'aurais tendance à penser la même chose. Sauf que là… (elle a désigné le fax)… j'ai vu ce dont vous étiez capable. Du coup, c'est ça que je suis en train de vous dire : je veux participer.

— Participer à quoi ?

— Vous le savez bien. Vous allez enquêter, non ? Pour tâcher de savoir ce qui s'est réellement passé dans ces bois.

— Exact.

Elle a ouvert les bras.

— Je veux participer.

— Je ne tiens pas à mélanger les affaires du comté avec ma vie privée.

— D'abord, a dit Muse, même si tout le monde est convaincu de la culpabilité de Wayne Steubens, officiellement le dossier reste ouvert. En fait, ce quadruple meurtre, quand on y pense, n'a jamais été résolu.

— Ça s'est produit en dehors du comté.

— On n'en sait rien. On connaît seulement l'endroit où on a découvert les corps. Et l'une des victimes, votre sœur en l'occurrence, habitait ici même.

— C'est un peu tiré par les cheveux, votre raisonnement.

— Ensuite, j'ai été embauchée pour travailler quarante heures par semaine. J'en fais près de quatre-vingts. Vous le savez. C'est pour ça que vous m'avez prise avec vous. Ce que je fais en dehors de ces quatre-vingts heures ne regarde que moi. Je pourrai aussi bien aller jusqu'à cent, ce serait pareil. Et, puisque vous m'en parlez, non, ce n'est pas un service que je rends à mon chef. Je suis enquêtrice, rappelez-vous. Si j'arrive à résoudre cette affaire, ça fera drôlement classe sur mon CV. Alors, qu'en dites-vous ?

J'ai haussé les épaules.

— Après tout…

— Je suis votre homme ?

— Vous êtes mon homme.

Elle avait l'air ravi.

— Bon, par quoi on commence ?

J'ai réfléchi à la question. Il y avait une chose que j'avais occultée jusqu'à présent, mais je ne pouvais me dérober indéfiniment.

— Wayne Steubens.

— L'Égorgeur de l'été.

— Il faut que je le voie.

— Vous l'avez connu, n'est-ce pas ?

J'ai hoché la tête.

— Nous étions tous deux moniteurs à la colo.

— Je crois avoir lu quelque part qu'il refusait les visites.

— À nous de lui faire changer d'avis, ai-je dit.

— Il est dans une prison à sécurité maximale en Virginie, a déclaré Muse. Je peux passer quelques coups de fil, si vous voulez.

Elle savait déjà où Steubens purgeait sa peine. Incroyable.

— Faites.

On a frappé à la porte. Jocelyn Durels, ma secrétaire, a passé la tête à l'intérieur.

— Vous avez des messages. Je les dépose sur votre bureau ?

Je lui ai fait signe de me les donner.

— Rien d'important ?

— Je ne crois pas. Les médias, surtout. Ils savent pourtant que vous êtes au tribunal, mais ils appellent quand même.

J'ai consulté les messages. Quand j'ai levé les yeux sur Muse, elle était en train de regarder autour d'elle. Il n'y avait pratiquement rien de personnel dans ce bureau. À mon arrivée, j'avais posé une photo de Cara sur la console. Deux jours plus tard, nous arrêtions un pédophile qui avait fait des choses abominables à une gamine de l'âge de ma fille. Pendant qu'on en parlait dans ce bureau, j'avais un œil sur la photo de Cara, si bien que j'ai fini par la tourner face au mur. Le soir même, je l'ai rapportée à la maison.

Ce n'était pas un endroit pour Cara. Ni même pour sa photo.

Je feuilletais les messages quand quelque chose a attiré mon attention.

Ma secrétaire utilise les vieux blocs-notes à feuilles roses pour pouvoir garder les copies jaunes dans son agenda, et écrit les messages à la main. Son écriture est impeccable.

Le correspondant, à en croire mon message rose, était :

LUCY ??

J'ai regardé fixement la feuille. Lucy. C'était impossible.

Il y avait un numéro personnel, un numéro de bureau et un portable. D'après l'indicatif de zone, Lucy double point d'interrogation vivait, travaillait et… euh, appelait du New Jersey.

J'ai attrapé le téléphone.

— Jocelyn ?

— Oui ?

— J'ai ici un message d'une certaine Lucy.

— Oui, elle a appelé il y a une heure environ.

— Vous n'avez pas noté son nom de famille.

— Elle n'a pas voulu me le donner. C'est pour ça que j'ai mis des points d'interrogation.

— Je ne comprends pas. Vous lui avez demandé son nom et elle n'a pas voulu vous le dire ?

— C'est exactement ça.

— Et qu'a-t-elle dit d'autre ?

— En bas de la feuille.

— Quoi ?

— Vous avez lu ce que j'ai écrit en bas de la feuille ?

— Non.

Elle a choisi de ne pas commenter. J'ai parcouru la feuille.

DIT QU'ELLE EST UNE AMIE DE LONGUE DATE.
D'IL Y A VINGT ANS.

J'ai relu ces mots. Encore et encore.

— Ohé, ohé, matelot…

C'était Muse. Et elle ne parlait pas, elle chantait…
J'ai sursauté.

— Vous chantez, ai-je dit, comme vous choisissez
vos pompes.

— Très drôle.

Arquant un sourcil, elle a désigné mon message.

— C'est qui, cette Lucy ? Un amour de jeunesse ?

Je n'ai pas répondu.

— Oh, mince !

Le sourcil est redescendu aussitôt.

— Je rigole. Je ne voulais surtout pas…

— Ne vous bilez pas pour ça, Muse.

— Vous non plus. Enfin, pas tout de suite.

Son regard s'est posé sur l'horloge derrière moi. Je
me suis retourné. Elle avait raison. La pause déjeuner
était terminée. Lucy devrait attendre. Je ne savais pas
pourquoi elle m'avait appelé. Ou peut-être que si. Le
passé revenait en force. Les morts, semblait-il, étaient
en train de creuser le passage vers la lumière.

Mais tout ça, c'était pour plus tard. J'ai pris le fax et je
me suis levé.

Muse a fait de même.

— Le spectacle reprend.

J'ai hoché la tête. C'était plus qu'un spectacle. J'allais
les pulvériser, ces enfants de salaud. Et le plus dur
là-dedans serait de ne pas trop montrer le plaisir que j'y
prendrais.

L'après-midi, à la barre, Jerry Flynn avait l'air relativement serein. Ça s'était plutôt bien passé le matin, il
n'y avait pas de raison que ça ne dure pas.

— Monsieur Flynn, ai-je commencé, vous aimez la
pornographie ?

Sans attendre la réaction, prévisible, je me suis tourné vers Mort Pubin en esquissant un geste sarcastique, comme pour l'inviter à entrer en scène.

— Objection !

Il n'avait même pas besoin d'expliciter. Le juge m'a lancé un regard réprobateur. J'ai haussé les épaules.

— Pièce à conviction numéro dix-huit.

J'ai pris une feuille de papier.

— Ceci est une facture envoyée à la fraternité pour une commande en ligne. La reconnaissez-vous ?

Il l'a regardée.

— Ce n'est pas moi qui paie les factures. C'est le trésorier.

— En effet, M. Rich Devin a confirmé qu'il s'agissait bien d'une facture adressée à la fraternité.

Le juge a jeté un coup d'œil en direction de Flair Hickory et de Mort Pubin.

— Y a-t-il des objections ?

— Nous conviendrons que ceci est une facture adressée à la fraternité, a dit Hickory.

— Vous voyez cette entrée ?

J'ai indiqué une ligne en haut de la page.

— Oui.

— Pouvez-vous lire ce qui est écrit là ?

— NetFlix.

— Avec un seul x à la fin.

J'ai épelé le mot à voix haute.

— Savez-vous ce que c'est ?

— C'est un service de location de DVD. On les reçoit par courrier. On a droit à trois DVD à la fois. Quand on en renvoie un, ils vous en expédient un autre en échange.

— Très bien, je vous remercie.

Hochant la tête, j'ai suivi du doigt les intitulés inscrits dans la colonne.

— Et cette ligne-ci, pouvez-vous me la lire ?

Il a hésité.

— Monsieur Flynn ?

Il s'est éclairci la voix.

— Hotklixxx.

— Avec trois x à la fin, n'est-ce pas ?

J'ai épelé à nouveau.

— Oui.

On avait l'impression qu'il luttait contre la nausée.

— Pouvez-vous me dire ce qu'est Hotklixxx ?

— Comme NetFlix.

— Un service de location de films en DVD ?

— Oui.

— Et en quoi est-il différent de celui offert par NetFlix ?

Il a viré à l'écarlate.

— Ils ont un choix de films… euh, différent.

— Dans quel sens ?

— Ben… des films pour adultes, quoi.

— Je vois. Je vous ai demandé tout à l'heure si vous aimiez la pornographie. Peut-être serait-il plus pertinent de vous demander s'il vous arrive de regarder des films pornographiques ?

Il s'est tortillé.

— Quelquefois.

— Il n'y a pas de honte à avoir, jeune homme.

Sans me retourner, sachant qu'il était déjà debout, j'ai pointé le doigt vers le banc de la défense.

— Je parie que M. Pubin se lève pour nous dire qu'il aime ça, lui aussi, les intrigues surtout.

— Objection !

— Retiré.

J'ai regardé Flynn.

— Y a-t-il un film que vous préférez là-dedans ?

Le sang a déserté son visage. Comme si ma question avait actionné une vanne. Il a tourné la tête vers la défense. Je me suis déplacé de manière à lui obstruer la vue. Flynn a toussoté dans son poing.

— Le cinquième amendement… Je peux refuser de répondre ?

— À quoi ?

Flair Hickory s'est levé.

— Le témoin sollicite l'opinion de la loi.

— Votre Honneur, ai-je déclaré, en fac de droit, on nous a appris que le cinquième amendement pouvait être invoqué pour éviter l'auto-accusation – corrigez-moi si je me trompe –, mais y a-t-il un article du code pénal interdisant de préférer tel ou tel film porno ?

— Puis-je demander la suspension de l'audience ? a demandé Hickory. Dix minutes.

— Certainement pas, Votre Honneur.

— Le témoin, a insisté Flair Hickory, a sollicité l'opinion de la loi.

— Mais pas du tout. Il a invoqué le cinquième amendement. Vous savez quoi, monsieur Flynn… je vais vous accorder l'immunité.

— Par rapport à quoi ? s'est enquis Hickory.

— Par rapport à tout ce qu'il voudra. Je tiens à garder ce témoin à la barre.

Le juge Pierce a contemplé Flair Hickory. En prenant tout son temps. Si Flair parvenait à obtenir son accord, j'étais cuit. Ils trouveraient bien quelque chose, là-dessus je leur faisais confiance. J'ai jeté un œil en direction de Jenrette et Marantz. Ils n'avaient pas bougé, n'avaient pas réclamé de consulter leurs avocats.

— L'audience continue, a dit le juge.

Flair Hickory s'est laissé tomber sur son siège.

Je suis revenu à Jerry Flynn.

— Y a-t-il un film porno que vous préférez ?

— Non.

— Avez-vous entendu parler d'un film qui s'appelle...

J'ai fait mine de consulter un bout de papier, même si je connaissais le titre de ce film par cœur.

— ... *Voyage en Gaule ?*

Il avait dû le voir venir ; pourtant il a sursauté comme piqué par un aiguillon.

— Euh... vous pouvez répéter votre question, s'il vous plaît ?

Je l'ai répétée.

— L'avez-vous vu ou en avez-vous entendu parler ?

— Je ne crois pas.

— Vous ne croyez pas. Donc, c'est du domaine du possible ?

— Je ne saurais le dire. J'ai un peu de mal à retenir les titres de films.

— Voyons si j'arrive à vous rafraîchir la mémoire.

J'ai passé une copie du fax que Muse m'avait donné à la partie adverse et j'ai présenté l'original en tant que pièce à conviction.

— Selon Hotklixxx, un exemplaire de ce DVD se trouvait en possession de la fraternité depuis six mois. Toujours selon le rapport de Hotklixxx, le film leur a été renvoyé par la poste le lendemain du jour où Mlle Johnson s'est rendue à la police afin de porter plainte pour viol.

Silence.

On aurait dit que Pubin venait d'avaler sa langue. Hickory, lui, était trop fort pour laisser paraître quoi que ce soit. Il a lu le fax comme s'il s'agissait de paroles d'une chanson humoristique.

Je me suis rapproché de Flynn.

— Ça vous revient maintenant ?

— Je ne sais pas.

— Vous ne savez pas ? Bon, alors essayons autre chose.

J'ai scruté du regard le fond de la salle. Loren Muse se tenait à la porte. Le visage fendu d'un large sourire. J'ai hoché la tête. Elle a ouvert la porte, et nous avons vu apparaître une superbe amazone tout droit sortie d'un péplum.

Celia Shaker, détective privé de son état, a fait son entrée au prétoire comme s'il lui appartenait. Les murs mêmes semblaient retenir leur souffle sur son passage.

J'ai demandé :

— Reconnaissez-vous la personne qui vient d'arriver ?

Il n'a pas répondu. Le juge a dit :

— Monsieur Flynn ?

— Oui.

Flynn s'est raclé la gorge.

— Oui, je la reconnais.

— Comment l'avez-vous connue ?

— Je l'ai rencontrée hier dans un bar.

— Je vois. Et tous les deux, vous avez parlé du film *Voyage en Gaule* ?

Celia s'était fait passer pour une ex-hardeuse. Moyennant quoi, plusieurs garçons de la frat s'étaient mis à table. Muse l'avait bien dit, quand on était carrossée comme une déesse, les langues se déliaient d'elles-mêmes.

— On a dû le mentionner dans la conversation, a dit Flynn.

— Vous parlez du film ?

— Oui.

— Hum, ai-je fait, comme interloqué par son attitude. Donc, l'arrivée de Mlle Shaker vous a servi de catalyseur pour vous souvenir de *Voyage en Gaule* ?

Il s'efforçait de ne pas baisser la tête, mais le mouvement d'épaules l'a trahi.

— Oui, je crois m'en souvenir maintenant.

— Tant mieux, ai-je dit, si j'ai pu vous aider.

Pubin s'est levé pour objecter, mais le juge l'a fait rasseoir d'un geste.

— En fait, ai-je poursuivi, vous avez dit à Mlle Shaker que *Voyage en Gaule* était le porno préféré de toute la fraternité, n'est-ce pas ?

Il a hésité.

— C'est bon, Jerry. Trois de vos camarades lui ont dit la même chose.

Mort Pubin s'est écrié :

— Objection !

J'ai regardé Celia Shaker. Tout le monde l'a regardée. Celia a souri et agité la main comme si elle était une star qu'on venait de présenter au public. J'ai poussé en avant une table roulante sur laquelle trônait un téléviseur avec un lecteur DVD intégré. Le film incriminé était déjà dedans. Muse l'avait réglé sur la scène qui nous intéressait.

— Votre Honneur, hier soir un de mes enquêteurs s'est rendu au *King David Palace* à New York.

Je me suis tourné vers le jury.

— C'est ouvert vingt-quatre heures sur vingt-quatre, bien que l'idée que quelqu'un veuille s'y présenter, mettons, à trois heures du matin, me dépasse…

— Monsieur Copeland !

Le juge, comme il se devait, m'a foudroyé du regard,

231

mais les jurés ont souri. C'était le but. Je voulais détendre l'atmosphère. Pour mieux leur infliger l'électrochoc du film.

— Bref, mon enquêteur a acheté tous les films X que la fraternité avait commandés sur Hotklixxx ces six derniers mois, dont *Voyage en Gaule*. J'aimerais maintenant vous en montrer un extrait qui, je pense, fera avancer le débat.

Un silence de mort régnait dans la salle. Tous les regards se sont tournés vers le fauteuil du juge. Arnold Pierce a pris son temps. Il s'est frotté le menton. J'osais à peine respirer. Et je n'étais pas le seul. Les gens se penchaient en avant. Il continuait à se frotter le menton. J'avais envie de lui arracher la réponse.

Pour finir, il a simplement hoché la tête.

— Allez-y. Je vous y autorise.

— Attendez !

Mort Pubin a objecté, invoqué la procédure du voir-dire et tout le bataclan. Flair Hickory s'est joint à lui. En pure perte. On a tiré les rideaux. Et, sans préambule, j'ai appuyé sur la touche « Marche ».

Le décor était une banale chambre à coucher. Un grand lit, deux mètres sur deux. Trois protagonistes. Très peu de préliminaires. Il y avait deux hommes. Et une fille.

Les hommes étaient blancs. La fille, noire.

Les hommes se la passaient comme un jouet. En ricanant.

— « Tourne-la, Cal… Ouais, Jim, comme ça… Dans l'autre sens, Cal… »

Plutôt que de regarder l'écran, j'observais la réaction du jury. Le mimétisme enfantin. Ma fille et ma nièce jouaient à *Dora l'exploratrice*. Jenrette et Marantz, aussi malsain que cela puisse paraître, avaient rejoué une scène d'un film porno. Le silence était de plomb. J'ai vu les visages à la tribune se décomposer, y compris derrière Jenrette et Marantz, quand la jeune Noire dans le film s'est mise à hurler pendant que les hommes rigolaient méchamment.

— « Penche-la, Jim… Dis donc, Cal, elle aime ça, cette salope… Vas-y, Jim, défonce-la… »

Et ainsi de suite. Cal et Jim. Jim et Cal. Les voix étaient grinçantes, horribles, empreintes d'une jubilation sadique. J'ai cherché Chamique Johnson au fond de la salle. La tête haute, elle s'était redressée sur son siège.

— « Ouiii, Jim… Allez, à moi… »

Croisant mon regard, Chamique a hoché la tête. Ses joues étaient humides.

Je crois bien que les miennes l'étaient aussi.

20

FLAIR HICKORY ET MORT PUBIN ONT OBTENU UNE SUSPENSION d'audience d'une demi-heure. Lorsque le juge s'est levé pour se retirer, la salle a explosé. J'ai regagné mon bureau sans faire aucun commentaire. Muse m'a emboîté le pas. Elle avait beau être minuscule, ça ne l'empêchait pas de se la jouer comme si elle était mon éminence grise.

Une fois la porte refermée, elle a levé la main, paume vers moi.

— Topez là !

Je l'ai regardée. Elle a laissé retomber sa main.

— C'est fini, Cope.

— Pas tout à fait.

— Dans une demi-heure ?

J'ai hoché la tête.

— Oui. Mais en attendant, on a encore du pain sur la planche.

Je me suis approché de la table de réunion. Le message de Lucy était toujours là. Pendant l'interrogatoire de Flynn, je n'y avais plus pensé, question de compartimentation. Mais maintenant, malgré l'envie de savourer tranquillement mon triomphe l'espace de ces quelques minutes, il se rappelait à mon bon souvenir.

Muse a intercepté mon regard.

— Une amie d'il y a vingt ans, a-t-elle dit. C'était au moment des événements à la colonie de vacances PLUS.

J'ai levé les yeux sur elle.

— Il y a un lien, n'est-ce pas ?

— Je ne sais pas, ai-je répondu. Mais c'est fort possible.

— C'est quoi, son nom de famille ?

— Silverstein. Lucy Silverstein.

— C'est ça, fit Muse en s'asseyant, les bras croisés.

— Je m'en suis doutée.

— Et comment ?

— Voyons, Cope. Vous me connaissez.

— Votre curiosité vous perdra.

— Au contraire, c'est ce qui fait mon charme.

— Ça et vos goûts en matière de chaussures. Alors, quand est-ce que vous êtes allée fouiner dans ma biographie ?

— Sitôt que j'ai appris votre nomination au poste de procureur du comté.

Ça ne m'a pas surpris.

— Et je me suis rencardée sur l'affaire avant de vous demander de participer.

J'ai relu le message.

— Vous étiez ensemble à l'époque.

— Une amourette de vacances, ai-je dit. On était gamins.

— Depuis quand vous n'avez pas eu de ses nouvelles ?

— Ça fait un bout de temps.

Nous nous sommes tus, sans prêter attention au remue-ménage derrière la porte. Finalement, Muse s'est levée.

— J'ai du boulot.

— Allez-y.

— Vous arriverez à retrouver le chemin de la salle d'audience sans moi ?

— Difficilement, mais je me débrouillerai.

La main sur la poignée de la porte, elle s'est retournée vers moi.

— Vous allez l'appeler ?

— Plus tard.

— Vous voulez que je consulte le fichier central ? Pour voir si je ne trouve pas des choses sur elle ?

J'ai réfléchi un instant.

— Pas encore.

— Pourquoi ?

— Parce que c'est quelqu'un qui a compté pour moi, Muse. Et que je ne tiens pas à ce que vous mettiez votre nez dans ses affaires.

Elle a levé les deux mains.

— OK, OK, du calme. Pas la peine de vous énerver. Je ne parlais pas de la traîner ici avec des menottes. J'ai juste suggéré un simple contrôle de routine.

— Laissez tomber, d'accord ? Pour le moment, du moins.

— Je vais m'occuper de votre rendez-vous avec Wayne Steubens.

— Merci.

— Cette histoire de Cal et Jim. Vous n'allez pas laisser passer ça, n'est-ce pas ?

— Certainement pas.

Ma seule crainte était que la défense argue que Chamique Johnson avait également vu le film et s'en était inspirée pour monter ses accusations de toutes pièces, ou bien qu'elle avait pris la fiction pour de la réalité. Plusieurs facteurs, cependant, jouaient en ma faveur. Primo, il était facile de prouver que le film n'avait pas été diffusé sur le téléviseur à grand écran de la salle commune. J'avais nombre de témoins pour le confirmer. Secundo, j'avais établi grâce à Jerry Flynn et aux photos prises par la police que Marantz et Jenrette n'avaient pas de téléviseur dans leur chambre ; elle n'aurait donc pas pu le voir là non plus.

Pourtant, c'était la seule direction que je les imaginais prendre. Un DVD, ça pouvait se visionner sur un PC. Un argument tiré par les cheveux, certes, mais je ne voulais rien laisser au hasard. Jerry Flynn était ce que j'appelle un témoin de « corrida ». Dans une corrida, le taureau arrive, et des types agitent des capes sous son nez. Le taureau charge jusqu'à l'épuisement. Viennent ensuite les picadors à cheval qui plantent leurs longues piques dans le garrot de l'animal : le sang coule et le cou enfle, l'empêchant de tourner la tête. D'autres types accourent et enfoncent des banderilles – des lames aux manches ornés de bandes multicolores – entre les épaules du taureau. Le sang coule de plus belle. Le taureau est déjà à moitié mort.

Après quoi, le matador – de l'espagnol *matar*, tuer – vient achever le travail avec une épée.

J'en étais là de ma mission. J'avais épuisé mon témoin, planté une pique dans son cou et l'avais lardé de banderilles bariolées. Il ne restait plus qu'à donner l'estocade.

Flair Hickory avait fait tout ce qui était en son pouvoir – considérable, au demeurant – pour empêcher cela. Il a réclamé une suspension d'audience, sous prétexte que nous avions dissimulé l'existence du film, que c'était injuste, que nous aurions dû le leur remettre au moment où nous l'avions découvert, etc. J'ai réfuté ses arguments l'un après l'autre. Le film se trouvait en possession de ses clients. Nous en avions récupéré un exemplaire la veille seulement. Le témoin avait confirmé qu'il avait été visionné dans la maison de la fraternité. Si Me Hickory voulait prouver que ses clients ne l'avaient jamais vu, il n'avait qu'à les appeler à la barre.

Hickory a cherché à gagner du temps. Il a argumenté d'abondance, demandé et obtenu des apartés avec le juge, tenté – non sans succès – d'offrir à Jerry Flynn l'occasion de reprendre son souffle.

Tout cela en vain.

Je l'ai vu au moment où Flynn a repris sa place à la barre. La pique et les banderilles l'avaient sérieusement affaibli. Et le film lui a porté le coup de grâce. Il avait fermé les yeux pendant le visionnage ; à le voir plisser les paupières, j'ai eu l'impression qu'il retenait ses larmes.

Au fond, ce n'était pas un méchant garçon, Flynn. Ainsi qu'il l'avait dit dans sa déposition, il aimait bien Chamique. Il l'avait invitée comme on invite une amie. Mais, quand ses riches camarades l'avaient appris, ils ont fait pression sur lui pour qu'il collabore à leur projet pervers de remake. Et Flynn, le petit étudiant de première année, a cédé.

— Je m'en suis voulu terriblement, a-t-il avoué. Mais mettez-vous à ma place.

Oui, et alors ? ai-je failli répondre. Au lieu de quoi, je l'ai simplement regardé jusqu'à ce qu'il baisse les yeux. Puis j'ai regardé les jurés, avec une pointe de défi. Les secondes passaient.

Finalement, je me suis tourné vers Flair Hickory.

— À vous, maître.

Il m'a fallu un moment pour me retrouver seul, au calme.

Après ma ridicule leçon de morale à Muse, j'ai décidé de jouer moi-même au détective amateur. J'ai tapé les numéros de téléphone de Lucy sur Google. Deux d'entre eux n'ont rien donné, mais le troisième, le numéro professionnel, m'a appris qu'il s'agissait de la ligne directe d'un professeur de l'université de Reston du nom de Lucy Gold.

Gold. *Silver*-stein. Joli.

Je savais déjà que c'était « ma » Lucy, et ça ne faisait que le confirmer. La question était : que faire ? La réponse était simple : la rappeler. Pour savoir ce qu'elle voulait.

Je ne crois pas beaucoup aux coïncidences. Voilà vingt ans que j'étais sans nouvelles de cette femme. Tout à coup, elle me téléphone, mais refuse de donner son nom de famille. Il y avait forcément un lien avec la mort de Gil Perez. Il y avait forcément un lien avec les événements à la colonie PLUS.

C'était évident.

Comme je compartimente ma vie, il avait été facile de la chasser de mon esprit : une amourette de vacances, coup de foudre ou pas, n'est qu'une passade. Je l'ai aimée, sûrement même, mais je n'étais qu'un gosse. Un amour de gosse ne survit pas au sang ni aux cadavres. Il y a des portes. J'avais fermé celle-là. Lucy était sortie de ma vie. J'ai mis du temps à l'accepter. Mais j'y suis arrivé, et cette fichue porte, je l'ai toujours gardée fermée à double tour.

Et maintenant, il fallait que je la rouvre.

Muse avait voulu faire un contrôle de routine. J'aurais dû lui dire oui. Ma décision m'a été dictée par l'émotion. J'aurais dû attendre. Voir son nom, ça m'avait fait un choc. J'aurais dû prendre mon temps... le temps d'encaisser la nouvelle, d'y voir plus clair. Et je ne l'ai pas fait.

Peut-être qu'il était trop tôt pour appeler.

Non, me suis-je dit. Je ne voulais pas tergiverser.

J'ai décroché le téléphone et composé le numéro de son domicile. Au bout de la quatrième sonnerie, une voix féminine a répondu : « Je suis absente ; s'il vous plaît, laissez-moi un message après le bip. »

Le bip est venu trop vite. Pris de court, j'ai raccroché.

Lamentable.

J'avais la tête qui tournait. Vingt ans. Ça faisait vingt ans. Lucy devait avoir trente-huit ans aujourd'hui. Était-elle toujours aussi belle ? À la réflexion, elle avait le genre de physique qui s'accordait bien avec la maturité. Il y a des femmes comme ça.

Ne te disperse pas, Cope.

Je faisais de mon mieux. Mais d'entendre sa voix, une voix qui n'avait absolument pas changé... c'était un peu comme quand on tombe par hasard sur le gars qui partageait votre chambre sur le campus. Au bout de dix secondes, les années s'effacent, vous êtes de retour à la résidence universitaire, et rien n'a changé. C'était pareil ici. Elle avait la même voix. Et moi, j'avais à nouveau dix-huit ans.

J'ai inspiré profondément, à plusieurs reprises. On a frappé à la porte.

— Entrez.

Muse a passé la tête à l'intérieur.

— Vous l'avez appelée ?

— Chez elle. Ça ne répond pas.

— Vous n'arriverez pas à la joindre dans l'immédiat, a dit Muse. Elle est en cours.

— Et vous le savez parce que...

240

— … je suis enquêteur principal. Je n'ai pas à suivre vos diktats à la lettre.

Elle s'est assise et a posé ses pieds avec ses godillots fonctionnels sur la table. Elle a scruté mon visage sans rien dire. Moi non plus, je ne pipais pas. Elle a fini par demander :

— Vous voulez que je m'en aille ?

— Dites-moi d'abord ce que vous avez trouvé.

Elle a eu du mal à réprimer son sourire.

— Elle a changé de nom il y a dix-sept ans. Maintenant, elle s'appelle Lucy Gold.

J'ai hoché la tête.

— Elle a dû le faire juste après le jugement.

— Quel jugement ? Oh ! attendez, la colo a été poursuivie en justice, c'est ça ?

— Par les familles des victimes.

— Et la colo appartenait au père de Lucy.

— Exact.

— Il a pris cher ?

— Aucune idée. Je n'ai pas suivi ça de près.

— Mais vous avez eu gain de cause ?

— Évidemment. La sécurité était quasiment inexistante dans cette colo.

Je me suis tortillé sur mon siège.

— Silverstein a dû se séparer de son patrimoine.

— Autrement dit, de la colo ?

— Oui. On a vendu le terrain à un promoteur.

— La totalité ?

— Il y avait une clause concernant les bois. Étant inexploitables, ils sont restés plus ou moins dans le domaine public. Le terrain n'est pas constructible.

— Et les bâtiments sont toujours debout ?

J'ai fait non de la tête.

— Le promoteur a tout rasé pour construire une espèce de lotissement.

— Et les familles ont touché combien ?

— Une fois les honoraires des avocats réglés, chaque famille s'est retrouvée avec plus de huit cent mille dollars.

Elle a ouvert de grands yeux.

— Waouh !

— Eh oui ! Perdre un enfant, ça peut rapporter gros.

— Je ne voulais pas...

J'ai balayé ses excuses d'un geste de la main.

— Je sais. Je débloque.

Elle n'a pas protesté.

— Ç'a dû changer pas mal de choses.

Je n'ai pas répondu tout de suite. L'argent avait été déposé sur un compte joint. Ma mère, en partant, avait pris cent mille dollars. Elle nous a laissé le reste. C'était généreux de sa part ! Papa et moi avons quitté Newark pour nous installer dans un quartier bien fréquenté de Montclair. J'avais déjà obtenu une bourse pour Rutgers, mais mon objectif, désormais, était la fac de droit à Columbia. C'est là que j'ai rencontré Jane.

— Oui, ai-je dit. Ç'a changé pas mal de choses.

— Vous voulez en savoir plus sur votre ancienne dulcinée ?

J'ai hoché la tête.

— Elle a fait ses études à l'UCLA. Anglais et psychologie. Je n'ai pas tout son CV, mais, actuellement, elle enseigne à Reston. Depuis l'année dernière, en fait. Elle a eu... euh, deux contraventions pour conduite en état d'ivresse à l'époque où elle habitait en Californie. Une en 2001. Une autre en 2003. Les deux fois, elle a réussi à s'en tirer à bon compte. Autrement, son casier est vierge.

Conduite en état d'ivresse. Ça ne ressemblait guère à Lucy. Son père, Ira, avait été un grand consommateur de came devant l'Éternel... si bien qu'elle ne voulait même pas entendre parler d'une quelconque substance psychotrope. Et là, deux amendes pour conduite en état d'ivresse. C'était difficile à croire. D'un autre côté, la fille que j'avais connue n'avait même pas l'âge légal de boire. C'était une adolescente heureuse, un peu naïve, bien dans sa peau ; sa famille avait de l'argent, et son père passait pour un doux rêveur, un peu anarchiste sur les bords.

Tout cela avait volé en éclats cette fameuse nuit avec ce qui s'était passé dans les bois.

— Encore une chose.

Muse s'est calée dans son siège, feignant la désinvolture.

— Lucy Silverstein alias Gold n'est pas mariée. Je n'ai pas encore tout vérifié, mais d'après ce que j'en sais, elle ne l'a jamais été.

Je ne savais pas quoi en penser. C'était évidemment sans rapport avec notre préoccupation du moment. Mais j'avoue que ça m'a secoué. Lucy, si pleine de vie, si pétillante, si chaleureuse... tellement facile à aimer, bon sang. Comment se faisait-il qu'elle soit restée célibataire ? Et puis, il y avait ces contraventions...

— À quelle heure se termine son cours ? ai-je demandé.

— Dans vingt minutes.

— OK. Je l'appellerai à ce moment-là. Et à part ça ?

— Wayne Steubens ne reçoit pas de visiteurs, à l'exception de sa famille et de son avocat. Mais j'y travaille. J'ai encore deux ou trois choses sur le feu, mais en ce qui nous concerne, c'est tout pour l'instant.

— Ne gaspillez pas votre temps.

— Je n'en suis pas là.

J'ai regardé l'horloge. Vingt minutes.

— Je vais y aller.

Muse s'est levée.

— Ah ! une dernière chose.

— Quoi ?

— Vous voulez voir sa photo ?

J'ai levé les yeux.

— L'université de Reston a son propre site. Avec les photos de tous les profs.

Elle a brandi un bout de papier.

— Je vous ai noté l'adresse.

Sans attendre ma réaction, elle a laissé tomber le papier sur la table et est sortie de la pièce.

J'avais vingt minutes devant moi. Alors pourquoi pas ?

J'ai ouvert ma page d'accueil. Celle de Yahoo ! dont on peut choisir le contenu. Là-dessus, j'avais les infos, mes équipes de sport favorites, mes deux BD préférées – *Doonesbury* et *Foxtrot* –, des choses comme ça. J'ai tapé l'adresse du site Internet de Reston que Muse m'avait donnée.

Et là, je l'ai vue.

La photo n'était pas franchement flatteuse. Lucy avait la mine sombre et le sourire crispé. On sentait bien que ça la faisait suer de poser. Sa blondeur d'antan n'était plus. Ça arrive avec l'âge, mais là, j'ai eu l'impression que c'était volontaire. La couleur ne lui allait guère. Elle avait vieilli, mais comme je m'en doutais, ça lui avait réussi. Son visage était plus mince. Les pommettes saillaient davantage.

Nom de Zeus, elle était toujours aussi belle.

La vue de ce visage a réveillé quelque chose en moi,

une sensation oubliée, un frémissement au fond des tripes. Il ne manquait plus que ça. Ma vie était déjà assez compliquée sans que je tente de ranimer une flamme morte depuis des lustres. J'ai lu sa courte biographie qui ne m'a rien appris. Aujourd'hui, les étudiants notent les cours et les enseignants. C'est un classement qu'on trouve facilement en ligne. Je n'ai pas eu à chercher longtemps. À l'évidence, Lucy était très appréciée de ses étudiants. Ses notes étaient faramineuses. À en croire les commentaires de ses élèves, son enseignement avait changé leur vie. J'ai souri. Bizarrement, j'en éprouvais une sorte de fierté.

Les vingt minutes s'étaient écoulées.

J'ai attendu cinq minutes de plus, l'imaginant en train de prendre congé de ses étudiants, d'échanger quelques mots avec les retardataires, de ranger ses cours et tout son barda dans un vieux cartable en similicuir.

Puis j'ai pressé la touche interphone.

— Oui ? a répondu Jocelyn.

— Pas d'appels, ai-je dit. Pas d'interruptions.

— Bien.

J'ai composé l'indicatif de sortie et le numéro du portable de Lucy. À la troisième sonnerie, elle a dit :

— Allô ?

Mon cœur a bondi dans ma poitrine, mais j'ai réussi à articuler :

— C'est moi, Luce.

Trois secondes plus tard, je l'ai entendue pleurer.

21

— LUCE ? AI-JE DIT. ÇA VA ?

— Mais oui. Simplement…

— Oui, je sais.

— Je me demande ce qui m'a pris.

— Tu as toujours eu la larme facile.

J'ai aussitôt regretté mes paroles, mais elle a ri brièvement.

— Plus maintenant.

Silence.

J'ai dit :

— Où es-tu ?

— Je travaille à l'université de Reston. Je suis en train de traverser le campus.

— Ah bon, ai-je répondu, faute de mieux.

— Désolée d'avoir laissé un message aussi sibyllin. C'est que je ne suis plus Silverstein, tu comprends.

Je n'ai pas voulu lui dire que j'étais au courant. Mais comme je n'avais pas envie de mentir non plus, j'ai opté pour un autre :

— Ah bon.

Cette fois, c'est elle qui a rompu le silence.

— Dieu que c'est embarrassant.

J'ai souri.

— Je sais.

— Je me sens archinulle. Comme si j'avais à nouveau seize ans et que je flippais à cause d'un bouton.

— Pareil pour moi.

— On ne change pas vraiment, hein ? Au fond, on est toujours le môme effrayé qui se demandait ce qu'il allait devenir quand il serait grand.

Tout en souriant, j'ai repensé à son célibat et à ses deux prunes pour conduite en état d'ivresse. On ne change peut-être pas, mais notre chemin, lui, peut très bien prendre une autre direction.

— C'est bon d'entendre ta voix, Luce.

— La tienne aussi.

Silence.

— J'ai téléphoné parce que…

Elle s'est interrompue. Puis :

— Je ne sais pas comment te dire ça. Je vais plutôt te poser une question. Il ne t'est rien arrivé d'étrange dernièrement ?

— Étrange dans quel sens ?

— Dans le sens de cette fameuse nuit.

J'aurais dû m'y attendre… je me doutais bien qu'elle allait me parler de ça. Cependant, mon sourire s'est évanoui comme si je venais de recevoir un coup de poing.

— Si.

Silence.

— Qu'est-ce qui se passe, Paul ?

— Aucune idée.

— Il faut qu'on éclaircisse ça.

— Entièrement d'accord.

— Tu veux qu'on se voie ?

— Oui.

— Ça va faire bizarre, a-t-elle prévenu.

— Je sais.

— Ce n'est pas pour ça que je t'ai appelé. Pas parce que je voulais te voir. Mais il faut qu'on en discute de vive voix, tu ne crois pas ?

— Oui.

— Je radote. Ça m'arrive souvent quand j'ai le trac.

— Je m'en souviens.

Et, regrettant à nouveau d'avoir dit cela, j'ai enchaîné rapidement :

— Où est-ce qu'on se retrouve ?

— Tu sais où est l'université de Reston ?

— Oui.

— J'ai encore un cours, puis des rendez-vous avec des étudiants jusqu'à sept heures et demie. On se voit dans mon bureau, ça te va ? Il est dans le bâtiment Armstrong. Disons vers huit heures ?

— OK, à ce soir.

De retour chez moi, quelle n'a pas été ma surprise de voir les médias camper devant ma maison. On sait que ça se passe ainsi, mais c'était la première fois que je voyais la chose de mes propres yeux. La police municipale était là aussi, visiblement excitée de participer à un événement de cette ampleur. Les flics s'étaient postés de part et d'autre de l'allée pour me permettre d'accéder à mon domicile. Les journalistes n'ont pas cherché à les déborder. En fait, mon arrivée est passée quasi inaperçue.

Greta m'a accueilli en héros, avec force embrassades et compliments. J'adore Greta. Il y a des gens qui sont la bonté même, qui seront toujours de votre côté. Ils ne sont pas nombreux. Mais il y en a. Greta aurait traversé un couloir en feu pour moi. Et ça me donnait envie de la protéger.

En ce sens, elle me faisait penser à ma sœur.

— Où est Cara ? ai-je demandé.

— Bob a emmené les filles manger chez *Baumgart*.

Estelle, dans la cuisine, était en train de faire la lessive.

— Je dois m'absenter ce soir, lui ai-je dit.

— Pas de problème.

— Cara peut dormir à la maison, a proposé Greta.

— Merci, mais je préfère qu'elle dorme ici.

Elle m'a suivi au salon. La porte d'entrée s'est ouverte, et Bob est entré avec les deux gamines. Une fois de plus, j'ai visualisé ma fille accourant pour se jeter à mon cou : « Papa ! tu es rentré ! » Il n'y a rien eu de tel. Enfin, si... elle a souri et elle est venue vers moi. Je l'ai soulevée et je l'ai embrassée en la serrant contre moi. Elle souriait toujours, mais elle s'est essuyé la joue. Pas grave, j'étais preneur.

Bob m'a tapé dans le dos.

— Bravo, pour le procès.

— On n'a pas encore terminé.

— Ce n'est pas ce que disent les médias. D'une façon ou d'une autre, ce type, Jenrette, va nous lâcher la grappe.

— À moins qu'il ne décide de nous faire la peau.

Il a pâli légèrement. Si Bob devait jouer un rôle au cinéma, ce serait celui du riche républicain véreux. Rougeaud, avec de grosses bajoues et des doigts boudinés, il illustrait à merveille la thèse des apparences trompeuses. Mon beau-frère venait d'un milieu cent pour cent ouvrier et avait trimé dur toute sa vie. Laquelle vie ne lui avait jamais fait de cadeaux.

Cara est revenue dans la pièce avec un DVD à la main. Elle me le tendait comme une offrande. J'ai fermé les yeux et, me rappelant quel jour on était, me suis traité de tous les noms.

— C'est notre soirée cinéma, ai-je dit à ma petite fille.

Elle me regardait, souriante, avec ses grands yeux. Sur le boîtier du DVD, il y avait des personnages de dessin animé ou conçus par ordinateur, des voitures qui parlaient ou peut-être des animaux de ferme ou d'un zoo, Pixar ou Disney, quelque chose que j'avais dû voir une bonne centaine de fois.

— Ben oui. Tu pourras faire du pop-corn ?

Je me suis assis sur mes talons pour être à sa hauteur. J'ai posé les mains sur ses épaules.

— Chérie, papa doit sortir ce soir.

Pas de réaction.

— Je suis désolé, mon cœur.

J'attendais les larmes.

— Est-ce qu'Estelle pourra le regarder avec moi ?

— Mais bien sûr, ma chérie.

— Et elle pourra faire du pop-corn ?

— Évidemment.

— Cool.

Je guettais une lueur de déception, de tristesse, que sais-je. Et, ma foi, j'en ai eu pour mon argent.

Cara est repartie en sautillant. J'ai regardé Bob. Il a esquissé une grimace, l'air de dire : « Les mômes… qu'est-ce que tu veux faire ? »

— C'est intérieur, ai-je déclaré avec un geste en direction de ma fille. Intérieurement, elle est anéantie.

Bob a rigolé. Sur ce, mon portable s'est mis à bourdonner. L'écran affichait simplement NEW JERSEY, mais j'ai reconnu le numéro et tressailli légèrement.

— Allô ?

— Beau travail, champion.

— Monsieur le gouverneur…

— Erreur.

— Pardon ?

— Monsieur le gouverneur. Quand tu t'adresses au président des États-Unis, c'est « monsieur le président », mais un gouverneur, on l'appelle soit gouverneur, soit par son nom de famille, par exemple, gouverneur Étalon ou gouverneur Piège-à-Filles.

— Ah ! ai-je dit. Et gouverneur Cul-Coincé ?

— Ça marche aussi.

J'ai souri. J'étais en première année à Columbia quand j'ai rencontré Dave Markie (ledit gouverneur) à une soirée. Il m'intimidait. Moi, j'étais fils d'immigré. Son père était sénateur. Mais l'avantage de l'université, c'est qu'on y lie les amitiés les plus improbables. Et nous avons fini par devenir bons amis.

Les détracteurs de Dave n'ont pas manqué de souligner ce fait lorsqu'il m'a nommé procureur du comté. Lui s'est contenté de hausser les épaules et de me propulser à la place que j'occupe aujourd'hui. J'avais déjà une très bonne presse et, même si cet argument-là ne devait pas entrer en ligne de compte, ma prestation au tribunal me rapprochait de ce siège au Congrès que je convoitais depuis quelque temps.

— Alors, c'est le grand jour, hein ? You-hou ! On a gagné, on a gagné ! Vas-y, Cope, vas-y, mec, c'est la teuf !

— Tu cherches à séduire ton électorat hip-hop ou quoi ?

— Je cherche à comprendre mon ado de fille. En tout cas, félicitations.

— Merci.

— Tu remarqueras que je m'abstiens de tout commentaire sur le procès.

— Tu ne t'es encore jamais abstenu de faire des commentaires.

— Mais si, sauf que j'enrobe : « J'ai foi en notre système judiciaire » ; « Tous les citoyens sont présumés innocents jusqu'à preuve du contraire » ; « La roue de la justice tournera » ; « Je ne suis ni juge ni juré » ; « Attendons de connaître les faits. »

— Ça ne veut rien dire.

— Ça ne veut rien dire et ça veut tout dire. Et toi, Cope, comment tu vas ?

— Ça va.

— Tu vois quelqu'un ?

— Ça m'arrive.

— Écoute, mec, tu es célibataire. Tu es beau, tu as de l'argent sur ton compte en banque. Tu vois où je veux en venir ?

— C'est un raisonnement subtil, Dave, mais je crois que j'ai compris.

Dave Markie était un tombeur. Physiquement, il n'était pas trop mal, mais il avait surtout un pouvoir de séduction qu'on pourrait sans exagérer taxer d'irrésistible. Il possédait cette espèce de charisme qui poussait chaque femme qu'il regardait à se dire que, pour cet homme au moins, elle était la plus belle et la plus extraordinaire de tout l'univers. C'était de la comédie, bien sûr. Tout ce qu'il voulait, c'était se la taper. Point. Mais je ne connaissais personne d'autre qui ait autant de succès auprès des femmes.

Dave était marié, naturellement, il avait deux enfants très bien élevés, mais je le soupçonnais fortement d'aller voir ailleurs. Il y a des hommes comme ça. Ils ne peuvent pas s'en empêcher. C'est instinctif, atavique. L'idée que Dave Markie puisse ne pas draguer des femmes était tout simplement aberrante.

— Bonne nouvelle, a-t-il annoncé, je viens à Newark demain.

— Pour quoi faire ?

— Newark est la plus grande ville de mon État, et je tiens à témoigner mon estime à tous mes électeurs.

— Ouais.

— Et puis, j'ai envie de te voir. Ça fait trop longtemps.

— Je suis un peu débordé, avec cette histoire de procès.

— Tu n'as pas une minute à consacrer à ton gouverneur ?

— Qu'est-ce qui se passe, Dave ?

— Ça concerne ce dont nous avons déjà discuté tous les deux. Mon éventuelle élection au Congrès.

— Ça se présente bien ? ai-je demandé.

— Non.

Silence.

— Je crois qu'on a un problème, a-t-il ajouté.

— Lequel ?

— Ce n'est peut-être rien, Cope.

Il avait repris son ton jovial.

— On en parlera demain. Tu ne retournes pas au tribunal avant deux heures. On se voit dans ton bureau, OK ? À l'heure du déjeuner.

— Ça marche.

— Je compte sur toi pour les sandwiches. Tu sais, cette boutique du côté de Brandford ?

— *Hobby's*.

— Exact. Filet de dinde avec condiments sur pain de seigle maison. Prends-en un pour toi aussi. Allez, à demain.

Le bureau de Lucy Gold se trouvait dans un bâtiment

qui tranchait par sa laideur dans un cadre plutôt harmonieux. Construit dans les années soixante-dix, il était censé avoir un look futuriste mais, trois ans après son inauguration, il paraissait déjà démodé. Tout autour, c'était de la belle brique, mais je lui aurais ajouté un peu de lierre. Je me suis garé sur le parking, j'ai incliné le rétro et, me regardant dans la glace, pour paraphraser Springsteen, j'ai eu envie de changer d'habits, de cheveux, de visage.

En traversant la cour, j'ai croisé une dizaine d'étudiants. Les filles étaient plus jolies que dans mon souvenir, mais c'était peut-être l'âge. Je les ai salués au passage d'un signe de la tête. Ils ne m'ont pas rendu mon salut. Quand j'étais à la fac, il y avait un gars dans ma promo qui avait trente-huit ans. Il avait fait l'armée et, du coup, n'avait pas passé son diplôme. Je me souviens, il détonnait par rapport autres étudiants tellement il avait l'air vieux. J'avais le même âge aujourd'hui. C'était difficile à imaginer. J'avais aujourd'hui l'âge de ce type que je considérais à l'époque comme un croulant.

Cette pensée et d'autres, tout aussi saugrenues, m'aidaient à oublier momentanément l'objet de ma visite. Je portais un jean et une chemise blanche, un blazer bleu marine et des mocassins Ferragamo sans chaussettes. Chic et décontracté.

À l'approche du bâtiment, je me suis aperçu que je tremblais. J'ai essayé de me raisonner. J'étais adulte. J'avais été marié. J'étais père de famille. Cette femme, je ne l'avais pas revue depuis vingt ans, plus de la moitié de ma vie.

Est-ce qu'on s'en sort, un jour ?

J'ai consulté le tableau, même si Lucy m'avait dit que son bureau était au deuxième étage, porte B. La voilà. Pr Lucy Gold. J'ai réussi à appuyer sur le bon bouton dans l'ascenseur. En sortant, j'ai tourné à gauche, malgré la flèche avec « A-E » qui pointait à droite.

J'ai fini par trouver sa porte. Il y avait là une feuille de présence avec ses heures de permanence. La plupart des créneaux horaires étaient occupés. Il y avait également ses heures de cours et les dates de remise des devoirs. J'ai presque soufflé dans ma main pour sentir mon haleine, mais j'avais déjà une pastille de menthe dans la bouche.

J'ai frappé, deux coups secs avec les jointures. Le gars sûr de lui. Et viril, me suis-je dit.

Je me faisais pitié.

— Entrez.

Au son de sa voix, mon estomac a fait une cabriole. J'ai poussé la porte. Elle se tenait près de la fenêtre. Le soleil n'était pas encore couché, et une ombre oblique tombait sur elle. Elle était toujours belle à damner un saint. J'en suis resté cloué sur place. Pendant un moment, nous nous sommes regardés sans mot dire, à cinq mètres l'un de l'autre.

— Tu le trouves comment, l'éclairage ? a-t-elle demandé enfin.

— Pardon ?

— Je ne savais pas trop où me mettre. Quand tu allais frapper, j'entends. Est-ce que je vais ouvrir ? Non, ça fait trop empressé. Est-ce que je reste assise, un crayon à la main ? Est-ce que je te regarde par-dessus mes lunettes de lecture ? Bref, j'ai un ami qui m'a aidé à tester tous les angles. Il pensait que le mieux, c'était ici… au fond de la pièce, avec le store à demi baissé.

J'ai souri.

— Tu es resplendissante.

— Toi aussi. Combien de tenues as-tu essayées ?

— Seulement celle-ci. Mais on m'a dit un jour que ça correspondait au look gagnant. Et toi ?

— J'ai changé trois fois de chemisier.

— J'aime bien celui-ci, ai-je dit. C'était ta couleur, le vert.

— J'étais blonde à l'époque.

— Oui, mais tu as toujours les yeux verts. Je peux entrer ?

Elle a hoché la tête.

— Ferme la porte.

— On s'embrasse ou quoi ?

— Pas tout de suite.

Lucy s'est assise à sa place. J'ai pris le fauteuil en face de son bureau.

— Tout ça est tellement embrouillé… a-t-elle dit.

— Je sais.

— J'ai un million de choses à te demander.

— Moi aussi.

— J'ai vu sur Internet, pour ta femme. Je suis désolée.

J'ai incliné la tête.

— Comment va ton père ?

— Pas bien.

— C'est triste.

— L'amour libre, la drogue… un jour, ça vous retombe dessus. Et puis, Ira ne s'est jamais remis de ce qui s'est passé.

Ça, je m'en doutais déjà.

— Et tes parents à toi ? a demandé Lucy.

— Mon père est mort il y a quelques mois.

— J'en suis navrée. Je le revois à la colo comme si c'était hier.

— Il n'a plus jamais été heureux depuis.

— À cause de ta sœur ?

256

— À cause d'un tas de choses. Ton père lui a offert l'occasion de retravailler comme médecin. Il adorait ça, la médecine. Ç'a été la dernière fois qu'il a pu exercer.

— Je suis désolée.

— Mon père ne voulait pas vraiment prendre part au procès – il aimait beaucoup Ira –, mais il fallait un responsable, et maman l'a poussé. Toutes les autres familles étaient de la partie.

— Tu n'as pas à te justifier.

Je me suis tu. Elle avait raison.

— Et ta mère ?

— Leur couple n'a pas survécu.

Elle n'avait pas l'air surpris.

— Ça ne t'ennuie pas si je chausse ma casquette de psy ?

— Pas du tout, ai-je répondu.

— La perte d'un enfant met le couple à rude épreuve. La plupart des gens s'imaginent que seul un couple très soudé est capable de surmonter le choc. C'est faux. J'ai étudié la question. J'ai vu des unions qu'on pouvait qualifier de calamiteuses résister et même en sortir fortifiées. J'en ai vu qui semblaient indestructibles et qui se sont fissurées comme du plâtre bon marché. Vous êtes très proches, tous les deux ?

— Qui, ma mère et moi ?

— Oui.

— Ça fait dix-huit ans que je ne l'ai pas vue.

Nous nous sommes tus.

— Tu as perdu beaucoup de monde, Paul.

— Tu ne vas pas me psychanalyser, hein ?

— Non, certainement pas.

Calée dans son siège, elle m'a lancé un regard avant de détourner les yeux. Ça m'a ramené vingt ans en arrière. On s'installait sur l'ancien terrain de base-ball, dans les hautes herbes ; je la prenais dans mes bras, et elle me regardait furtivement avant de détourner les yeux, comme maintenant.

— Quand j'étais à la fac, a commencé Lucy, j'avais une amie. Elle avait une sœur jumelle. C'étaient de fausses jumelles, pas des vraies. La différence ne doit pas être énorme, mais le lien semble plus fort entre de vrais jumeaux. Bref, nous étions en deuxième année lorsque sa sœur est morte dans un accident de voiture. Mon amie a eu une réaction très bizarre. Elle était anéantie, bien sûr, mais en même temps, elle était comme soulagée. Elle se disait : « Et voilà, c'est tombé sur moi. La main de Dieu. Maintenant, tout ira bien. J'ai donné. » Quand on perd sa sœur jumelle de cette manière-là, on est en quelque sorte tranquille pour le reste de sa vie. Un seul grand malheur par tête de pipe. Tu vois ce que je veux dire ?

— Je vois, oui.

— Sauf que, dans la vie, ça ne se passe pas comme ça. Il y en a qui héritent d'un sauf-conduit permanent. Et d'autres, comme toi, qui trinquent plus que de raison. Beaucoup plus. Le pire, c'est que ça ne t'immunise pas contre les malheurs à venir.

— La vie est injuste, ai-je acquiescé.

— Amen.

Elle m'a souri.

— C'est drôle, non ?

— Oui.

— On est restés ensemble pendant, quoi, six semaines en tout ?

— Quelque chose comme ça.

— Et ce n'était qu'une amourette de vacances, quand on y pense. Tu as dû avoir des dizaines de filles, depuis.

— Des dizaines ? ai-je répété.

— Quoi, tu veux dire des centaines ?

— Au moins.

Une pause. J'ai eu l'impression que mon cœur allait déborder de ma poitrine.

— Mais tu n'étais pas comme les autres, Lucy. Tu étais…

Je me suis tu.

— Oui, je sais. Pareil pour toi. C'est pour ça que je suis si mal à l'aise. Je veux tout savoir sur toi. Mais je doute que le moment soit bien choisi.

C'était comme si j'avais eu affaire à un chirurgien, un plasticien spécialiste de la distorsion spatio-temporelle. Il avait enlevé ces vingt dernières années et reconstitué l'ado de dix-huit ans que j'étais, presque sans douleur.

— Alors c'était quoi, la raison de ton coup de fil ?

— La chose étrange ?

— Oui.

— Tu as dit qu'il t'en était arrivé une aussi.

J'ai hoché la tête.

— Tu veux bien commencer ? a-t-elle demandé. Tu sais, comme quand on se faisait des mamours.

— Ouille !

— Pardon.

Elle a serré ses bras contre elle comme si elle avait froid.

— Je ne sais pas tenir ma langue, c'est plus fort que moi.

— Tu n'as pas changé, Luce.

— Oh que si, Cope ! J'ai changé. Tu n'imagines pas à quel point.

Nos regards se sont rencontrés, réellement rencontrés, pour la première fois depuis que j'étais entré dans cette pièce. Lire dans les yeux des autres, ce n'est pas mon truc. J'ai connu trop de menteurs invétérés pour croire ce que je vois. Mais elle, elle cherchait à me dire quelque chose, et j'ai senti qu'il y avait beaucoup de souffrance là-dessous.

Je ne voulais pas de mensonges entre nous.

— Tu es au courant du poste que j'occupe actuellement ?

— Tu es procureur de comté. Ça aussi, je l'ai vu sur le Net.

— Exact. Ça me donne accès à toutes sortes d'informations. Un de mes enquêteurs s'est brièvement renseigné à ton sujet.

— Je vois. Tu es donc au courant de mon problème d'alcool au volant.

J'ai gardé le silence.

— Je buvais trop, Cope. D'ailleurs, je bois toujours trop. Mais je ne conduis plus quand j'ai bu.

— Ça ne me regarde pas.

— En effet. Mais je suis contente que tu m'en aies parlé.

Se laissant aller en arrière, elle a joint ses mains sur ses genoux.

— Alors raconte ce qui t'est arrivé.

— Il y a quelques jours, deux flics de Manhattan m'ont montré le cadavre d'un inconnu, victime d'un meurtre. Je pense que cet homme – qui, d'après eux, a entre trente-cinq et quarante ans – était Gil Perez.

Elle m'a regardé, bouche bée.

— Notre Gil ?

— Oui.

— Mais comment est-ce possible ?

— Je n'en sais rien.

— Il aurait vécu pendant tout ce temps ?

— Il semblerait que oui.

Elle a secoué la tête.

— Attends, tu l'as dit à ses parents ?

— Ils sont venus pour identifier le corps.

— Et alors ?

— Ils disent que ce n'est pas Gil. Que Gil est mort il y a vingt ans.

Elle s'est laissée retomber sur sa chaise. Je l'ai regardée, pensive, se tapoter la lèvre inférieure, encore un geste du temps de la colo.

— Mais qu'est-ce qu'il a pu faire pendant toutes ces années ?

— Minute, tu ne me demandes pas pourquoi je pense que c'est lui ?

— Pour quoi faire ? Pourquoi tu m'aurais dit ça sinon ? Soit ses parents mentent, soit, plus vraisemblablement, ils sont dans le déni.

— Oui.

— Qu'est-ce que tu en penses, toi ?

— Je ne sais pas trop. Je pencherais pour le mensonge.

— Il faudrait qu'on aille les voir.

— On ?

— Oui. Qu'as-tu appris d'autre au sujet de Gil ?

— Pas grand-chose.

J'ai changé de position dans mon fauteuil.

— Et toi ? C'est quoi, ton histoire ?

— Mes étudiants sont en train d'écrire des essais autobiographiques, style journal intime. À titre anonyme. J'en ai reçu un qui décrit pratiquement tout ce qui est arrivé cette nuit-là.

J'ai cru avoir mal entendu.

— Presque tout y est. Notre incursion dans les bois. Nos ébats. Les cris.

Je ne comprenais toujours pas très bien.

— Un texte écrit par un de tes étudiants ?

— Oui.

— Et tu ne sais pas qui c'est ?

— Non.

J'ai réfléchi une seconde.

— Qui connaît ta véritable identité ?

— Aucune idée. Je n'ai pas changé mon identité, j'ai juste changé de nom. Ça ne devrait pas être difficile à trouver.

— Et quand as-tu reçu cet essai ?

— Mardi.

— Donc, le lendemain de l'assassinat de Gil.

Nous nous sommes replongés dans nos réflexions.

— Tu l'as ici ? ai-je demandé.

— Je t'en ai fait une copie.

Elle me l'a tendue par-dessus son bureau. Je l'ai lue. Ç'a réveillé de douloureux souvenirs. Je me suis posé des questions sur les considérations sentimentales, sur le fait qu'elle ne s'était jamais remise de sa rupture avec le mystérieux P. Mais ma première réaction, ç'a été :

— Ce n'est pas comme ça que ça s'est passé.

— Je sais.

— Mais ça n'en est pas loin.

Elle a hoché la tête.

— J'ai rencontré une jeune femme qui avait fréquenté Gil. Elle dit qu'elle l'a entendu parler de nous. Il affirmait qu'on avait menti.

Lucy a fait pivoter son fauteuil de façon à m'offrir son profil.

— Il n'avait pas tort.

— C'était sans importance.

— On faisait l'amour, a-t-elle dit, pendant qu'eux se faisaient massacrer.

Je n'ai pas répondu. J'ai compartimenté. Une fois de plus. C'est comme ça que j'étais venu à bout de cette journée. Autrement, je me serais souvenu que j'avais été le moniteur de garde cette nuit-là. Que je n'aurais pas dû m'éclipser avec ma copine. Que j'aurais dû mieux les surveiller. Que si j'avais été un garçon responsable, si j'avais fait mon boulot, je n'aurais pas dit que j'avais fait l'appel alors que ce n'était pas vrai. Je n'aurais pas menti là-dessus le lendemain matin. On aurait su qu'ils étaient partis dans la nuit, et pas en début de matinée le lendemain. Parce que, pendant que je cochais les cases de l'inspection que je n'avais pas faite, ma sœur était peut-être en train de se faire égorger.

— On était des gamins, Cope, a dit Lucy.

Je ne réagissais toujours pas.

— Ils ont filé en douce. Ils l'auraient fait de toute façon, qu'on soit là ou pas.

Probablement pas. J'aurais été là. Je les aurais repérés. Ou j'aurais remarqué les lits vides en faisant ma ronde. Au lieu de quoi, j'avais pris du bon temps avec ma petite copine. Et le lendemain, en constatant leur absence, je me suis dit qu'ils étaient en train de s'amuser. Gil sortait avec Margot, même si je croyais qu'ils avaient rompu. Ma sœur était avec Doug Billingham, rien de sérieux. Ils étaient partis s'amuser.

Du coup, j'ai menti. J'ai dit que j'avais inspecté les bungalows et qu'ils dormaient à poings fermés. Je ne me rendais pas compte du danger. J'ai expliqué que j'étais seul cette nuit-là – ça, je l'ai soutenu longtemps – parce que je voulais protéger Lucy. Bizarre, non ? Je n'imaginais pas les conséquences de mes mensonges. Donc, oui, j'avais menti. Après qu'on a découvert Margot Green, j'ai avoué presque toute la vérité – que j'avais fait preuve de négligence durant ma nuit de garde. Mais je n'ai pas évoqué le rôle de Lucy. Et, une fois englué dans ce mensonge-là, j'ai eu peur de faire machine arrière. Déjà, on me soupçonnait – je me rappelle encore la mine sceptique du shérif Lowell –, et si j'avais avoué plus tard, la police se serait demandé pourquoi j'avais menti en premier lieu. De toute manière, ça ne changeait rien.

Quelle importance que j'aie été seul ou avec quelqu'un ? J'avais manqué à mes devoirs.

Au procès, les avocats d'Ira Silverstein avaient tenté de me faire porter le chapeau. Mais je n'étais qu'un gamin. Il y avait douze bungalows uniquement côté garçons. Même si j'avais monté la garde, il aurait été facile de tromper ma vigilance. La sécurité n'était pas au point. Ça, c'était vrai. Légalement, je n'étais pas responsable.

Légalement.

— Mon père a pris l'habitude de retourner dans ces bois, ai-je dit.

Elle a pivoté vers moi.

— Il y allait pour creuser.

— Il cherchait quoi ?

— Ma sœur. Il nous disait qu'il allait à la pêche. Mais je savais. Il a fait ça pendant deux ans.

— Et pourquoi il a arrêté ?

— Ma mère nous a quittés. Il a dû se dire que son idée fixe lui avait déjà coûté trop cher. Il a donc engagé des détectives privés. Il a contacté d'anciens amis à lui. Mais je ne pense pas qu'il soit retourné creuser.

J'ai regardé le bureau de Lucy. C'était un vrai champ de bataille. Des papiers pêle-mêle dégringolant à l'image d'une cascade gelée. Des livres ouverts, gisant comme des soldats blessés.

— C'est ça, ai-je repris, le problème quand on n'a pas de corps. Je suppose que tu as étudié les différents stades du deuil ?

— Oui.

Elle a hoché la tête pour montrer qu'elle avait compris.

— La première étape, c'est le déni.

— Exactement. En un sens, on ne l'a jamais dépassée.

— Pas de corps, d'où le déni. Il vous fallait des preuves pour pouvoir avancer.

— À mon père, oui. Moi, j'étais sûr que Wayne l'avait tuée. D'un autre côté, à force de voir mon père s'acharner de la sorte…

— Ça t'a fait douter.

— Disons que ç'a entretenu cette possibilité dans mon esprit.

— Et ta mère, comment a-t-elle réagi ?

— Elle a pris ses distances. Mes parents ne formaient pas un couple très uni. Il y avait déjà des fêlures. À la mort de ma sœur… enfin, après ce qui est arrivé, elle s'est totalement coupée de lui.

Nous nous sommes tus. Le soleil jetait ses derniers feux dans un ciel qui virait au violine. J'ai regardé par la fenêtre sur ma gauche. Lucy a fait la même chose. Ça faisait vingt ans qu'on n'avait pas été aussi proches l'un de l'autre.

L'incision chirurgicale dans le temps n'opérait plus. Les années pesaient à nouveau comme une chape de plomb sur nos épaules. Je la sentais profondément triste. Que notre famille ait subi des dommages irréparables, c'était évident. J'avais espéré que Lucy s'en était sortie. Mais, apparemment, ce n'était pas le cas. Elle non plus n'avait pas tourné la page. J'ignorais ce qui lui était arrivé ces vingt dernières années. Attribuer la tristesse qu'on lisait dans ses yeux aux seuls événements de cette nuit-là était trop simpliste. Mais je comprenais mieux à présent. Je me revoyais cette même nuit en train de me détacher d'elle.

L'étudiant auteur de l'essai disait qu'elle ne s'était jamais remise de notre rupture. Je n'ai pas une aussi haute opinion de ma personne. Mais le fait est qu'elle ne s'était jamais remise de cette tragédie. De la déchéance de son père. De son enfance brisée.

— Paul ?

Elle regardait toujours par la fenêtre.

— Oui ?

— Qu'est-ce qu'on fait maintenant ?

— On cherche à établir ce qui s'est réellement passé dans ces bois.

JE ME SOUVIENS, LORS D'UN VOYAGE EN ITALIE, d'avoir vu des tapisseries qui semblaient changer de perspective en fonction de la position du spectateur. Si on se déplaçait à droite, la table vous faisait face. On se déplaçait à gauche, la table vous suivait.

Le gouverneur Dave Markie était la personnification de ce principe. Lorsqu'il entrait dans une pièce, chacune des personnes présentes avait l'impression qu'il ne regardait qu'elle. Si, dans sa jeunesse, je l'avais vu collectionner les conquêtes, ce n'était pas, encore une fois, grâce à son physique, mais parce qu'il avait l'air de s'intéresser à elles. Son regard avait quelque chose d'hypnotique. Je me rappelle une copine lesbienne à Columbia, qui disait : « Quand Dave Markie te regarde comme ça, ma foi, je changerais bien de camp pour la nuit. »

Et ç'a été la même chose dans mon bureau. Jocelyn Durels, ma secrétaire, a gloussé bêtement. Le visage de Loren Muse s'est coloré. Même le procureur fédéral, Joan Thurston, affichait un sourire qui laissait entrevoir ce qu'elle avait dû ressentir quand elle avait reçu son premier baiser en classe de cinquième.

La plupart diraient que c'était l'aura du pouvoir. Mais

je l'avais connu avant son entrée en fonctions. Le pouvoir renforçait l'aura, il ne l'engendrait pas.

Nous nous sommes donné l'accolade. J'ai remarqué que beaucoup de gars font ça aujourd'hui pour se dire bonjour. Ça me plaît bien, le vrai contact humain. Je n'ai pas des masses d'amis, alors ceux que j'ai, j'y tiens énormément. Ils ont été triés sur le volet, et je les aime tous jusqu'au dernier.

— On n'a pas besoin de tout ce peuple ici, m'a soufflé Dave.

Nous nous sommes écartés l'un de l'autre. Il souriait, mais j'avais reçu le message. J'ai renvoyé tout le monde. Joan Thurston est restée, elle. Je la connaissais bien. Le bureau du procureur fédéral était un peu plus loin dans la rue. On essayait de s'entraider, de coopérer. La juridiction était la même – le comté d'Essex avait un taux de criminalité élevé –, mais elle ne s'occupait que de grosses affaires. À savoir, le terrorisme et les scandales politiques. Le reste, elle le redirigeait sur nous.

Sitôt la porte refermée, le sourire a déserté le visage de Dave. Nous nous sommes installés autour de ma table de réunion. Moi d'un côté. Eux deux de l'autre.

— C'est grave ? ai-je demandé.

— Très.

Je leur ai fait signe que j'étais prêt à écouter leurs explications. Dave a regardé Joan Thurston.

Elle s'est éclairci la voix.

— À l'heure où nous parlons, mes enquêteurs entrent dans les locaux de la fondation caritative connue sous le nom de JaneCure. Ils ont un mandat. Nous allons saisir tous les fichiers et dossiers. J'espérais faire dans la discrétion, mais les médias ont déjà eu vent de l'opération.

J'ai senti mon pouls s'accélérer.

— C'est n'importe quoi.

Aucun des deux n'a réagi.

— C'est Jenrette. Il me met la pression pour que je laisse partir le fiston.

— On sait, a dit Dave.

— Et alors ?

Il a jeté un coup d'œil à Thurston.

— Alors les accusations n'en sont pas moins fondées.

— De quoi tu parles, bon sang ?

— Les enquêteurs de Jenrette sont allés fouiller là où nous n'aurions jamais eu l'idée de nous aventurer. Ils ont découvert des irrégularités. Qu'ils ont signalées à l'un de mes plus proches collaborateurs. Celui-ci est allé y voir de plus près. On a essayé de rester discrets. On sait bien les retombées que ça peut avoir sur une organisation caritative.

La conversation prenait un tour qui ne me plaisait guère.

— Vous avez trouvé quelque chose ?

— Votre beau-frère s'est servi dans la caisse.

— Bob ? Impossible.

— Il a détourné au moins cent mille dollars.

— Pour en faire quoi ?

Elle m'a tendu deux feuilles de papier.

— Il est en train de se faire installer une piscine, n'est-ce pas ?

Je n'ai pas répondu.

— Cinquante mille sont allés aux piscines Marston, réglés en plusieurs fois et répertoriés ici à titre d'agrandissement de locaux. Vous avez agrandi vos locaux ?

Je continuais à me taire.

— Et il y a presque trente mille qui ont été versés à un

paysagiste, sous prétexte d'embellir le cadre environnant.

Notre siège se trouvait dans un pavillon réaménagé en
bureaux au centre de Newark. Il n'était pas question
d'agrandir ni d'embellir quoi que ce soit. Nous n'avions
pas besoin d'espace. Notre objectif était de récolter des
fonds pour financer remèdes et traitements. J'avais vu
trop d'abus au sein du système caritatif, avec des frais de
fonctionnement largement supérieurs aux sommes
destinées à la bienfaisance. On en avait parlé, Bob et
moi. On avait la même vision des choses.

J'en étais malade.

— On ne peut pas faire de favoritisme, a dit Dave. Tu
le sais, ça.

— Oui.

— Et même si on a voulu agir discrètement, par
amitié pour toi, on n'a pas pu. Les médias ont été alertés.
Joan est sur le point de tenir une conférence de presse.

— Vous allez inculper Bob ?

— Oui.

— Quand ?

Elle a regardé Dave.

— On l'a interpellé il y a une heure.

J'ai pensé à Greta. J'ai pensé à Madison. Une
piscine… Bob avait volé de l'argent à la fondation de ma
femme pour se faire construire une putain de piscine.

— Vous lui avez épargné la publicité ?

— Non. Ils vont le faire sortir par la grande porte
d'ici une dizaine de minutes. Je suis là en tant qu'amie,
mais on était convenus que ce genre d'affaire relevait de
ma compétence. Je ne peux pas faire de favoritisme.

J'ai hoché la tête. On était convenus, oui.

Dave s'est levé, imité par Joan Thurston.

— Trouvez-lui un bon avocat, Cope. Je pense qu'il va y avoir du grabuge.

J'ai allumé la télé et regardé Bob sortir, encadré par des policiers. Ce n'était pas retransmis en direct sur CNN ou Fox, mais sur News 12 New Jersey, notre chaîne d'information locale en continu. Il y aurait des photos dans les journaux à gros tirage de la région, comme le *Star Ledger* ou le *Bergen Record*. Peut-être verrait-on quelque chose sur les antennes locales des grandes chaînes nationales, mais j'en doutais.

Le tout n'a duré que quelques secondes. Bob était menotté. Il ne baissait pas la tête. Il avait, comme souvent quand la situation le dépassait, l'air hagard d'un enfant perdu. J'ai eu envie de vomir. J'ai appelé Greta chez elle et sur son portable. Pas de réponse. J'ai laissé un message sur les deux répondeurs.

Muse avait regardé le reportage avec moi. Quand ils ont enchaîné sur un autre sujet d'actualité, elle a dit :

— C'est moche.

— Très.

— Vous devriez confier sa défense à Hickory.

— Il y aurait conflit d'intérêt.

— Pourquoi ? À cause du procès ?

— Oui.

— Je ne vois pas comment. Les deux affaires ne sont pas liées.

— C'est le père de son client, E. J. Jenrette, qui a lancé l'enquête.

— Ah oui ! c'est vrai.

Elle s'est rencognée dans son siège.

— Zut.

Je n'ai rien dit.

271

— Vous êtes d'humeur à parler de Gil Perez et de votre sœur ?

— Allons-y.

— Comme vous le savez, il y a vingt ans, on a trouvé leurs vêtements déchirés et du sang dans les bois.

J'ai hoché la tête.

— Le sang était O+. Le groupe sanguin des deux disparus. Jusque-là, rien d'étonnant : quatre personnes sur dix sont dans le même cas. Comme à l'époque il n'y avait pas de tests ADN, on ne pouvait rien affirmer avec certitude. J'ai vérifié. Même si on accélère les choses, des analyses ADN prendront au moins trois semaines, voire plus.

Je n'écoutais qu'à moitié. Je pensais à Bob, à l'expression de son visage lors de son apparition télévisée. Je pensais à Greta, à la douce et tendre Greta… Comment allait-elle surmonter un tel choc ? Et j'ai pensé à ma femme, ma Jane, à cette fondation qui portait son nom, désormais vouée au démantèlement. De son vivant, déjà, j'avais manqué à mes devoirs. Et voilà que, après sa mort, j'étais incapable de remplir l'engagement que j'avais pris envers elle.

— En plus, pour les analyses, il nous faut des éléments de comparaison. Pour votre sœur, on peut utiliser votre sang, mais on aurait besoin de la coopération d'un membre de la famille Perez.

— Autre chose ?

— Pour Perez, un test ADN ne sera pas utile.

— Ah bon, et pourquoi ?

— Farrell Lynch en a fini avec le vieillissement.

Elle m'a remis deux photographies. La première avait été prise à la morgue. La seconde était le portrait, vieilli de vingt ans, tiré de la photo de Gil Perez que je lui avais donnée.

La ressemblance était saisissante.

— Ben, mon cochon !

— J'ai l'adresse des parents Perez.

Elle m'a tendu un bout de papier. Ils habitaient Park Ridge, à moins de une heure de voiture de Newark.

— Vous irez leur parler ?

— Oui.

— Vous voulez que je vienne avec vous ?

J'ai secoué la tête. Lucy avait déjà insisté pour m'accompagner. Son aide suffisait largement.

— Autrement, j'ai eu une idée, a-t-elle ajouté.

— Dites toujours.

— La technologie qui permet de localiser un corps enterré a beaucoup évolué depuis vingt ans. Vous vous souvenez d'Andrew Barrett ?

— Le technicien du John Jay College ? Un type bizarre et bavard.

— Un génie surtout. En tout cas, il est devenu le plus grand spécialiste du pays, avec son nouvel appareil à sonder le sol. C'est lui qui est à l'origine du projet, et il affirme pouvoir couvrir une grande superficie en un court laps de temps.

— Le secteur est beaucoup trop vaste.

— Mais on peut tenter le coup, non ? Écoutez, Barrett meurt d'envie de tester sa nouvelle machine. Il dit qu'il a besoin d'une expérimentation en situation réelle.

— Vous l'avez déjà contacté ?

— Bien sûr, pourquoi ? Il ne fallait pas ?

J'ai haussé les épaules.

— C'est vous, l'enquêtrice.

J'ai jeté un œil sur la télé. Qui était déjà en train de rediffuser la sortie de Bob, menottes aux poignets. Il paraissait encore plus pitoyable qu'à la première diffusion. J'ai serré les poings.

— Cope ?

Je l'ai regardée.

— Il faut qu'on aille au tribunal.

J'ai hoché la tête et je me suis levé sans rien dire. Elle a ouvert la porte. Quelques minutes plus tard, j'ai repéré E. J. Jenrette dans le hall. Il s'était mis délibérément sur mon chemin. Et il ricanait.

Muse s'est arrêtée et a voulu m'éloigner.

— Prenons à gauche. On pourrait entrer par...

— Non.

J'ai continué tout droit. Je bouillais de rage. Muse a couru pour me rattraper. E. J. Jenrette n'avait pas bougé.

Muse a posé la main sur mon épaule.

— Cope...

Je n'ai pas ralenti le pas.

— Tout va bien.

E. J. souriait toujours. Je l'ai affronté du regard. Il ne s'est pas écarté. Je me suis immobilisé à quelques centimètres de son visage. Il avait gardé son sourire, l'imbécile.

— Je vous avais prévenu, a-t-il dit.

J'ai souri, moi aussi, et je me suis penché tout près.

— La consigne a été transmise.

— Quoi ?

— Tout détenu qui prendra le petit Edward à son service bénéficiera d'un traitement de faveur. Votre fils sera la bonniche de sa division pénitentiaire.

J'ai tourné les talons sans attendre sa réaction. Muse m'a emboîté le pas en trébuchant.

— Classe, a-t-elle dit.

J'ai poursuivi mon chemin. Il s'agissait d'une menace en l'air, bien sûr – les fautes du père ne devaient pas retomber sur le fils –, mais si cette image revenait hanter E. J. lorsqu'il poserait la tête sur son oreiller en plume d'oie, ce serait toujours ça de gagné.

D'un bond, Muse m'a barré le passage.

— Il va falloir vous calmer, Cope.

— Je ne me rappelle plus, Muse… êtes-vous mon enquêtrice ou ma psy ?

Elle a levé les mains en signe de reddition et m'a laissé passer. J'ai gagné mon siège en attendant l'arrivée du juge.

Mais qu'est-ce qui lui avait pris, à Bob, bon sang de bonsoir ?

Il y a des jours comme ça, au prétoire, où l'on pourrait dire qu'on y entend beaucoup de bruit pour rien. Flair Hickory et Mort Pubin savaient qu'ils étaient cuits. Ils voulaient retirer le film porno des pièces à conviction sous prétexte que nous ne l'avions pas présenté plus tôt. Ils ont tenté de plaider un vice de procédure. Ils gesticulaient, brandissaient des papiers, des rapports d'enquête et de recherches. Leurs assistants et leurs stagiaires avaient dû trimer toute la nuit.

Le juge Pierce écoutait, les yeux cachés par ses sourcils en broussaille. La main sous le menton, il avait l'air d'un sage. Il n'a pas fait de commentaires. Il a employé des termes comme « considérer avec le plus grand soin ». Je n'étais pas inquiet. Leur dossier était vide. Mais un doute a commencé à s'insinuer dans mon esprit. Ils s'en étaient pris à moi. En utilisant les grands moyens.

Pourquoi n'auraient-ils pas agi de même avec le juge ?

J'observais son visage. Il ne laissait rien transparaître. J'ai scruté ses yeux en quête d'un indice. Son expression demeurait placide, mais ça ne voulait rien dire.

L'audience a été levée à trois heures de l'après-midi. Je suis retourné dans mon bureau et j'ai consulté mes messages. Aucune nouvelle de Greta. Je l'ai rappelée. Toujours pas de réponse. J'ai essayé le portable de Bob. En vain. J'ai laissé un message.

J'ai contemplé les deux photos : celle d'un Gil Perez vieilli, et celle de Manolo Santiago mort. Puis j'ai téléphoné à Lucy. Elle a décroché dès la première sonnerie.

— Salut, a-t-elle dit.

Contrairement à la veille, elle avait une voix chantante. À nouveau, j'ai eu l'impression de faire un saut dans le temps.

— Salut.

Il y a eu une pause étrange, presque joyeuse.

— J'ai l'adresse de M. et Mme Perez. J'aimerais retenter ma chance auprès d'eux.

— Quand ?

— Maintenant. Ils n'habitent pas très loin de chez toi. Je peux te prendre en passant.

— Je serai prête.

23

LUCY ÉTAIT SUPERBE.

Elle avait mis un pull chaussette vert qui la moulait là où il fallait. Ses cheveux étaient attachés en queue-de-cheval. Elle a repoussé une mèche folle derrière son oreille. Aujourd'hui elle portait des lunettes, et j'ai trouvé que ça lui allait bien.

Une fois dans la voiture, elle a inspecté mes CD.

— Counting Crows, s'est-elle exclamée. *August and Everything*.

— Tu aimes ?

— C'est le meilleur premier album de ces vingt dernières années.

J'ai hoché la tête. Elle l'a glissé dans le lecteur. Dans *Round Here*, il était question d'une femme dont les murs étaient en train de crouler, j'ai risqué un coup d'œil vers ma passagère. Elle avait les yeux humides.

— Ça va ?

— Tu as quoi comme autres CD ?

— Qu'est-ce que tu veux ?

— Quelque chose de torride.

— Meat Loaf.

Je lui ai montré le boîtier.

— Ça te dit, un petit *Bat Out of Hell* ?

— Oh, mon Dieu ! Tu te souviens ?

— Il m'accompagne partout.

— Tu es incorrigiblement romantique.

— Alors, un petit *Paradise by The Dashboard Light* ?

— Oui, mais va directement à l'extrait où elle lui fait promettre de l'aimer éternellement avant qu'elle n'abandonne.

— Avant qu'elle n'abandonne, ai-je répété. J'adore cette phrase.

Elle s'est tournée vers moi.

— Quels mots as-tu employés pour me séduire ?

— Les mots qui tuent, sûrement.

— À savoir ?

J'ai pris une voix geignarde.

— « S'il te plaît ! Allez, quoi, s'il te plaît ! »

Elle a éclaté de rire.

— Et alors, ç'a marché, non !

— Oui, mais je suis une fille facile.

— C'est vrai, j'avais oublié.

Elle m'a donné une tape sur le bras. J'ai souri. Elle s'est retournée vers la vitre. Pendant un moment, on a écouté Meat Loaf en silence.

— Cope ?

— Oui ?

— Tu as été mon premier.

J'ai failli écraser la pédale de frein.

— Je t'ai dit le contraire, je sais. Avec le père que j'avais, et toutes ses histoires insensées d'amour libre. Mais en fait non. Tu étais le premier. Le premier homme que j'aie jamais aimé.

Le silence devenait pesant.

— Évidemment, après toi, j'ai couché avec le monde entier.

278

J'ai secoué la tête et coulé un regard de biais. Elle souriait à nouveau.

D'une voix enjouée, mon GPS m'a invité à tourner à droite.

Les Perez habitaient dans un lotissement à Park Ridge.

— Tu les as prévenus de notre arrivée ? s'est enquise Lucy.

— Non.

— Et comment sais-tu qu'ils sont chez eux ?

— J'ai appelé juste avant de passer te prendre. Quand Mme Perez a répondu, j'ai déguisé ma voix et demandé Harold. Elle m'a dit que je m'étais trompé de numéro, je me suis excusé et j'ai raccroché.

— Trop fort.

— J'essaie de rester humble.

Nous sommes descendus de voiture. Le jardin paysager était entretenu avec soin. L'air embaumait un parfum de fleur, je n'arrivais pas à définir lequel. Le lilas peut-être. L'odeur était envahissante, écœurante, comme si on avait renversé du shampooing bon marché.

La porte s'est ouverte sans que j'aie eu besoin de frapper. C'était Mme Perez. Elle ne nous a pas salués. Elle s'est contentée de me dévisager de sous ses paupières lourdes.

— Il faut qu'on parle, ai-je dit.

Son regard s'est posé sur Lucy.

— Qui êtes-vous ?

— Lucy Silverstein.

Mme Perez a fermé les yeux.

— La fille d'Ira.

— Oui.

Ses épaules ont paru s'affaisser.

— Est-ce qu'on peut entrer ? ai-je demandé.

— Et si je vous dis non ?

J'ai planté mon regard dans le sien.

— Je ne lâcherai pas l'affaire.

— Quelle affaire ? Cet homme n'était pas mon fils.

— Je vous en prie, ai-je dit. Cinq minutes.

Mme Perez s'est écartée avec un soupir. L'odeur de shampooing était encore plus forte à l'intérieur. Elle nous a guidés jusqu'au canapé.

— M. Perez est là ?

— Non.

Des bruits nous parvenaient de l'une des chambres. Dans un coin, il y avait des cartons ; à en juger par les étiquettes, ils contenaient du matériel médical. En dehors de ces cartons, tout était tellement impeccable, tellement à sa place qu'on aurait juré qu'ils avaient acheté la maison-témoin.

Je me suis approché de la cheminée pour regarder les photos de famille. Il n'y en avait pas une seule des parents. Aucune de Gil non plus. Il n'y en avait que pour ses deux frères et sa sœur.

L'un des frères était en fauteuil roulant.

— Lui, c'est Tomas, a expliqué Mme Perez en montrant le garçon souriant en fauteuil, le jour de la remise des diplômes à l'université de Kean. Il souffre d'IMC. Vous savez ce que c'est ?

— Infirmité motrice cérébrale.

— C'est ça.

— Quel âge a-t-il ?

— Tomas a trente-trois ans maintenant.

— Et lui, qui est-ce ?

— Eduardo.

À voir sa tête, mieux valait ne pas s'appesantir sur le sujet. Eduardo avait l'air d'un caïd. Gil m'avait dit que son frère faisait partie d'un gang, mais je ne l'avais pas cru.

J'ai désigné la fille.

— Je me souviens, Gil m'avait parlé d'elle. Elle avait, quoi, deux ans de plus que lui ? À l'époque, me semble-t-il, elle voulait entrer à l'université.

— Glenda est avocate, a déclaré Mme Perez en se rengorgeant. Elle a fait ses études à Columbia.

— Comme moi.

Elle a souri et regagné le canapé.

— Tomas habite à côté. On a fait abattre le mur mitoyen.

— Il est autonome ?

— Je m'occupe de lui. Et il a une auxiliaire de vie.

— Il est chez lui, en ce moment ?

— Oui.

J'ai hoché la tête et me suis rassis. Je ne savais pas pourquoi je lui posais toutes ces questions. Mais une pensée m'a traversé l'esprit. Était-il au courant de ce qui était arrivé à son frère ? Savait-il ce qu'il avait fait ces vingt dernières années ?

Lucy n'avait pas quitté sa place. Silencieuse, elle me laissait faire pendant qu'elle examinait les lieux, jaugeait, évaluait… Elle avait dû enfiler sa casquette de psy.

Mme Perez m'a regardé.

— Pourquoi êtes-vous ici ?

— Le corps qui a été découvert est celui de Gil.

— Je vous ai déjà dit…

J'ai brandi l'enveloppe en papier kraft.

— Qu'est-ce que c'est ?

J'ai sorti la photo du dessus. La vieille photo du temps de la colo. Je l'ai posée sur la table basse. Elle a contemplé l'image de son fils. J'épiais sa réaction. Rien

281

n'a changé en apparence, ou alors le changement était tellement subtil qu'il était imperceptible à l'œil nu. Tout allait bien, et l'instant d'après, subrepticement, le masque s'est fissuré, révélant la détresse en dessous.

Elle a fermé les yeux.

— Pourquoi vous me montrez ça ?

— La cicatrice.

Elle n'a pas bronché.

— Vous avez affirmé que Gil avait une cicatrice sur le bras droit. Regardez bien cette photo. La cicatrice est sur le bras gauche.

Elle demeurait muette.

— Madame Perez ?

— Cet homme n'était pas mon fils. Mon fils a été assassiné il y a vingt ans par Wayne Steubens.

— Non.

J'ai replongé la main dans l'enveloppe. Lucy s'est penchée en avant. Elle n'avait pas encore vu cette photo-là.

— Voici Manolo Santiago, l'homme de la morgue.

Lucy a sursauté.

— Comment tu dis qu'il s'appelle ?

— Manolo Santiago.

Lucy est restée sans voix.

— Qu'y a-t-il ? ai-je demandé.

Elle a secoué la tête. J'ai continué :

— Et ceci…

J'ai pioché une dernière fois dans l'enveloppe.

— … c'est le résultat d'un procédé de vieillissement par ordinateur. En d'autres termes, mon technicien a pris la vieille photo de Gil et lui a rajouté vingt ans. Puis il lui a rasé le crâne et lui a mis la barbe de Manolo Santiago.

J'ai placé les deux photos l'une à côté de l'autre.

— Regardez, madame Perez.

Elle a regardé. Elle a regardé longuement.

— Il lui ressemble. Sans plus. Ou peut-être que pour vous tous les Latinos sont pareils.

— Madame Perez ?

Pour la première fois depuis notre arrivée, Lucy s'adressait directement à la mère de Gil.

— Pourquoi n'y a-t-il aucune photo de Gil là-dessus ?

Elle a pointé le doigt sur la cheminée. Mme Perez n'a pas suivi la direction du doigt. Elle a toisé Lucy.

— Vous avez des enfants, mademoiselle Silverstein ?

— Non.

— Alors vous ne pouvez pas comprendre.

— Avec tout le respect que je vous dois, vous dites n'importe quoi.

On aurait cru que Mme Perez venait de recevoir une gifle.

— Vous avez là des photos de vos enfants quand ils étaient petits, quand Gil était encore en vie. Et pourtant, il n'apparaît nulle part. J'ai suivi des parents en deuil. Tous gardaient une photo chez eux. Tous sans exception. Ensuite vous avez menti à propos de la cicatrice. Vous n'avez pas pu vous tromper. Une mère n'oublie pas ces choses-là. Vous voyez ces photos. Elles ne mentent pas. Enfin, Paul ne vous a pas dit le meilleur.

J'ignorais totalement ce que c'était, le meilleur. Du coup, je l'ai laissée parler.

— Les tests ADN, madame Perez. On a appris les résultats pendant le trajet. Ce sont des résultats prélimi-naires, mais ils concordent. Il s'agit bien de votre fils.

Nom d'un chien, elle était forte.

— ADN ? a crié Mme Perez. Je n'ai autorisé personne à effectuer des tests ADN.

— La police n'a pas besoin de votre autorisation, a

rétorqué Lucy. Puisque vous affirmez que Manolo Santiago n'est pas votre fils.

— Mais… Mais comment ils ont fait pour avoir mon ADN ?

Cette fois, c'est moi qui ai répondu :

— Nous ne sommes pas habilités à communiquer ce type d'information.

— Vous… Vous avez le droit de faire ça ?

— Absolument.

Mme Perez s'est enfoncée dans son fauteuil. Longtemps, elle est restée muette. Nous avons attendu qu'elle parle.

— Vous mentez.

— Pardon ?

— Les tests ADN sont erronés. Ou alors vous mentez. Cet homme n'est pas mon fils. Mon fils est mort assassiné il y a vingt ans. Comme votre sœur. Ils ont trouvé la mort dans la colonie de vacances de votre père, Lucy, parce qu'il n'y avait personne pour les surveiller. Vous pourchassez des fantômes, voilà tout.

J'ai regardé Lucy, dans l'espoir qu'elle saurait comment réagir.

Mme Perez s'est levée.

— J'aimerais que vous partiez maintenant.

— S'il vous plaît, ai-je dit. Ma sœur a disparu aussi, cette nuit-là.

— Je ne peux rien pour vous.

J'allais insister, mais Lucy a secoué la tête. J'ai alors décidé qu'il vaudrait mieux se concerter, savoir ce qu'elle pensait et avait à dire avant de repasser à l'offensive.

Lorsque nous avons eu franchi la porte, Mme Perez a dit :

— Ne revenez pas. Laissez-moi faire mon deuil en paix.

— Je croyais que votre fils était mort il y a vingt ans.

— C'est quelque chose dont on ne se remet pas.

— En effet, a acquiescé Lucy. Mais à un moment donné, on n'a plus envie de faire son deuil en paix.

Là-dessus, nous avons pris congé. La porte s'est refermée derrière nous. Une fois dans la voiture, j'ai demandé :

— Alors ?

— Mme Perez ment, c'est évident.

— Joli coup de bluff.

— L'histoire du test ADN ?

— Oui.

Lucy n'a pas répondu directement.

— Quand on était là-bas, tu as prononcé un nom, Manolo Santiago.

— C'était le faux nom de Gil.

Elle réfléchissait. J'ai attendu encore un moment, puis :

— Quoi ?

— Hier, je suis allée voir mon père. Dans sa... euh, maison. J'ai vu le registre à l'accueil. Ce mois-ci, il a eu un autre visiteur que moi. Un certain Manolo Santiago.

— Nom de Zeus !

— Tu l'as dit.

Je me suis efforcé de digérer cette information. Mais elle avait du mal à passer.

— Pourquoi Gil Perez serait-il allé voir ton père ?

— Bonne question.

J'ai repensé aux propos de Raya Singh, selon lesquels on aurait menti, Lucy et moi.

— Tu peux demander à Ira ?

— J'essaierai. Mais il ne va pas bien. Il a tendance à divaguer.

— Essaie toujours.

Elle a hoché la tête. J'ai tourné à droite. Et, changeant de sujet :

— À quoi vois-tu que Mme Perez ment ?

— Elle est en deuil, pour commencer. Tu sais, l'odeur ? Ce sont les bougies. Elle s'habille en noir. Elle a les yeux rouges, les épaules voûtées. Ça, c'est une chose. Ensuite, il y a les photos.

— Quoi, les photos ?

— Je n'ai rien inventé. Ce n'est pas courant, un enfant disparu qui ne figure sur aucune photo de famille. Et même, à supposer qu'il y ait une raison à ça, tu as remarqué les espacements ? Il n'y avait pas assez de photos sur cette cheminée. À mon avis, elle a dû retirer celles de Gil. Au cas où.

— Au cas où ils auraient de la visite ?

— Je ne saurais le dire avec certitude. Je pense que Mme Perez cherche à se débarrasser des preuves. Elle croyait être la seule à posséder des photos susceptibles d'aider à identifier son fils. Elle ne se doutait pas que tu avais gardé des clichés de cet été-là.

J'ai réfléchi à ce qu'elle venait de dire.

— Ses réactions sonnaient faux, Cope. C'est comme si elle jouait un rôle. Elle ment.

— Alors, qu'est-ce qu'elle nous cache ?

— Dans le doute, optons pour la solution la plus évidente.

— C'est-à-dire ?

Lucy a haussé les épaules.

— Gil a aidé Wayne à tuer les autres. Ça expliquerait tout. On a toujours soupçonné Steubens d'avoir eu un complice ; sinon comment aurait-il fait pour enterrer les corps aussi vite ? Si ça se trouve, il n'y avait qu'un seul corps.

— Celui de ma sœur.

— Exactement. Ensuite, les deux ont orchestré une mise en scène pour faire croire à la mort de Gil. Peut-être qu'il a aidé Wayne pour chacun de ses meurtres, qui sait ?

J'ai dit :

— Si c'est le cas, alors ma sœur est morte.

— Je sais.

Je me suis tu.

— Cope ?

— Quoi ?

— Ce n'est pas ta faute.

Je n'ai rien dit.

— Si quelqu'un est fautif, c'est moi, pas toi.

J'ai arrêté la voiture.

— Comment ça ?

— Tu voulais rester à la colo. Tu voulais faire ton travail de surveillance. C'est moi qui t'ai attiré dans les bois.

— Attiré ?

Silence.

— Tu rigoles ou quoi ?

— Non.

— J'étais capable de décider par moi-même, Lucy. Tu ne m'as pas forcé.

Elle restait songeuse.

— Tu culpabilises toujours, hein ?

J'ai senti mes mains se crisper sur le volant.

— Pas du tout.

— Allons, Cope. Malgré ces récentes révélations, tu savais que ta sœur était morte. Tu t'es mis à espérer. À espérer trouver la rédemption.

— Dis donc, tes études de psycho… tu les as sacrément amorties, non ?

— Je n'ai pas l'intention…

— Et toi-même, Luce ?

Mon ton était plus mordant que je ne l'aurais voulu.

— Est-ce que tu culpabilises, toi ? C'est pour ça que
tu prends des cuites ?

Silence.

— Je n'aurais pas dû dire ça.

— Tu ne sais rien de ma vie, a-t-elle répondu
doucement.

— Tout à fait. Excuse-moi. Ça ne me regarde pas.

— Ces contraventions, c'était il y a longtemps.

Elle s'est tournée vers la vitre. Nous sommes repartis
sans mot dire.

— Tu as peut-être raison, ai-je lâché finalement.

Son regard restait rivé sur la vitre.

— C'est quelque chose que je n'ai encore dit à
personne.

J'ai senti mon visage s'empourprer et des larmes
naître sous mes paupières.

— Depuis cette nuit dans les bois, mon père ne m'a
plus regardé de la même façon.

Elle a pivoté vers moi.

— Peut-être que c'est de la projection, je n'en sais
rien. C'est vrai, j'ai culpabilisé jusqu'à un certain point.
Nous n'aurions pas dû partir. J'aurais dû rester à mon
poste. Qui sait si cette expression qu'il avait, n'était pas
simplement la douleur d'un père qui venait de perdre
son enfant. Mais j'ai eu l'impression qu'il y avait autre
chose. Comme une accusation.

Elle a posé la main sur mon bras.

— Oh ! Cope…

Je gardais les yeux sur la route.

— Donc, tu n'as pas forcément tort. Il se pourrait bien que j'éprouve le besoin de me racheter. Et toi ?

— Quoi, moi ?

— Pourquoi replonger dans le passé ? Qu'espères-tu obtenir après toutes ces années ?

— Tu plaisantes ?

— Non. Que cherches-tu exactement ?

— Tout ce qui faisait ma vie s'est arrêté cette nuit-là. Ne le comprends-tu pas ?

Je n'ai pas répondu.

— Les familles – dont la tienne – ont traîné mon père en justice. Vous nous avez tout pris. Ira n'avait pas les reins assez solides. Il n'a pas encaissé le choc.

J'attendais qu'elle poursuive, mais elle s'est tue.

— Ça, je comprends. Mais aujourd'hui, tu cherches quoi ? Comme tu viens de le dire toi-même, moi, je veux retrouver ma sœur. À défaut, j'aimerais découvrir ce qui s'est réellement passé cette nuit-là. Et toi, quel est ton intérêt là-dedans ?

Nous roulions toujours. Le jour commençait à baisser.

— Je me sens si vulnérable, a-t-elle dit. Je n'aime pas ça.

Ne sachant trop que répondre, j'ai opté pour :

— Jamais je ne te ferais de mal.

Elle a marqué une pause.

— C'est un peu comme si j'avais vécu deux vies. La première avant cette nuit dans les bois, où tout allait bien, et la seconde après, où… bref, où rien n'allait. Je sais bien que c'est pathétique mais, par moments, j'ai l'impression qu'on m'a poussée du haut d'une colline et que depuis je ne cesse de dégringoler. Des fois, j'arrive à reprendre pied, mais la pente est si raide que j'ai du mal à garder l'équilibre, et je glisse à nouveau. Alors peut-être… je n'en suis pas sûre, mais peut-être que si je découvrais toute la vérité sur cette nuit-là, si je tirais quelque chose de positif de toute cette masse de souffrances, la dégringolade s'arrêterait.

Elle était magnifique quand je l'avais connue. J'ai eu envie de le lui rappeler. De lui rétorquer qu'elle dramatisait, qu'elle était toujours belle, qu'elle avait réussi et qu'elle avait tout pour être heureuse. Mais je craignais de la froisser.

J'ai donc préféré lui dire :

— C'est super de te revoir, Lucy.

Elle a fermé convulsivement les yeux comme si je l'avais frappée. J'ai songé à sa peur de se sentir trop vulnérable. J'ai également songé à ce texte qu'elle m'avait fait lire, où il était question d'avoir perdu à jamais l'amour de sa vie. J'aurais voulu lui prendre la main, mais je savais que tous les deux, on était trop à vif, et que, même un geste aussi simple, ce serait à la fois trop et pas assez.

24

J'AI DÉPOSÉ LUCY À SON BUREAU.

— Demain matin, j'irai voir Ira pour savoir ce qu'il peut me dire sur Manolo Santiago.

— OK.

Lucy a posé la main sur la poignée de la portière.

— J'ai une pile de copies à corriger.

— Je te raccompagne.

— Je t'en prie, non.

Elle s'est glissée dehors. Je l'ai suivie des yeux. Mon estomac s'est noué. J'ai essayé de rassembler mes idées, mais il était difficile de voir clair dans cet écheveau d'émotions.

Mon portable a sonné. C'était Muse.

— Comment ça s'est passé avec la mère Perez ?

— Je continue à penser qu'elle ment.

— J'ai quelque chose qui pourrait vous intéresser.

— Je vous écoute.

— M. Perez a ses habitudes dans un bar, *Les Frères Smith*. Il traîne avec des gars, joue aux fléchettes, des trucs comme ça. D'après ce que j'ai entendu, il boit avec modération. Sauf ces deux derniers soirs. Il a pété un câble, s'est mis à pleurer et à chercher la bagarre.

— C'est le chagrin, ai-je dit.

Des deux époux, à la morgue, c'était Mme Perez qui avait été la plus forte. Il s'était appuyé sur elle. Mais j'avais bien senti la fêlure.

— D'une façon ou d'une autre, l'alcool délie les langues, a fait observer Muse.

— C'est juste.

— Il y est en ce moment. Au bar, je veux dire. Ce serait peut-être l'occasion de l'approcher.

— J'y vais de ce pas.

— Encore une chose.

— J'écoute.

— Wayne Steubens accepte de vous rencontrer.

Je crois bien que j'ai arrêté de respirer.

— Quand ?

— Demain. Il est incarcéré à la prison d'État de Red Onion, à Pound, en Virginie. Je vous ai aussi arrangé un rendez-vous avec Geoff Bedford du FBI, juste après. C'est l'agent spécial qui était chargé de l'affaire Steubens.

— Impossible. On est au tribunal.

— Impossible, connais pas. L'un de vos substituts peut vous remplacer pour la journée. Je vous ai réservé un billet d'avion pour demain matin.

Je ne sais pas ce que je m'attendais à trouver, comme bar. Quelque chose de plus louche, peut-être. Ici, on se serait cru dans une enseigne genre *TGI Friday's*. Le bar était plus grand qu'ailleurs ; la salle de restaurant, plus exiguë. Il y avait des boiseries, des distributeurs gratuits de pop-corn et de la musique des années quatre-vingt à plein tube. En ce moment précis, c'était Tears for Fears, *Head Over Heals*.

De mon temps, on aurait appelé ça un bar yuppie. J'ai vu des jeunes gens avec la cravate desserrée, et des femmes qui se la jouaient businesswomen. Les hommes buvaient de la bière au goulot, feignant de rigoler avec leurs potes pendant qu'ils reluquaient ces demoiselles. Les demoiselles buvaient du vin et de faux Martini, et lorgnaient les gars avec davantage de discrétion. J'ai secoué la tête. Il y avait là matière à tourner un docu sur la parade nuptiale pour la chaîne Discovery.

Je voyais mal Jorge Perez s'attarder dans un endroit pareil. Pourtant il était là, tout au fond, assis au bar avec quatre ou cinq compagnons d'armes, des hommes qui savaient boire, qui couvaient leurs verres d'alcool comme si c'étaient des poussins qui venaient d'éclore. Et ils observaient la foule des yuppies du XXIᵉ siècle à travers leurs paupières baissées.

M'approchant par-derrière, j'ai posé la main sur l'épaule de M. Perez. Il s'est retourné lentement. Ses camarades aussi. Ses yeux étaient rouges et larmoyants. J'ai choisi l'approche directe :

— Mes condoléances.

Il a eu l'air déconcerté. Les autres, des Latinos frisant la soixantaine, m'ont regardé comme si j'étais venu là pour mater leurs filles. Ils étaient en bleu de travail. M. Perez, lui, portait un polo et un short kaki. C'était peut-être un signe de quelque chose, mais je ne voyais pas quoi.

— Qu'est-ce que vous voulez ?

— Vous parler.

— Comment m'avez-vous trouvé ?

J'ai ignoré la question.

— J'ai vu votre tête à la morgue. Pourquoi avez-vous menti, pour Gil ?

Ses yeux se sont étrécis.

— Qui c'est que vous traitez de menteur ?

Les autres gars m'ont toisé d'un air peu amène.

293

— On devrait peut-être aller discuter en privé.

Il a secoué la tête.

— Non.

— Vous savez, n'est-ce pas, que ma sœur a disparu cette même nuit ?

Il m'a tourné le dos et a empoigné sa bière.

— Ouais, je sais.

— C'était votre fils, à la morgue.

Il n'a pas bronché.

— Monsieur Perez ?

— Allez-vous-en.

— Je n'irai nulle part.

Les autres, des durs à cuire, des hommes qui avaient passé leur vie à travailler dehors, m'ont fusillé du regard. L'un d'eux est descendu de son tabouret de bar.

— Asseyez-vous, lui ai-je dit.

Il n'a pas bougé. J'ai soutenu son regard. Un deuxième type s'est levé et m'a fait face, les bras croisés.

— Savez-vous qui je suis ?

J'ai sorti de ma poche ma plaque de procureur. Eh oui, j'en ai une. Le fait est que je suis le plus haut représentant de la loi dans le comté d'Essex. Je n'aime pas utiliser la menace. La force brutale, ça m'horripile. C'est très joli de vouloir tenir tête à une brute. Encore faut-il en avoir les moyens. Par chance, c'était mon cas.

— J'espère que vous êtes en règle avec la loi, ai-je dit. Que votre famille est en règle avec la loi, que vos amis sont en règle avec la loi. Les gens que vous croisez dans la rue... eux aussi, il vaut mieux qu'ils soient en règle avec la loi.

Les yeux rétrécis se sont agrandis d'un coup.

— Montrez-moi donc vos papiers, tout le monde.

Celui qui s'était levé le premier a écarté les mains.

— Eh ! on veut pas d'histoires, nous.

— Alors disparaissez.

Ils ont jeté quelques billets sur le comptoir et se sont dispersés. Sans se presser, mais on sentait bien qu'ils n'avaient pas envie de rester. Normalement, l'abus de pouvoir, ce n'était pas trop ma tasse de thé, sauf que là, ils l'avaient plus ou moins cherché.

Perez s'est tourné vers moi, visiblement consterné.

— À quoi ça sert d'avoir une plaque, hein, ai-je lancé, si on ne l'utilise pas ?

— Vous en avez assez fait, non ?

Le tabouret à côté du sien était libre. Je me suis perché et, faisant signe au barman, j'ai commandé « la même chose » en montrant du doigt la chope de Jorge Perez.

— C'était votre fils à la morgue. Je peux vous en fournir la preuve, mais nous savons tous deux que c'est inutile.

Il a vidé sa bière et en a demandé une autre. Elle est arrivée en même temps que la mienne. J'ai levé ma chope comme pour trinquer. Il s'est contenté de me regarder, sans toucher à la sienne. J'ai bu une gorgée. La première gorgée de bière par cette chaleur, c'est comme quand on plonge le doigt dans un pot de beurre de cacahuètes plein dont on vient de dévisser le couvercle. C'était tout simplement divin.

— Vous avez le choix, ai-je repris. Persister à nier. Mais j'ai déjà demandé un test ADN. Vous savez ce que c'est, n'est-ce pas, monsieur Perez ?

Son regard s'est perdu au-delà de la foule.

— Qui ne le sait pas ?

— C'est vrai, avec *NCIS* et toutes ces séries policières à la télé… Vous savez donc que nous n'aurons aucun mal à prouver que Manolo Santiago était votre fils Gil.

Perez a trempé les lèvres dans sa bière. Sa main tremblait. Des lignes de faille lui creusaient maintenant le visage. J'ai enchaîné aussi sec :

— La question est : une fois que nous l'aurons prouvé, qu'arrivera-t-il ? Je parie que vous et votre femme, vous allez nous faire le coup du « Ça alors ! Quelle surprise ! », mais ça ne marchera pas. Vous passerez pour des menteurs. Et là, mes équipes mèneront des investigations pour de bon. Nous éplucherons tous les relevés téléphoniques, tous les bordereaux de banque, nous frapperons aux portes, nous interrogerons vos amis et voisins sur vous, sur vos enfants…

— Laissez mes enfants en dehors de ça.

— Sûrement pas.

— Ce n'est pas juste.

— Ce qui n'est pas juste, c'est que vous mentiez à propos de votre fils.

Il a secoué la tête.

— Vous ne comprenez pas.

— Mais bien sûr ! Je vous rappelle que ma sœur était aussi dans ces bois.

Il avait des larmes aux yeux.

— Vous, votre femme, vos enfants… personne n'y échappera. Je fouillerai et, croyez-moi, je finirai par trouver.

Il contemplait fixement sa bière. Les larmes ont débordé et roulé sur ses joues. Il n'a pas fait un geste pour les essuyer.

— Bon sang.

— Que s'est-il passé, monsieur Perez ?

— Rien.

Il a baissé la tête. Je me suis rapproché.

— Est-ce que votre fils a tué ma sœur ?

Se redressant, il a scruté mon visage comme en quête d'un semblant de réconfort. Je n'ai pas cillé.

— Je ne vous parle plus.

— C'est ça ? C'est ce que vous essayez de cacher ?

— Nous n'avons rien à cacher.

— Ce ne sont pas des menaces en l'air, monsieur Perez. Pensez aux conséquences, pour vous et vos enfants.

Ça s'est passé si vite que je n'ai pas eu le temps de réagir. Il m'a agrippé par les revers et m'a attiré à lui. Malgré nos vingt et quelques années de différence, on sentait qu'il avait de la force. Je me suis ressaisi rapidement et, me souvenant de quelques mouvements d'arts martiaux que j'avais appris étant môme, je l'ai frappé aux avant-bras.

Il m'a lâché. Je ne sais pas si c'était ma riposte ou bien parce qu'il l'avait décidé. Bref, il a desserré son emprise. Il s'est levé. Je me suis levé aussi. Le barman était en train de nous observer.

— Vous voulez un coup de main, monsieur Perez ?

J'ai à nouveau sorti ma plaque.

— Vous pensez à déclarer tous vos pourboires au fisc ?

Il a battu en retraite. Tout le monde a quelque chose à cacher. Tout le monde enfreint la loi en douce.

Nous nous sommes dévisagés, Perez et moi. Puis il a déclaré :

— Ce n'est pas compliqué. Si vous vous en prenez à mes enfants, je m'en prendrai aux vôtres.

Mon sang n'a fait qu'un tour.

— Ça veut dire quoi, nom d'un chien ?

— Ça veut dire que votre plaque, je m'en fiche. On ne menace pas quelqu'un de s'attaquer à ses enfants.

297

Il est parti. J'ai pris mon téléphone portable et j'ai appelé Muse.

— Trouvez-moi tout ce que vous pourrez sur les Perez. La famille au grand complet.

25

GRETA A FINI PAR ME RAPPELER.

J'étais encore en voiture, sur le chemin du retour, et je me suis débattu pour brancher ce satané kit mains libres, afin que le procureur du comté d'Essex ne soit pas pris en flagrant délit d'infraction au code de la route.

— Où es-tu ? a demandé Greta.

Il y avait des larmes dans sa voix.

— Je rentre à la maison.

— Ça ne t'ennuie pas si je te retrouve là-bas ?

— Bien sûr que non. J'ai déjà essayé de te joindre…

— J'étais au tribunal.

— Est-ce que Bob a été libéré sous caution ?

— Oui. Il est là-haut, en train de coucher Madison.

— Il t'a dit…

— À quelle heure seras-tu chez toi ?

— D'ici un quart d'heure, vingt minutes maxi.

— Je passerai dans une heure, OK ?

Greta a raccroché sans me laisser le temps de répondre.

Quand je suis arrivé, Cara ne dormait pas. Ça m'a ragaillardi. Je l'ai mise au lit, et on a joué à son nouveau jeu préféré : le Fantôme. C'est une sorte de mélange de cache-cache et de chat perché. Il y en a un qui se cache.

Si l'autre le trouve, il doit le toucher avant qu'il ne regagne sa base de départ. Notre version à nous était d'autant plus bébête qu'elle se jouait dans le lit. Ce qui limitait de manière drastique le nombre de cachettes et les chances d'atteindre la base de départ. Cara plongeait sous les couvertures, et je faisais mine de la chercher. Puis elle fermait les yeux, et j'enfouissais ma tête sous l'oreiller. Elle était aussi bonne comédienne que moi. Quelquefois, je me cachais en mettant mon visage pile à la hauteur de ses yeux, pour qu'elle me voie à la seconde même où elle les rouvrait. Et tous les deux, on riait comme des gosses. C'était complètement idiot comme jeu ; Cara allait bientôt s'en lasser, et cette idée m'emplissait de tristesse.

Le temps que Greta arrive – elle avait sa propre clé que je lui avais donnée il y a des années –, les éclats de rire de ma fille m'avaient fait oublier presque tout : les garçons violeurs, les adolescentes qui disparaissent dans les bois, les égorgeurs en série, les beaux-frères qui trahissent votre confiance, les pères endeuillés qui menacent les petites filles. Mais le cliquetis à la porte d'entrée m'a vite ramené à la réalité.

— Il faut que j'y aille.

— Une dernière fois, a supplié Cara.

— Ta tante Greta est là. Je voudrais lui parler, d'accord ?

— Une toute dernière fois. S'il te plaît.

Les enfants, ils en veulent toujours plus. Encore une fois. Et encore. Si on cède, ça ne s'arrête jamais.

— D'accord, lui ai-je dit, une toute dernière.

Cara a souri et s'est cachée, je l'ai trouvée, elle m'a touché, j'ai dit qu'il fallait que j'y aille. Encore, a-t-elle supplié, mais comme je suis un homme de parole, je l'ai embrassée sur la joue et l'ai laissée implorante, quasi en larmes.

Greta se tenait au pied de l'escalier. Elle n'était pas pâle. Elle avait les yeux secs. Sa bouche formait une ligne droite qui faisait ressortir ses bajoues déjà très proéminentes.

— Bob ne vient pas ?

— Il garde Madison. Et son avocate doit passer à la maison.

— Il a pris qui ?

— Hester Crimstein.

Je la connaissais. Elle était excellente.

Je suis descendu. D'habitude, je l'embrasse sur la joue mais, là, je ne savais pas trop quelle attitude adopter. Elle est allée au salon. Je l'ai suivie. Nous nous sommes assis sur le canapé. J'ai pris ses mains dans les miennes. J'ai regardé son visage, ce visage si banal et, comme toujours, j'ai vu un ange. J'adorais Greta. Sincèrement. Mon cœur saignait pour elle.

— Que se passe-t-il ?

— Il faut que tu aides Bob, a-t-elle dit.

Puis :

— Aide-nous.

— Je ferai de mon mieux. Tu le sais bien.

Ses mains étaient glacées. Elle a baissé la tête avant de me regarder droit dans les yeux.

— Tu diras que tu nous as prêté cet argent, a-t-elle débité d'une voix monocorde. Que tu étais au courant. Qu'on était convenus de te le rembourser avec des intérêts.

Je restais assis à côté d'elle, sans bouger.

— Paul ?

— Tu me demandes de mentir ?

— Tu viens de dire que tu feras de ton mieux.

— Tu es en train de m'expliquer…

J'ai dû m'interrompre.

— … que Bob a pris cet argent ? Qu'il a volé la fondation ?

Son ton se fit ferme.

— Il a emprunté l'argent, Paul.

— Tu plaisantes, j'espère ?

Greta a retiré ses mains.

— Tu ne comprends pas.

— Alors éclaire-moi.

— Il ira en prison. Mon mari. Le père de Madison. Bob ira en prison, tu comprends ? Ça va ficher en l'air toute notre vie.

— Il aurait dû y réfléchir avant de voler une fondation caritative.

— Il n'a pas volé. Il a emprunté. Il avait des soucis à son travail. Tu savais qu'il avait perdu ses deux plus gros clients ?

— Non. Pourquoi il ne m'a rien dit ?

— Que voulais-tu qu'il dise ?

— Et donc, la solution a été de voler ?

— Il n'a pas…

Elle s'est tue au milieu de la phrase.

— Ce n'est pas aussi simple. On avait déjà signé le contrat, pour la piscine. C'était une erreur. On a vu trop grand.

— Et l'argent de ta famille ?

— Après la mort de Jane, mes parents ont jugé bon de tout placer. Je ne peux pas y toucher.

J'ai secoué la tête.

— Du coup, il a volé ?

— Arrête de dire ça. Regarde.

Elle m'a tendu des feuilles photocopiées.

— Bob a consigné jusqu'au moindre cent qu'il a pris.

302

Avec six pour cent d'intérêts. Il comptait tout rembourser une fois qu'il serait retombé sur ses pieds. C'était juste pour nous aider à sortir d'une mauvaise passe.

J'ai parcouru les papiers, cherchant quelque chose qui puisse les dédouaner, qui me prouve que Bob n'avait pas commis ce dont on l'accusait. Mais il n'y avait rien. Ces notes manuscrites, elles auraient pu être rédigées n'importe quand. Mon cœur s'est serré.

— Tu étais au courant ? lui ai-je demandé.

— Ça n'a pas d'importance.

— Tu rigoles ou quoi ? Alors ?

— Non. Il ne m'a pas dit d'où venait l'argent. Mais toi, sais-tu combien d'heures Bob a consacrées à Jane-Cure ? C'est lui qui dirige la fondation. Ça devrait être un poste à plein temps. Avec un salaire à six chiffres, au minimum.

— Ne me dis pas, s'il te plaît, que c'est tout ce que tu as trouvé comme excuse.

— Je trouverai toutes les excuses qu'il faudra. J'aime mon mari. Tu connais Bob. C'est quelqu'un de bien. Il a emprunté de l'argent qu'il aurait rendu sans que quiconque s'en aperçoive. Ces choses-là, ça arrive tout le temps. Tu le sais bien. Mais à cause de ta position et de cette fichue affaire de viol, la police est tombée dessus. Et à cause de ta position, ils vont en faire un exemple. Ils détruiront l'homme que j'aime. Et s'ils le détruisent, ils nous détruiront aussi, moi et ma famille. Tu comprends ça, Paul ?

Je comprenais. J'avais déjà vu ça. Greta avait raison. La famille tout entière allait être clouée au pilori. Je me suis efforcé de passer outre à ma colère, de me mettre à la place de ma belle-sœur, d'accepter ses justifications.

— Je ne sais pas ce que tu attends de moi, ai-je dit.

— Il s'agit de ma vie, là.

Ça m'a fait tiquer.

— Sauve-nous. S'il te plaît.

— Au prix d'un mensonge ?

— C'était un emprunt. Il n'a pas eu le temps de t'en parler, c'est tout.

Fermant les yeux, j'ai secoué la tête.

— Il a volé une fondation caritative. La fondation de ta sœur.

— Pas de ma sœur, non, a-t-elle répliqué. La tienne.

Je n'ai pas relevé.

— J'aurais aimé pouvoir vous aider, Greta.

— Alors tu nous lâches ?

— Je ne vous lâche pas. Mais je ne peux pas mentir.

Elle m'a dévisagé. Elle n'était plus un ange.

— Moi, je l'aurais fait pour toi. Tu le sais.

Je n'ai rien dit.

— Tu n'as jamais été à la hauteur. Tu n'as pas su veiller sur ta sœur, dans cette colo. Et à la fin, alors que ma sœur souffrait le pire des…

Elle s'est interrompue. La température dans la pièce a chuté de dix degrés. Le serpent qui dormait au fond de mes tripes s'est réveillé et s'est mis à dérouler ses anneaux.

J'ai soutenu son regard.

— Dis-le. Vas-y, dis-le.

— JaneCure n'a rien à voir avec Jane. C'est toi. Toi et ton sentiment de culpabilité. Ma sœur était en train de mourir. Elle souffrait. J'étais là, à son chevet. Et pas toi.

Une souffrance interminable. Des jours, des semaines, des mois. J'étais là. J'avais assisté à tout. Enfin, presque à tout. J'avais vu décliner la femme que j'adorais, celle qui me donnait la force de vivre. J'avais vu la lumière déserter son regard. J'avais senti l'odeur de la mort sur elle, la femme qui sentait le lilas quand je lui avais fait l'amour dehors, un jour de pluie. À la fin, je n'en pouvais plus. Je n'ai pas supporté l'ultime déchéance. J'ai craqué. Ce furent les pires heures de ma vie. J'ai craqué et j'ai pris la fuite. Ma Jane est morte sans moi. Greta avait raison : j'avais abandonné mon poste. Une fois de plus. Jamais je ne m'en remettrai… et c'est effectivement le remords qui est à l'origine de JaneCure.

Greta était au courant, bien sûr. Comme elle venait de le souligner, elle était la seule à avoir accompagné Jane dans ses derniers moments. Mais on n'en avait jamais parlé. Jamais elle ne m'avait balancé ma plus grande honte en pleine figure. J'aurais voulu savoir si Jane avait demandé à me voir. Si elle s'était rendu compte que je n'étais pas là. J'aurais pu poser la question maintenant, mais qu'est-ce que cela aurait changé ? Quelle réponse pouvait me rassurer ? Quelle réponse méritais-je d'entendre ?

Greta s'est levée.

— Tu ne veux pas nous aider ?

— Je vous aiderai. Je ne mentirai pas.

— Et si c'était pour sauver Jane, tu aurais menti ?

Je n'ai pas répondu.

— Si le fait de mentir avait pu sauver la vie de Jane – ou avait pu te rendre ta sœur – l'aurais-tu fait, oui ou non ?

— Tout ceci est extrêmement hypothétique.

— Pas du tout. Parce que c'est ma vie qui est en jeu. Tu refuses de mentir pour la sauver. C'est tout toi, Cope. Tu es prêt à faire n'importe quoi pour les morts. C'est avec les vivants que tu as un problème.

26

MUSE M'AVAIT FAXÉ UN RAPPORT DE TROIS PAGES sur Wayne Steubens.

Faites confiance à Muse. Elle n'avait pas envoyé tout le dossier. Elle l'avait lu d'abord et m'avait résumé les grandes lignes. La plupart des infos, je les connaissais déjà. Je me souviens, quand Wayne avait été arrêté, que tout le monde se demandait pourquoi il s'en prenait à des adolescents. Un psychiatre avait avancé la thèse selon laquelle il aurait subi, enfant, des abus sexuels dans une colonie de vacances. Un autre, toutefois, avait évoqué la facilité du passage à l'acte : après son premier massacre, resté impuni, à la colo PLUS, Steubens avait associé l'excitation, le plaisir qu'il en avait retiré, aux colonies de vacances et, du coup, avait continué sur sa lancée.

Wayne n'avait pas travaillé dans les autres colos. Ç'aurait été trop téléphoné. Ce sont les circonstances qui ont permis son arrestation. C'est comme ça que l'un des meilleurs profileurs du FBI, un certain Geoff Bedford, a réussi à l'identifier. Depuis les quatre premiers meurtres, il figurait sur la liste des suspects. Mais, après le garçon assassiné dans l'Indiana, Bedford s'est intéressé à tous ceux qui auraient pu se trouver sur place en même temps. À commencer par les moniteurs.

Dont je faisais partie, bien sûr.

Au départ, Bedford n'a rien trouvé dans l'Indiana, mais il y avait eu un retrait d'argent liquide dans un distributeur, au nom de Wayne Steubens, d'une ville voisine du lieu de l'assassinat du garçon en Virginie. Ça lui a mis la puce à l'oreille. Il a donc regardé de plus près. Steubens n'avait pas effectué de retraits dans l'Indiana, mais il y en avait eu un à Everett, en Pennsylvanie, et un autre à Columbus, dans l'Ohio, laissant supposer qu'il avait emprunté ce chemin pour s'y rendre depuis New York, son lieu de résidence. Il n'avait pas d'alibi et, pour finir, ils sont tombés sur le propriétaire d'un petit motel à côté de Muncie qui l'a identifié sans aucun mal. Bedford, qui continuait à creuser, a obtenu un mandat d'arrêt.

Ils ont découvert des trophées ensevelis dans le jardin de Steubens.

Pas des quatre premiers meurtres. Mais à l'époque, il en était à ses débuts, et soit il n'avait pas eu le temps, soit il n'avait pas pensé à récolter des souvenirs.

Wayne a refusé de parler. Il clamait son innocence. Se prétendait victime d'un coup monté.

Il a été inculpé pour les meurtres dans l'Indiana et en Virginie. C'est là qu'il y avait le plus de preuves. Des preuves qui manquaient dans notre cas, à nous. D'autres questions demeuraient en suspens. Il n'avait qu'un couteau. Comment avait-il fait pour tuer quatre personnes ? Comment les avait-il entraînées dans les bois ? Qu'avait-il fait des deux corps manquants ? Tout cela pouvait s'expliquer – il avait seulement eu le temps d'enterrer deux corps sur quatre, il les avait poursuivis jusque dans les bois –, mais il restait des tas de zones d'ombre. Alors qu'en Virginie et dans l'Indiana, l'affaire avait été claire.

Lucy a téléphoné vers minuit.

— Comment ça s'est passé avec Jorge Perez ?

— Ils mentent, c'est sûr. Mais lui non plus n'a pas voulu parler.

— Alors, quelle est la prochaine étape ?

— J'ai rendez-vous avec Wayne Steubens.

— C'est sérieux ?

— Eh oui !

— Quand ?

— Demain matin.

Silence.

— Lucy ?

— Oui.

— Tu as pensé quoi, quand il a été arrêté ?

— Comment ça ?

— Wayne avait vingt ans cet été-là, non ?

— Oui.

— J'étais moniteur au bungalow rouge. Lui, au jaune, deux bungalows plus loin. Je le voyais tous les jours. On s'était entraînés sur le terrain de basket pendant une semaine d'affilée, rien que lui et moi. Je le trouvais spécial, oui. Mais de là à l'imaginer en assassin...

— Ces gens-là ne sont pas marqués au fer rouge. Tu devrais savoir ça, toi qui travailles avec des criminels.

— Peut-être. Tu le connaissais aussi, n'est-ce pas ?

— Oui.

— Et tu en pensais quoi ?

— Que c'était un connard.

J'ai souri malgré moi.

— Tu le croyais capable d'une chose pareille ?

— Quoi, d'égorger les gens et de les enterrer vivants ? Non, Cope. Sûrement pas.

— Il n'a pas tué Gil Perez.

— Mais les autres, si. Tu ne vas pas le nier.

— Certes non.

— Et puis, voyons, ça ne peut être que lui qui a tué Margot et Doug. Tu vois une autre explication, toi ? Il était moniteur dans une colo où des meurtres ont eu lieu, et ça lui a donné l'idée de reprendre le flambeau ?

— Ce n'est pas impossible, ai-je répondu.

— Hein ?

— Peut-être bien que ces meurtres sont à l'origine de la vocation de Wayne. Le potentiel, il l'avait déjà, et le séjour dans une colo où l'on égorgeait à tour de bras lui a servi de catalyseur.

— Et tu y crois, à ça ?

— Pas vraiment, mais on ne sait jamais.

— Il y a encore une chose qui me revient à son sujet, a-t-elle dit.

— Laquelle ?

— Wayne était un menteur pathologique. Maintenant que j'ai mon diplôme de psy, je connais le terme technique qui désigne son état. À l'époque, c'était déjà flagrant. Tu ne t'en souviens pas ? Il mentait sur tout et n'importe quoi. Juste pour le plaisir. C'était une seconde nature chez lui. Il aurait menti à propos de ce qu'il avait mangé au petit déjeuner.

J'ai réfléchi un instant.

— Oui, je me rappelle. Quelque part, la frime faisait partie de la vie en colo. Lui, le gosse de riches, cherchait à se faire accepter par nous autres, du camp d'en face. Il revendait de la drogue, disait-il. Il était membre d'un gang. Sa copine posait pour *Playboy*. Il ne racontait que des craques.

— Penses-y quand tu lui parleras.

— Promis.

Il y a eu une pause. Le serpent lové s'était rendormi. D'autres émotions inexprimées avaient pris sa place. Je sentais qu'il y avait toujours quelque chose, entre Lucy et moi. Était-ce de la nostalgie ou le résultat de tout ce stress, je n'aurais su le dire, mais c'était là, et je n'avais pas envie de l'occulter, même si c'était déraisonnable.

— Tu es toujours là ? a-t-elle demandé.

— Oui.

— C'est quand même bizarre, non ? Nous deux.

— C'est vrai.

— Juste pour que tu saches, a dit Lucy. Tu n'es pas tout seul. Je suis là, OK ?

— OK.

— Ça va mieux ?

— Oui. Et toi ?

— Aussi. Ce serait moche si j'étais la seule à ressentir ça.

J'ai souri.

— Bonne nuit, Cope.

— Bonne nuit, Luce.

Le fait d'être un tueur en série – ou du moins d'avoir un gros poids sur la conscience – ne doit pas empêcher de dormir sur ses deux oreilles car Wayne Steubens avait à peine changé en vingt ans. Il avait été beau gosse alors, et il l'était toujours. Il avait troqué ses boucles d'angelot contre une coupe en brosse qui lui allait plutôt bien. Je savais qu'il quittait sa cellule seulement une heure par jour ; il avait dû passer chacune d'elles au soleil car il n'avait pas ce teint blafard propre aux détenus.

J'ai eu droit à un sourire éclatant.

— Tu es venu m'inviter à la réunion des anciens de la colo ?

— Oui, elle se tient à la Rainbow Room à Manhattan. J'espère que tu pourras te libérer.

Wayne a hurlé de rire comme si, de sa vie, il n'avait rien entendu d'aussi drôle. L'interrogatoire promettait d'être coton. Il avait été questionné par les meilleurs agents fédéraux du pays. Il avait été examiné par des psychiatres qui connaissaient toutes les astuces du parfait psychopathe. Une approche normale ne suffirait pas. Nous avions un passé commun. Nous avions même été copains. Il fallait que je joue là-dessus.

Le rire s'est mué en gloussement, puis le sourire s'est évanoui.

— On t'appelle toujours Cope ?

— Oui.

— Alors, comment ça va, Cope ?

— Tout baigne.

— Tout baigne, a-t-il répété. On croirait entendre tonton Ira.

À la colo, on avait l'habitude d'appeler les aînés tonton ou tata.

— Il était sacrément à la masse, Ira. Pas vrai, Cope ?

— Il était ailleurs.

— Ailleurs, oui.

Wayne a détourné son regard. J'ai essayé de me concentrer sur ses yeux bleu pastel, mais ils bougeaient tout le temps. Il avait un petit côté hystérique. Je me suis demandé s'il était sous médicaments – c'était très probable –, et je me suis aussi demandé pourquoi je n'avais pas pensé à me renseigner là-dessus.

— Tu vas me dire pourquoi tu es là ?

Sans me laisser le temps de répondre, Wayne a levé la paume de sa main.

311

— Non, attends. Ne dis rien. Pas tout de suite.

Je m'étais attendu à autre chose. Je ne sais pas quoi, au juste. J'avais cru qu'il serait plus ouvertement cinglé ou plus transparent. Par cinglé, j'entends le fou furieux qu'on imagine quand on parle d'un tueur en série : regard perçant, rumination, intensité, la langue qui passe et repasse sur les lèvres, les mains qui se serrent et se desserrent, la haine à fleur de peau. Or je n'ai rien remarqué de semblable chez Wayne. Par transparent, j'entends le type asocial qu'on croise tous les jours, le gars à la façade lisse qu'on sait menteur et capable du pire. Mais ça non plus, je ne le sentais pas.

L'impression qui se dégageait de Wayne était bien plus terrifiante. Le fait d'être assis là et de lui parler – de parler à l'homme qui, selon toute vraisemblance, avait assassiné ma sœur et au moins sept autres personnes – paraissait normal. Banal même.

— Ça fait vingt ans, Wayne. J'ai besoin de savoir ce qui s'est passé dans ces bois.

— Pourquoi ?

— Parce que ma sœur y était.

— Mais non, Cope, ce n'est pas de ça que je parle.

Il s'est penché légèrement.

— Pourquoi maintenant ? Tu viens de le dire toi-même, ça fait vingt ans. Alors pourquoi, vieux pote, tu me demandes ça maintenant ?

— Je ne sais pas.

Son regard a rencontré le mien. Je me suis efforcé de ne pas ciller. Renversement des rôles : le psychotique était en train de me scruter pour voir si je ne mentais pas.

— Le timing, a-t-il dit, est fort intéressant.

— Comment ça ?

— J'ai eu droit à une autre visite-surprise, ces derniers temps.

J'ai hoché lentement la tête pour ne pas avoir l'air trop pressant.

— Qui est venu te voir ?

— Pourquoi te le dirais-je ?

— Et pourquoi pas ?

Wayne Steubens s'est calé dans son siège.

— Tu es encore beau mec, Cope.

— Toi aussi. Mais il est hors de question qu'on sorte ensemble.

— Je devrais t'en vouloir, en fait.

— Ah oui ?

— Tu m'as gâché ce fameux été.

Compartimenter. J'en avais déjà parlé. Je sais que mon visage n'exprimait rien, mais intérieurement, c'était comme si des rasoirs me lacéraient les tripes. J'étais en train de bavarder avec un massacreur. J'ai regardé ses mains. J'ai imaginé le sang. J'ai imaginé la lame sur la gorge offerte. Ces mains. Ces mains à l'apparence anodine qui reposaient, jointes, sur la table à plateau d'acier. Qu'avaient-elles fait ?

Je me suis forcé à respirer normalement.

— Et de quelle façon ?

— Elle a failli être à moi.

— Qui a failli être à toi ?

— Lucy. Elle allait forcément se dégotter quelqu'un dans cette colo. Sans toi, j'étais en pole position, si tu vois ce que je veux dire.

Ne sachant que répondre, je suis entré dans son jeu.

— Je croyais que tu t'intéressais à Margot Green.

Il a souri.

— Elle était drôlement bien roulée, celle-là.

— C'est vrai.

— Et quelle allumeuse ! Tu te rappelles, la fois où on jouait au basket ?

Ça m'est revenu aussitôt. C'est curieux, la mémoire. Margot était la bombe de la colo, et Dieu sait qu'elle en profitait. Elle portait ces insoutenables petits tops à bretelles dont la seule fonction était d'être plus obscènes que la nudité même. Ce jour-là, une fille s'était blessée en jouant au volley. Une fille dont le nom m'échappe. Je crois que, pour finir, elle s'était cassé la jambe, mais qui s'en souvient aujourd'hui ? En revanche, ce dont on se souvient tous – la scène que j'évoquais avec ce détraqué –, c'est une Margot Green affolée qu'on a vue passer en courant avec ce fichu top, et tout qui ballottait ; elle criait à l'aide, et nous tous, trente ou quarante garçons sur le terrain de basket, nous nous sommes arrêtés et l'avons suivie des yeux, bouche bée.

Les hommes sont des porcs, oui. Y compris les ados. Le monde est bizarre. La nature veut que tous les garçons entre, disons, quatorze et dix-sept ans, deviennent des érections ambulantes. C'est plus fort qu'eux. Pourtant, la société leur interdit de faire autre chose que de souffrir en silence. Et la présence d'une Margot Green décuplait cette souffrance.

Dieu a de l'humour, vous ne trouvez pas ?

— Je me rappelle, ai-je acquiescé.

— Quelle allumeuse, a répété Wayne. Elle avait plaqué Gil, tu le savais ?

— Margot ?

— Ouais. Juste avant les meurtres.

Il a arqué un sourcil.

— Il y a de quoi s'interroger, non ?

Je le laissais parler, dans l'espoir qu'il m'en dirait davantage. Et il ne s'est pas fait prier.

— Je me la suis tapée, figure-toi. Margot. Mais elle n'était pas aussi bonne que Lucy.

Il a mis la main sur sa bouche, comme s'il en avait

314

trop dit. Un véritable numéro d'acteur. Je n'ai pas bronché.

— Tu savais qu'on avait eu une aventure avant que tu n'arrives, Lucy et moi ?

— Mmm.

— Je te trouve un peu vert, Cope. Tu n'es pas jaloux, par hasard ?

— C'était il y a vingt ans.

— En effet. Et, pour être honnête, je me suis arrêté à la deuxième base. Toi, tu as dû aller plus loin, Cope. Je parie que tu as fait un home-run, hein ?

Il cherchait à me faire sortir de mes gonds. Mais je ne marchais pas.

— Un gentleman ne trahit pas ses secrets d'alcôve.

— Évidemment. Ne prends pas mal ce que je te dis là. Vous deux, c'était quelque chose. Un aveugle pouvait s'en rendre compte. Toi et Lucy, c'était du sérieux. L'amour avec un grand A, pas vrai ?

Il a souri et cillé rapidement.

J'ai dit :

— C'est de l'histoire ancienne.

— Tu y crois, toi ? On vieillit, c'est sûr, mais le temps ne change rien aux sentiments. Tu n'es pas d'accord ?

— Non, Wayne, pas vraiment.

— Oui, bon, la vie continue. Tu sais qu'on a accès à Internet, ici. Pas les sites pornos, naturellement, et toutes les communications sont surveillées. Mais j'ai fait des recherches sur la Toile, à ton sujet. Je sais que tu es veuf avec une fille de six ans. Je n'ai pas trouvé son prénom. Elle s'appelle comment ?

Cette fois, je n'ai pas résisté – la réaction a été viscérale. Entendre ce taré parler de ma fille, c'était pire que

315

d'avoir sa photo dans mon bureau. J'ai riposté de but en blanc :

— Que s'est-il passé dans ces bois, Wayne ?

— Il y a des gens qui sont morts.

— Ne joue pas avec moi.

— Il n'y en a qu'un qui joue ici, Cope. Si tu veux la vérité, commençons par toi. Pourquoi es-tu venu ? Aujourd'hui en particulier. Parce que ce n'est pas un hasard. Tu le sais aussi bien que moi.

J'ai jeté un œil par-dessus mon épaule. Nous étions surveillés. J'avais juste demandé qu'on coupe le micro. J'ai fait signe au gardien. Il a ouvert la porte.

— Monsieur ?

— M. Steubens a-t-il eu de la visite, disons, ces quinze derniers jours ?

— Oui, monsieur. Une seule fois.

— Qui était-ce ?

— Je peux avoir son nom, si vous voulez.

— S'il vous plaît.

Le gardien est ressorti. J'ai regardé Wayne. Il n'avait pas l'air ému.

— Touché, a-t-il déclaré. Mais ce n'était pas la peine. Je vais te le dire. C'était un certain Curt Smith.

— Ça ne me dit rien.

— Mais lui, il te connaît. Il travaille pour une boîte qui s'appelle EDC.

— C'est un privé ?

— Oui.

— Et il est venu pour…

Bande de salauds, je comprenais mieux maintenant.

— … pour recueillir des infos susceptibles de me compromettre.

Wayne Steubens a touché le bout de son nez et pointé le doigt sur moi.

316

— Qu'est-ce qu'il t'a offert ?

— Son chef est une ancienne pointure du FBI. Il m'a promis de meilleures conditions de détention.

— Tu lui as dit quelque chose ?

— Non. Pour deux raisons. Premièrement, son offre ne tenait pas debout. Un ex-agent fédéral ne peut rien pour moi.

— Et deuxièmement ?

Steubens s'est penché en avant, de sorte que mon regard se trouve à la hauteur du sien.

— Écoute-moi, Cope. Écoute-moi bien.

Je ne le quittais pas des yeux.

— J'ai fait beaucoup de mal dans ma vie. Je n'entrerai pas dans le détail. Ça ne servirait à rien. J'ai commis des erreurs. Ça fait dix-huit ans que je les paie dans ce trou à rats. Je n'ai rien à faire ici. Sincèrement. Je ne parlerai pas de l'Indiana, de la Virginie et du reste. Les gens qui sont morts là-bas, je ne les connaissais pas. C'étaient des étrangers.

Fermant les yeux, il s'est frotté le visage. Il avait un visage large, au teint luisant. Puis il a rouvert les yeux pour s'assurer que je le regardais toujours. Mais même si j'avais voulu, j'aurais été incapable de le quitter des yeux.

— Mais… et ça, c'est la raison numéro deux, Cope, je n'ai aucune idée de ce qui s'est passé il y a vingt ans dans ces bois. Parce que je n'y étais pas. Je ne sais pas ce qui est arrivé à mes amis – pas des inconnus, Cope, des amis –, Margot Green, Doug Billingham, Gil Perez ou ta sœur.

Silence.

— C'est toi qui as tué ces garçons dans l'Indiana et en Virginie ? ai-je demandé.

— Me croiras-tu si je te dis que non ?

— Il y a eu plein de preuves.

— C'est vrai.

— Mais tu continues à clamer ton innocence.

— C'est vrai aussi.

— Est-ce que tu es innocent, Wayne ?

— Chaque chose en son temps, OK ? Je te parle de cet été-là, en colo. Je n'ai tué personne là-bas. Je ne sais pas ce qui s'est passé dans les bois.

Je n'ai rien dit.

— Tu es procureur maintenant, n'est-ce pas ?

J'ai hoché la tête.

— Il y a des gens qui fouillent dans ton passé. C'est normal. À ta place, je n'y ferais pas attention. Sauf que tu t'es déplacé jusqu'ici. Donc, il y a du nouveau. Du nouveau au sujet de cette nuit-là.

— Où veux-tu en venir, Wayne ?

— Tu as toujours pensé que c'était moi, l'assassin. Mais maintenant, tu n'en es plus très sûr, hein ?

Je n'ai pas répondu.

— Quelque chose a changé. Je le vois sur ton visage. Pour la première fois, tu te demandes sérieusement si j'ai été impliqué dans ces meurtres. Si tu as appris de nouveaux éléments, tu es dans l'obligation de m'en parler.

— Je n'ai aucune obligation, Wayne. Tu n'as pas été jugé pour ces meurtres. Tu as été jugé et condamné pour les meurtres dans l'Indiana et en Virginie.

Il a écarté les bras.

— Raison de plus pour me dire ce que tu as découvert.

Il n'avait pas tort. Si je lui annonçais que Gil Perez n'était pas mort cette nuit-là, ça ne changerait rien à la peine qu'il était en train de purger… puisqu'il n'avait pas été condamné pour le meurtre de Gil. Mais ça jetterait un doute. Une affaire de tueur en série ressemble à un château de cartes : si on apprend qu'une des victimes n'a pas été assassinée – du moins pas au moment où on l'avait cru ni par le tueur en question –, le château a vite fait de s'écrouler.

J'ai donc opté pour la discrétion. Tant que Gil Perez n'avait pas été identifié avec certitude, il n'y avait rien à dire, de toute façon. Je l'ai regardé. C'était un malade mental. Je le pensais, mais comment en être sûr ? D'une manière ou d'une autre, je n'en saurais pas plus aujourd'hui.

Je me suis levé.

— Au revoir, Wayne.

— Au revoir, Cope.

J'ai gagné la porte.

— Cope ?

Je me suis retourné.

— Tu le sais bien, toi, que je ne les ai pas tués ?

Je me suis abstenu de répondre.

— Et si ce n'est pas moi, demande-toi ce qui est réellement arrivé cette nuit-là… pas seulement à Margot, Doug, Gil et Camille. Mais à moi aussi. Et à toi.

27

— IRA, REGARDE-MOI UNE SECONDE.

Assise dans la chambre de son père face à lui, Lucy avait attendu qu'il recouvre un semblant de lucidité. Aujourd'hui, Ira avait exhumé ses vieux vinyles. Il y avait des pochettes avec un James Taylor chevelu, les Beatles traversant Abbey Road (dont Paul pieds nus, donc « mort »). Marvin Gaye arborait une écharpe pour *What's Going On*, et Jim Morrison étalait sa sensualité sur la couverture du premier album des Doors.

— Ira ?

Il souriait devant une vieille photo du temps de la colo. La Coccinelle jaune avait été décorée par les filles du dortoir des grandes. Elles avaient dessiné des fleurs et des symboles de la paix partout. Bras croisés, Ira se tenait au milieu. Les filles étaient massées autour de la voiture. Tout ce monde était en short et tee-shirt, souriant et bronzé. Lucy se rappelait cette journée. Une belle journée, de celles qu'on range dans une boîte, au fond d'un tiroir, et qu'on ressort les jours de gros cafard.

— Ira ?

Le père se tourna vers sa fille.

— Je t'écoute.

Barry Maguire était en train de chanter son célèbre

hymne contre la guerre, *Eve of Destruction*. Bien que troublante, cette chanson avait toujours réconforté Lucy. Il y peint un tableau particulièrement noir. Le monde qui explose, des cadavres dans le Jourdain, la peur qu'on presse le bouton atomique, la haine en Chine communiste et à Selma en Alabama (une rime forcée, mais ça fonctionnait), l'hypocrisie et la violence… et dans le refrain, il demande, avec une dérision à peine voilée, comment l'auditeur peut être assez naïf pour croire que nous ne sommes pas au bord du désastre.

Alors pourquoi trouvait-elle ça réconfortant ?

Parce que c'était vrai. À cette époque-là, en 1965, la planète était à feu et à sang. Mais elle avait survécu… D'aucuns diraient même qu'elle avait prospéré. Le monde n'était pas dans un meilleur état aujourd'hui. On voyait mal comment on allait s'en sortir. Le monde de Maguire était tout aussi terrifiant. Peut-être même pire. Et vingt ans plus tôt, la Seconde Guerre mondiale. Le nazisme. À côté de ça, les années soixante, c'était Disneyland. À cela aussi, on a survécu.

Il semblerait qu'on soit perpétuellement au bord du désastre et qu'on finisse toujours par s'en tirer.

Peut-être que nous sommes faits pour survivre à la destruction que nous engendrons.

Lucy a secoué la tête. Ce qu'elle pouvait être fleur bleue… Pourtant, elle savait démêler le vrai du faux.

Ira s'était fait tailler la barbe aujourd'hui. Mais sa tignasse était toujours aussi broussailleuse. Le gris tirait sur le bleu. Ses mains tremblaient, et Lucy s'est dit que Parkinson n'était pas loin. Ses dernières années n'allaient pas être faciles. D'un autre côté, comment qualifier ce qu'il vivait depuis vingt ans ?

— Qu'y a-t-il, ma chérie ?

Il respirait la sollicitude. L'une des grandes et

authentiques qualités d'Ira, c'est qu'il s'intéressait sincèrement aux autres. Il savait écouter comme personne. Il devinait la souffrance et cherchait un moyen de la soulager. Tout le monde ressentait cette empathie chez Ira : les adolescents, les parents, les amis. Mais quand on était son unique enfant, l'être qu'il aimait le plus au monde, c'était comme une couverture chaude et douillette par une journée de grand froid.

Quel père merveilleux il avait été ! Et comme cet homme-là lui manquait maintenant !

— Dans le registre, j'ai vu que tu as reçu la visite d'un certain Manolo Santiago.

Elle a penché la tête.

— Tu t'en souviens, Ira ?

Le sourire de son père s'est effacé.

— Ira ?

— Je m'en souviens, oui.

— Qu'est-ce qu'il voulait ?

— Parler.

— Parler de quoi ?

Il a pincé les lèvres comme pour s'obliger à garder la bouche fermée.

— Ira ?

Il a secoué la tête.

— S'il te plaît, dis-le-moi.

Il a ouvert la bouche, mais aucun son n'en est sorti. Finalement, il a réussi à lâcher dans un souffle :

— Tu sais bien de quoi il voulait parler.

Lucy a regardé par-dessus son épaule. Ils étaient seuls dans la chambre. Maguire en avait terminé avec sa promesse de l'apocalypse. Les Mamas and Papas ont pris sa place pour leur annoncer que les feuilles avaient jauni.

— La colonie de vacances ? a-t-elle demandé.

322

Il a hoché la tête.

— Et que voulait-il savoir ?

Son père s'est mis à pleurer.

— Ira ?

— Je n'avais pas envie de retourner là-bas.

— Je pense bien.

— Il n'arrêtait pas de poser des questions.

— Quelles questions, Ira ? À propos de quoi ?

Il s'est caché le visage dans les mains.

— S'il te plaît…

— S'il te plaît quoi ?

— Je ne peux plus y retourner. Tu comprends ? Je ne peux plus.

— Tu n'as plus rien à craindre.

Ses épaules tremblaient.

— Ces pauvres gosses…

— Ira ?

Il avait l'air complètement affolé. Elle a dit :

— Papa ?

— J'ai laissé tomber tout le monde.

— Ce n'est pas vrai.

Il sanglotait maintenant sans retenue. Lucy s'est agenouillée devant lui. Elle aussi avait les larmes aux yeux.

— Papa, s'il te plaît, regarde-moi.

Rien à faire. L'infirmière, Rebecca, a passé la tête par la porte.

— Je vais lui chercher quelque chose.

Lucy a levé la main.

— Non.

Ira a poussé un gémissement.

— Je pense qu'il a besoin d'un calmant.

— Pas tout de suite. On est… s'il vous plaît, laissez-nous.

— Il est sous ma responsabilité.

— Tout va bien. C'est une conversation personnelle. Il est ému, voilà tout.

— Je vais chercher le médecin.

Lucy allait protester, mais l'infirmière était déjà partie.

— Je t'en prie, Ira, écoute-moi.

— Non...

— Que lui as-tu dit ?

— Je n'ai pas réussi à protéger tout le monde. Tu comprends ?

Rien du tout. Les mains sur ses joues, elle a tenté de lui relever la tête. Son hurlement a failli la faire tomber en arrière. Elle l'a lâché. Il s'est reculé en renversant sa chaise et est allé se blottir dans un coin.

— Non... !

— Tout va bien, papa. C'est...

— Non !

Rebecca est revenue avec deux autres femmes. L'une d'elles – Lucy l'a reconnue – était le médecin. L'autre, une collègue infirmière, avait une seringue hypodermique.

Rebecca a dit :

— Ça va aller, Ira.

Elles se sont approchées de lui. Lucy s'est interposée.

— Sortez.

Le médecin – sur son badge on lisait Julie Contrucci – s'est raclé la gorge.

— Il est très agité.

— Moi aussi, a rétorqué Lucy.

— Pardon ?

— Vous dites qu'il est agité. Et alors ? À moi aussi, ça m'arrive d'être agitée. Pas à vous ?

— Il ne va pas bien.

— Mais si. J'ai besoin qu'il reste lucide encore quelques minutes.

Ira a laissé échapper un sanglot.

— Vous appelez ça lucide ?

— Il me faut un peu de temps.

Le Dr Contrucci a croisé les bras.

— Ce n'est pas à vous de décider.

— Je suis sa fille.

— Votre père est ici de son plein gré. Il est libre de ses mouvements. Aucun tribunal n'a prononcé son incapacité. La décision lui appartient.

Contrucci s'est tournée vers Ira.

— Désirez-vous un sédatif, monsieur Silverstein ?

Il les dévisageait l'une après l'autre comme un animal traqué.

— Monsieur Silverstein ?

Son regard s'est arrêté sur sa fille, et il s'est remis à pleurer.

— Je n'ai rien dit, Lucy. Que voulais-tu que je lui dise ?

Il a éclaté en sanglots. Le médecin a regardé Lucy. Lucy a regardé son père.

— Tout va bien, Ira.

— Je t'aime, Luce.

— Je t'aime aussi.

Les infirmières se sont rapprochées. Ira a tendu le bras. Un sourire rêveur flottait sur ses lèvres quand l'aiguille a pénétré dans la veine. Lucy, ça lui a rappelé son enfance. Il avait fumé de l'herbe devant elle en toute sérénité. Elle l'a revu, inspirant profondément, avec ce même sourire, et s'est demandé pourquoi il avait eu besoin de ça. Après la colonie, les choses s'étaient aggravées. Durant son enfance, la drogue avait simplement fait partie de lui… fait partie du « mouvement ».

À présent, Lucy se posait des questions. C'était comme la boisson pour elle. Y avait-il un gène de l'addiction ? Ou bien Ira, de la même façon que Lucy, recourait-il à des agents externes – la drogue, l'alcool – pour s'évader, s'étourdir, éviter de voir la réalité en face ?

28

— ALLEZ, DITES-MOI QUE VOUS PLAISANTEZ.

L'agent spécial Geoff Bedford et moi étions attablés dans une gargote tout ce qu'il y avait de banal, avec une façade en aluminium et les photos signées des présentateurs des chaînes de télé locales aux murs. Bedford était un homme d'allure soignée, avec une moustache en croc aux pointes cirées. J'avais déjà dû en voir dans ma vie, mais je ne me rappelais plus où. Il ne lui manquait plus que trois autres compères pour former un quatuor de chanteurs burlesques.

— Je ne plaisante pas, ai-je répliqué.

La serveuse est arrivée. Celle-là ne nous a pas appelés « mon chou ». Ça m'a fait de la peine. Bedford, qui jusque-là étudiait la carte, s'est contenté de commander un café. J'ai reçu le message et demandé la même chose. Nous lui avons rendu la carte. Il a attendu qu'elle parte.

— C'est Steubens qui les a tués. À l'époque, ça ne faisait aucun doute. Aujourd'hui non plus. Et je ne parle même pas de doute bien fondé. Ça ne fait absolument aucun doute, point.

— Ces quatre premiers meurtres, dans les bois.

— Eh bien ?

— Il n'y a pas de preuves contre lui.

— Pas de preuves matérielles.

— Quatre victimes, ai-je dit. Dont deux jeunes filles, Margot Green et ma sœur.

— C'est exact.

— Aucune autre victime de Steubens n'était de sexe féminin.

— Exact, encore une fois.

— Tous étaient des garçons qui avaient entre seize et dix-huit ans. Vous ne trouvez pas ça bizarre ?

Il m'a regardé comme si j'étais tombé sur la tête.

— Écoutez, monsieur Copeland, j'ai accepté de vous rencontrer parce que vous êtes procureur de comté, et parce que votre propre sœur est morte de la main de ce monstre. Mais cette discussion…

— Je viens de parler à Wayne Steubens.

— Je suis au courant. Je vous signale que ce type est un psychopathe et un menteur pathologique.

J'ai repensé à ce que m'avait dit Lucy. Je me suis aussi souvenu des propos de Wayne – de sa prétendue aventure avec Lucy avant mon arrivée à la colo.

— Je sais, ai-je répondu.

— Je n'en suis pas si sûr. Laissez-moi vous expliquer une chose. Wayne Steubens a fait partie de ma vie pendant près de vingt ans. Songez-y. Il peut être très convaincant, quand il s'y met.

Ne sachant pas quelle attitude adopter, j'ai pris un chemin détourné.

— Il y a eu de nouveaux éléments depuis.

Bedford a froncé les sourcils. Les bouts de sa moustache se sont incurvés en même temps que ses lèvres.

— De quoi parlez-vous ?

— Vous savez qui est Gil Perez ?

— Évidemment. Je connais ce dossier par cœur.

— Son corps n'a jamais été retrouvé.

— Celui de votre sœur non plus.

— Comment vous expliquez ça ?

— Vous y étiez, dans cette colonie. Vous connaissez le coin.

— Oui.

— Savez-vous combien d'hectares de bois il y a là-bas ?

— Oui.

Il a levé sa main droite et l'a regardée.

— Ohé, madame Aiguille ?

Puis il s'est livré au même petit numéro avec sa main gauche.

— Je vous présente mon amie, Mme Botte-de-Foin.

— Wayne Steubens n'est pas très costaud.

— Et alors ?

— Doug faisait plus d'un mètre quatre-vingts. Gil était un coriace. Comment, d'après vous, a-t-il fait pour en venir à bout ?

— Avec un couteau, voilà comment. Margot Green était ligotée. Il a suffi de lui trancher la gorge. Pour les autres, nous ignorons le mode opératoire. Peut-être les a-t-il ligotés aussi… à des endroits différents. On n'en sait fichtre rien. Il a rattrapé Doug Billingham. Son corps a été découvert dans une cavité peu profonde à huit cents mètres de celui de Margot. Il portait des traces de coups de couteau, notamment aux mains, quand il a essayé de se défendre. On a aussi trouvé du sang et des vêtements appartenant à votre sœur et à Gil Perez. Tout ça, vous le savez déjà.

— En effet.

Bedford a fait basculer sa chaise en arrière, de sorte que seules ses pointes de pied touchaient le sol.

— Alors dites-moi, monsieur Copeland, quels sont ces nouveaux éléments dont vous disposez ?

— Gil Perez.

— Oui, eh bien ?

— Il n'est pas mort à ce moment-là. Il est mort cette semaine.

La chaise est retombée en avant.

— Je vous demande pardon ?

Je lui ai parlé de Manolo Santiago. Dire qu'il avait l'air sceptique serait bien en deçà de la réalité. L'agent Bedford me toisait comme si j'essayais de le convaincre de l'existence du Père Noël.

— Voyons si j'ai bien compris.

La serveuse nous a apporté nos cafés. Il a soulevé sa tasse délicatement, tenant le bord à l'écart de sa moustache.

— Les parents de Perez nient que c'est lui. La brigade criminelle de Manhattan ne croit pas que ce soit lui. Et vous me dites…

— … que c'est lui.

Bedford s'est esclaffé.

— Je pense que vous avez accaparé assez de mon temps, monsieur Copeland.

Il a reposé sa tasse et entrepris de se lever.

— Je sais que c'est lui. J'ai juste besoin d'un peu de temps pour le prouver.

Bedford s'est arrêté.

— OK, d'accord. Admettons. Admettons que ce soit réellement Gil Perez. Qu'il ait survécu au massacre de cette nuit-là.

— Très bien.

— Ça n'enlève rien à la culpabilité de Wayne Steubens. Rien du tout. Beaucoup de gens pensaient… (en disant cela, il m'a transpercé du regard)… qu'il avait un complice. Vous-même demandez comment il s'est débrouillé pour venir à bout de quatre personnes. Ma foi, s'ils étaient deux et qu'il n'y ait eu que trois victimes, voilà qui nous simplifie les choses, non ?

— Maintenant vous soupçonnez Perez d'avoir été son complice ?

— Non. Je ne crois même pas qu'il ait survécu. Tout ça, c'est de la spéculation pure. À supposer que le cadavre à la morgue de Manhattan soit au final celui de Gil Perez.

J'ai ajouté du lait et un sachet d'édulcorant à mon café.

— Connaissez-vous sir Arthur Conan Doyle ?

— Le gars qui a écrit Sherlock Holmes ?

— Exactement. L'un des axiomes de Sherlock est le suivant : « C'est une grossière erreur que d'émettre des hypothèses avant d'avoir des données... car on a tendance à déformer les faits pour étayer les hypothèses, au lieu que les hypothèses viennent étayer les faits. »

— Vous mettez ma patience à rude épreuve, monsieur Copeland.

— Je vous ai apporté un fait nouveau. Plutôt que de repenser ce qui est arrivé, vous avez trouvé le moyen de le déformer pour illustrer votre hypothèse.

Il m'a dévisagé. Je ne lui en voulais pas. Si j'insistais lourdement, c'était pour qu'on avance.

— Vous connaissez le passé de Wayne Steubens ? a-t-il demandé.

— Un peu.

— Il correspond pile-poil au profil.

— Un profil n'est pas une preuve.

— Non, mais ça aide à en trouver. Savez-vous que des animaux ont disparu dans son quartier, quand Steubens était ado ?

— Ah oui ? La voilà, la preuve dont j'avais besoin.

— Je peux vous donner un exemple en guise
d'illustration ?

— Je vous en prie.

— Nous avons un témoin oculaire pour ce cas précis.
Un garçon qui se nomme Charlie Kadison. Il n'a rien dit
à l'époque parce qu'il avait trop peur. Quand Steubens
avait seize ans, il a enterré un petit chien blanc… je ne
sais plus la race, une race française…

— Un bichon ?

— C'est ça. Il l'a enterré jusqu'au cou. Seule sa tête
dépassait. La bête était incapable de bouger.

— C'est immonde.

— Attendez qu'on en arrive au pire.

Bedford a bu une toute petite gorgée, puis il a posé sa
tasse et s'est essuyé la bouche avec une serviette.

— Donc, après avoir enterré le chien, votre vieux
copain de colo est allé frapper chez les Kadison. Pour
demander à emprunter leur motoculteur.

Il a marqué une pause, m'a regardé et a hoché la tête.
J'ai dit :

— Beurk.

— J'ai d'autres exemples comme ça. Une bonne
dizaine.

— Et avec tout ça, Wayne Steubens a décroché ce
job de moniteur à la colo…

— Ça vous étonne ? Cet Ira Silverstein… pour ce
qu'il devait se soucier du pedigree !

— Et personne n'a songé à Wayne quand les
meurtres ont eu lieu ?

— Nous ne savions rien de tout ça. C'était la police
locale qui était sur l'affaire, pas nous. Du moins au
début. Qui plus est, les gens avaient trop peur pour se
manifester durant les jeunes années de Steubens. Un peu
comme Charlie Kadison. N'oubliez pas non plus qu'il

vient d'une famille riche. Son père est mort quand il était petit, mais sa mère le couvait, elle devait donner de l'argent à droite et à gauche. Elle l'a surprotégé. C'était quelqu'un de très conformiste, très strict.

— Vous avez pointé autre chose dans votre profil du parfait tueur en série ?

— Il ne s'agit pas seulement de son profil, monsieur Copeland. Vous connaissez les faits. Il habitait New York… et cependant, chaque fois, il s'est trouvé sur place – en Virginie, dans l'Indiana, en Pennsylvanie – au moment des meurtres. Ça fait beaucoup de coïncidences. Et le pompon, bien entendu : une fois qu'on a eu le mandat de perquisition, on a découvert chez lui des objets, trophées classiques, ayant appartenu aux victimes.

— Pas toutes, ai-je observé.

— Il y en avait suffisamment.

— Mais rien qui se rapporte aux quatre premiers ados.

— C'est vrai.

— Pourquoi, à votre avis ?

— Ce que j'en pense ? Il devait être à la bourre. Occupé à se débarrasser des corps, il n'a pas eu le temps.

— Là encore, j'ai l'impression que vous déformez les faits pour les adapter à votre théorie.

Se laissant aller en arrière, il m'a examiné.

— Quelle est votre explication, monsieur Copeland ? Je brûle d'impatience de l'entendre.

Je n'ai rien dit.

Il a écarté les bras.

— Qu'un tueur en série qui a égorgé des adolescents dans l'Indiana et en Virginie s'est retrouvé par hasard moniteur dans une colonie de vacances où deux autres personnes au moins se sont fait égorger ?

Il marquait un point. C'était l'obstacle contre lequel je butais depuis le début.

— Déformés ou pas, les faits sont là. Vous qui êtes procureur, dites-moi ce qui s'est passé d'après vous.

Bedford attendait ma réponse.

— Je ne sais pas encore. Il est peut-être trop tôt pour formuler une hypothèse. Nous avons besoin de plus d'informations.

— Et pendant que vous vous informez, quelqu'un comme Wayne Steubens tue d'autres adolescents.

Il avait marqué un second point. J'ai songé aux preuves qui incriminaient Jenrette et Marantz dans mon affaire de viol. Objectivement parlant, il y en avait autant – sinon plus – contre Wayne Steubens.

Du moins, il y en avait eu.

— Il n'a pas tué Gil Perez, ai-je dit.

— Je vous ai entendu. Allez, on le retire de l'équation, pour suivre votre raisonnement. Disons qu'il n'a pas tué le jeune Perez.

Il a levé les deux mains, paumes vers le ciel.

— Qu'est-ce qui vous reste ?

J'ai ruminé sa question. Il me restait à me demander ce qui était arrivé à ma sœur.

29

UNE HEURE PLUS TARD, J'ÉTAIS DANS L'AVION. La porte ne s'était pas encore refermée que déjà j'avais Muse au téléphone.

— Ça s'est passé comment, avec Steubens ?

— Je vous raconterai tout à l'heure. Et au tribunal ?

— Beaucoup de gesticulations pour pas grand-chose, d'après ce qu'on m'a dit. À tout bout de champ, on promet de « considérer le problème avec soin ». C'est assommant, la justice. Comment faites-vous pour ne pas vous tirer une balle des jours comme celui-ci ?

— Ça demande du travail. Rien de nouveau, alors ?

— J'ai soumis les textes envoyés à votre amie Lucy à notre petit génie de l'informatique.

— Et ?

— Ça colle avec ce que vous saviez déjà. À première vue, en tout cas.

— Comment ça, à première vue ?

— J'ai pris les infos qu'il avait glanées et j'ai fouillé, j'ai donné deux ou trois coups de fil. Le résultat est intéressant.

— Alors ?

— Je crois savoir qui les a envoyés.

— Qui ?

— Vous avez votre BlackBerry sur vous ?

— Oui.

— Parce que j'en ai un paquet. Il vaut mieux que je vous mette ça par e-mail.

— OK.

— Je ne vous en dis pas plus. On verra si vous arrivez aux mêmes conclusions que moi.

J'ai repensé à ma conversation avec Geoff Bedford.

— Vous avez peur que je déforme les faits pour étayer des hypothèses ?

— Hein ?

— Non, rien. Envoyez-moi votre e-mail, Muse.

Quatre heures après avoir quitté Geoff Bedford, je me suis retrouvé dans un bureau voisin de celui de Lucy, le bureau d'un professeur d'anglais actuellement en congé sabbatique. Lucy avait la clé.

Elle était en train de regarder par la fenêtre quand son assistant, un dénommé Lonnie Berger, est entré sans frapper. Curieux. Lonnie m'a fait penser au père de Lucy, Ira. Un marginal aux allures de Peter Pan. Je ne tape pas sur les hippies ou les gauchistes… appelez-les comme vous voudrez. On a besoin d'eux. Je suis fermement convaincu qu'on a besoin des extrémistes des deux camps, même – et peut-être surtout – ceux qu'on désapprouve et qu'on serait prêt à haïr. Sans eux, la vie serait fade. On fourbirait moins bien ses arguments. Au fond, quand on y pense, sans la droite il n'y aurait pas de gauche. Et sans les deux, il n'y aurait point de centre.

— Qu'est-ce qui se passe, Luce ? J'ai un rencard superchaud avec ma petite serveuse…

Lonnie m'a aperçu et s'est arrêté net au milieu de la phrase.

— C'est qui, lui ?

Lucy regardait toujours par la fenêtre.

— Et pourquoi sommes-nous dans le bureau du Pr Mitnick ?

— Paul Copeland, ai-je dit, lui tendant la main.

— Waouh ! Vous êtes le gars du récit... M. P. ou un truc comme ça ?

— Oui, Lucy m'a parlé de vos talents de détective amateur. Comme vous le savez probablement, j'en ai quelques-uns, des détectives – des enquêteurs professionnels, plus exactement –, sous mes ordres.

Lonnie a lâché ma main.

— Vous n'auriez pas un aveu à nous faire ? ai-je demandé.

— De quoi parlez-vous ?

— Vous aviez raison, l'e-mail provenait bien d'un ordinateur de la bibliothèque Frost, et il a été envoyé à dix-huit heures quarante-deux. Sauf que Sylvia Potter n'y était pas à cette heure.

Il a reculé d'un pas.

— En revanche, vous, Lonnie, vous y étiez.

Le sourire en coin, il a secoué la tête. Histoire de gagner du temps.

— Mais c'est n'importe quoi ! Attendez une minute...

Le sourire a disparu. Il a pris un air faussement offensé.

— Voyons, Luce, vous n'allez pas croire que je...

Elle a fini par se retourner sans mot dire.

Lonnie m'a pointé du doigt.

— Vous n'allez pas croire ce type, hein ? Il est...

— Je suis quoi ?

Pas de réponse. Lucy se contentait de le regarder. Peu à peu, il a semblé se ratatiner sous ce regard et, pour finir, il s'est laissé tomber dans un fauteuil.

— Et merde.

Nous nous sommes tus. Lonnie a baissé la tête.

— Vous ne comprenez pas.

— Expliquez-nous alors, ai-je dit.

Il a levé les yeux sur Lucy.

— Vous lui faites confiance, à ce type ?

— Bien plus qu'à vous.

— Vous avez tort. C'est un mauvais plan, Luce.

— Merci de cette chaleureuse recommandation, ai-je commenté. Bien, pourquoi avez-vous envoyé ce texte à Lucy ?

Il s'est mis à tripoter une boucle d'oreille.

— Je ne suis pas obligé de vous répondre.

— Bien sûr que si. Je suis le procureur du comté.

— Et alors ?

— Je peux vous faire arrêter pour harcèlement.

— Faudrait-il encore prouver que j'ai envoyé quoi que ce soit.

— Ce ne sera pas compliqué. Vous pensez vous y connaître en informatique, et vous devez en effet maîtriser deux ou trois astuces, de quoi épater les étudiantes de première année. Mais nous, au bureau, on a des spécialistes... des professionnels chevronnés. Nous savons que c'est vous qui avez envoyé le texte. La preuve, on l'a déjà.

Il réfléchissait. Fallait-il persister à nier ou bien choisir une nouvelle ligne de défense ? Il a opté pour le changement.

— Et même si c'était moi, où est le harcèlement là-dedans ? Depuis quand est-ce illégal d'envoyer un texte de fiction à un professeur d'université ?

— Je pourrais vous faire renvoyer, a répondu Lucy.

— Peut-être, peut-être pas. Mais, strictement entre nous, Luce, vous avez plus de choses à cacher que moi.

C'est vous qui mentez sur vos origines. Vous qui avez changé de nom pour échapper à votre passé.

Cet argument, visiblement, a plu à Lonnie. Se redressant, il a croisé les bras d'un air suffisant. J'ai eu envie de le gifler. Lucy ne le quittait pas des yeux. Lui fuyait son regard. Je me suis écarté légèrement pour lui faire de la place.

— Je croyais qu'on était amis, a-t-elle dit.

— Mais on est amis.

— Alors ?

Il a secoué la tête.

— Vous ne comprenez pas.

— Eh bien, éclairez-moi.

Lonnie s'est remis à triturer sa boucle d'oreille.

— Pas devant lui.

— Si, devant moi, Lonnie.

J'avais bien fait de m'effacer.

Je lui ai tapé sur l'épaule.

— Je suis votre nouveau meilleur pote, Lonnie. Vous savez pourquoi ?

— Non.

— Parce que je suis un représentant de l'autorité, investi d'un pouvoir et en colère par-dessus le marché. Et à mon avis, si mes enquêteurs secouent votre cocotier, il en tombera forcément quelque chose.

— Impossible.

— Vous voulez des exemples ?

Comme il n'a pas répondu, j'ai sorti mon BlackBerry.

— J'ai tout votre casier là-dessus. Par quoi on commence ?

Adieu, l'air suffisant.

— Tout est là, mon vieux. Même les renseignements confidentiels. C'est ça, quand on est un officier du ministère public en colère. Vous êtes fait comme un rat.

339

Alors trêve de conneries et dites-moi pourquoi vous avez envoyé ce texte.

J'ai croisé le regard de Lucy. Elle a hoché imperceptiblement la tête. Peut-être comprenait-elle. Nous avions préparé une stratégie avant l'arrivée de Lonnie. Si elle était seule avec lui, il lui ferait son numéro habituel : il raconterait des salades, chanterait, danserait et tenterait de se servir de leur relation amicale pour l'embobiner. Je connaissais le genre. Il se la jouerait cool, sourire en coin et air charmeur, mais un type comme Lonnie, quand on lui met la pression, finit toujours par craquer. L'intimidation est bien plus payante, chez un Lonnie, que le fait d'en appeler à sa prétendue amitié.

Il s'était tourné vers Lucy.

— Je n'avais pas le choix.

Les excuses, maintenant. Parfait.

— En vérité, j'ai fait ça pour vous, Luce. Pour vous protéger. Et moi aussi, par la même occasion. Je n'ai pas vraiment mentionné mes interpellations par la police quand j'ai postulé pour ce job à Reston. S'ils le découvrent, je serai viré. Sans autre forme de procès. C'est ce que les gars m'ont dit.

— Quels gars ? ai-je demandé.

— Je ne connais pas leur nom.

— Lonnie…

— Sérieusement. Ils ne se sont pas présentés.

— Et qu'est-ce qu'ils vous ont dit ?

— Ils ont promis que Lucy n'en pâtirait pas. Que ce n'était pas elle qui les intéressait. Ils ont dit que j'œuvrais pour le bien public, que c'était…

Lonnie a pivoté très ostensiblement vers moi.

— … pour les aider à arrêter un assassin.

Il a dardé son regard sur moi, ce qui ne m'a pas

franchement impressionné. Je m'attendais à ce qu'il déclame : « J'accuse ! » Comme rien ne venait, j'ai dit :

— Juste pour que vous le sachiez, intérieurement, je suis tout tremblant.

— Ils pensent que vous pourriez être mêlé à ces meurtres.

— Excellent, je vous remercie. Et ensuite, Lonnie ? Ils vous ont donné ce texte à envoyer ?

— Oui.

— Qui l'a écrit ?

— Je ne sais pas. Eux, j'imagine.

— Vous parlez d'eux au pluriel. Combien étaient-ils ?

— Deux.

— Et comment s'appelaient-ils, Lonnie ?

— Je vous dis que je n'en sais rien. Écoutez, c'étaient des privés, OK ? Ils m'ont dit qu'ils avaient été engagés par la famille d'une des victimes.

La famille d'une des victimes, mon œil. Ils mentaient effrontément. C'était EDC, le cabinet de détectives privés de Newark. Soudain, le tableau devenait clair. Très clair.

— Ils ont cité le nom de leur client ?

— Non. Secret professionnel.

— Je pense bien. Et qu'ont-ils dit d'autre ?

— Que leur cabinet enquêtait sur ces anciens meurtres. Ils ne croyaient pas à la version officielle, celle de l'Égorgeur de l'été.

J'ai regardé Lucy. Elle était au courant de mes entrevues avec Wayne Steubens et Geoff Bedford. Nous avions parlé de cette nuit-là, de notre propre rôle, des erreurs qu'on avait commises, de notre certitude à l'époque que tous les quatre étaient morts, et que l'assassin était Wayne Steubens.

341

Aujourd'hui, nous ne savions plus que penser.

— Autre chose ?

— C'est tout.

— Allez, Lonnie.

— C'est tout ce que je sais, je le jure.

— Ça m'étonnerait. Voyons, ces gars-là ont envoyé le texte en question à Lucy pour la faire réagir, non ?

Il n'a pas répondu.

— Vous étiez censé la surveiller. Vous deviez leur rapporter ses faits et gestes. C'est pour ça que vous êtes venu lui raconter que vous aviez découvert des choses à son sujet sur Internet. Vous espériez qu'elle se confierait à vous. Ça faisait partie de votre mission, n'est-ce pas ? Profiter de sa confiance pour vous insinuer dans ses bonnes grâces.

— Ce n'est pas ça du tout.

— Mais bien sûr que si. Vous ont-ils offert une prime en échange de toutes ces infos ?

— Une prime ?

— Oui, Lonnie, une prime. En espèces sonnantes et trébuchantes.

— Je n'ai pas fait ça pour de l'argent.

J'ai secoué la tête.

— C'est très vilain de mentir.

— Quoi ?

— À qui voulez-vous faire croire que c'était par peur d'être dénoncé ou par souci altruiste de démasquer un tueur ? Ils vous ont payé, pas vrai ?

Il a ouvert la bouche pour protester. Je ne lui en ai pas laissé le loisir.

— Ces mêmes enquêteurs dont je vous ai parlé peuvent faire rouvrir un casier judiciaire, ils ont accès à des comptes en banque. Ils sont en mesure, par exemple, de retrouver la trace d'un dépôt de cinq mille dollars en liquide. Comme celui que vous avez effectué il y a cinq jours à la Chase de West Orange.

Lonnie a refermé sa bouche. Il fallait rendre à Muse ce qui lui appartenait : c'était vraiment une enquêteuse hors pair.

— Je n'ai rien commis d'illégal.

— Ça se discute, mais là, tout de suite, je ne suis pas d'humeur. Qui a écrit ce texte ?

— Je ne sais pas. Ils me l'ont remis en disant de le lui refiler par petites doses.

— Ils n'ont pas dit comment ils avaient obtenu ces renseignements ?

— Non.

— Aucune idée ?

— Ils avaient leurs sources. Écoutez, ils savaient tout sur moi. Ils savaient tout sur Lucy. Mais c'est vous qu'ils voulaient, vieux. C'est tout ce qui les intéressait. La moindre petite chose qu'elle pouvait me dire sur Paul Copeland… le voilà, le but de l'opération. Ils pensent que vous pourriez être un assassin.

— Non, Lonnie, ils pensent que vous pourriez être le crétin qui les aiderait à me traîner dans la boue.

Déconcerté. Lonnie a fait de son mieux pour paraître déconcerté. Il a levé les yeux sur Lucy.

— Je suis désolé. Jamais je ne jouerais contre vous. Vous le savez bien.

— Faites-moi plaisir, Lonnie, a-t-elle rétorqué. Fichez le camp, que je ne vous revoie plus.

30

ALEXANDER « SASH » SIKORSKI ÉTAIT SEUL dans son luxueux appartement.

On s'habitue à son cadre de vie. C'est comme ça. Le bien-être était devenu la norme. Lui, le dur à cuire, était-il encore capable de semer la ruine sans sourciller ? La réponse était non. Ce n'était pas l'âge qui l'avait affaibli. C'était le confort.

Dans son enfance, la famille de Sash s'était trouvée prise dans le terrible piège du blocus de Leningrad. Assiégée par les troupes nazies, la ville avait vécu un calvaire sans nom. Sash avait eu cinq ans le 21 octobre 1941, un mois après le début du siège. Pour son sixième, puis son septième anniversaire, le blocus n'était toujours pas levé. En janvier 1942, avec les rations fixées à cent grammes de pain par jour, le frère de Sash, Gavril, douze ans, et sa sœur, Alena, huit ans, sont morts de faim. Lui a survécu en mangeant des animaux errants. Des chats essentiellement. Les gens qui entendent ces récits n'en mesurent pas toute l'horreur, toute la souffrance. On est impuissant. On subit, c'est tout.

Mais même ça – même l'horreur –, on finit par s'y faire. Comme le confort, l'innommable peut paraître normal.

Sash se rappelait son premier séjour aux États-Unis. Partout, on pouvait acheter de la nourriture. Il n'y avait pas la queue. Pas de pénurie. Il avait acheté un poulet. Qu'il avait mis au congélateur. Il n'arrivait pas à y croire. Un poulet. La nuit, il se réveillait trempé de sueur. Il se précipitait vers le congélateur, l'ouvrait et, en regardant le poulet, il se sentait en sécurité.

Ce réflexe, il l'avait gardé.

La majorité de ses anciens collègues regrettaient le passé. L'époque où ils étaient au pouvoir. Quelques-uns étaient rentrés au pays, mais la plupart étaient restés. C'étaient des hommes aigris. Sash en avait embauché plusieurs parce qu'il leur faisait confiance et qu'il voulait les aider. Tous avaient une histoire. Lorsque les temps étaient durs et que ses ex-amis du KGB avaient tendance à pleurer sur leur sort, il savait qu'eux aussi ouvraient leur frigo et s'émerveillaient du chemin parcouru.

On ne se soucie pas du bonheur et de l'épanouissement quand on a le ventre vide.

C'est une chose à ne pas oublier.

À vivre parmi cette invraisemblable abondance, on se perd. On se préoccupe de bêtises comme la spiritualité, l'équilibre intérieur, la plénitude, les rapports à autrui. On n'imagine pas un instant la chance qu'on a. On n'imagine pas ce que c'est que de crever de faim, d'être réduit à l'état de squelette, de rester là bras ballants pendant que quelqu'un qu'on aime, quelqu'un de jeune et qui jusque-là était en bonne santé, s'éteint tout doucement, et que tout au fond de soi, au fond de ses tripes, on se réjouit presque car, au lieu de la bouchée de pain quotidienne, on aura droit à une bouchée et demie.

Quiconque croit qu'on est autre chose que des animaux est naïf. Tous les humains sont des sauvages.

Ceux qui sont bien nourris sont plus paresseux, voilà tout. Ils n'ont pas besoin de tuer pour se procurer de la nourriture. Du coup, ils se parent de beaux habits et se fixent des objectifs prétendument élevés qui leur donnent l'illusion d'être au-dessus de la mêlée. Quelle sottise ! Les sauvages ont davantage faim. C'est là toute la différence.

On commet des atrocités pour survivre. Quiconque se croit au-dessus de ça se met le doigt dans l'œil.

Le message était arrivé sur son ordinateur.

C'est ainsi que ça marchait de nos jours. Pas par téléphone, pas par personne interposée. Par ordinateur. Par e-mail. C'était un moyen de communication facile et discret. Comment l'ancien régime soviétique aurait-il géré Internet ? Son pouvoir reposait en grande partie sur le contrôle de l'information. Or allez donc contrôler ce qui circule sur le Net ! Ou peut-être que ça ne changeait pas grand-chose. Au final, ce sont les fuites qui permettent de venir à bout de l'ennemi. Les gens parlent. Les gens se vendent les uns les autres. Ils trahissent leurs voisins et leurs proches. Certains pour une bouchée de pain. D'autres pour un passeport vers la liberté. Tout dépend du degré de la famine.

Sash a relu le message. C'était clair et concis. Il ne savait pas trop qu'en penser. Il y avait un numéro de téléphone. Il y avait une adresse. Mais c'était la première ligne de l'e-mail qui attirait son regard. Quelques mots tout simples.

NOUS L'AVONS RETROUVÉE.

Et maintenant, il se demandait que faire.

J'ai passé un coup de fil à Muse.

— Vous pouvez me retrouver Celia Shaker ?

— Sûrement. Pourquoi ?

— J'ai deux ou trois questions à lui poser sur le fonctionnement d'EDC.

— Je m'en occupe.

J'ai raccroché. Lucy regardait à nouveau par la fenêtre.

— Ça va ?

— J'avais confiance en lui.

J'allais compatir à voix haute, mais j'ai préféré m'abstenir.

— Tu avais raison, a-t-elle dit.

— À propos de quoi ?

— Lonnie Berger était sans doute mon ami le plus proche. Celui en qui j'avais le plus confiance. À part Ira, bien sûr, qui a déjà un bras dans une camisole de force.

Je me suis forcé à sourire.

— Au fait, de quoi ai-je l'air, à pleurer sur moi-même ? Ça doit être beau à voir, hein ?

— Pour ne rien te cacher, oui.

Elle a fait volte-face.

— Qu'est-ce qu'on fait, Cope, on retente le coup ? Une fois que tout ça sera fini et qu'on saura ce qui est arrivé à ta sœur. Est-ce qu'on revient à nos occupations… ou on essaie de voir ce que ça peut donner ?

— J'adore quand tu tournes autour du pot.

Lucy ne souriait pas.

— Oui, ai-je dit, je veux bien essayer.

— Bonne réponse. Très bonne.

— Merci.

— Je n'ai pas envie d'être la seule à jouer ma vie.

— Tu n'es pas seule. On est dans le même bateau.

— Alors, a-t-elle demandé, qui a tué Margot et Doug ?

— Ça, c'est ce qu'on appelle une transition !

— Oui, bon, plus vite on le saura…

Elle a haussé les épaules.

— Tu sais quoi ? ai-je dit.

— Non.

— C'est si facile de me rappeler pourquoi je suis tombé amoureux de toi.

Elle a tourné la tête.

— Je ne vais pas pleurer, je ne vais pas pleurer, je ne vais pas pleurer…

— Je ne sais plus qui les a tués.

— OK. Et Wayne Steubens ? Tu penses toujours que c'est lui ?

— Je n'en sais rien. Ce qui est sûr, en revanche, c'est qu'il n'a pas tué Gil Perez.

— Tu crois qu'il t'a dit la vérité ?

— Il m'a dit qu'il était sorti avec toi.

— Beuh…

— Mais qu'il est seulement arrivé à la deuxième base.

— S'il compte la fois où il s'est délibérément cogné à moi pendant une partie de softball pour me peloter en douce, alors, oui, il dit vrai au sens strict du terme. Vraiment, il a dit ça ?

— Oui. Il a dit aussi avoir couché avec Margot.

— C'est possible. Margot est passée entre les mains d'un tas de garçons.

— Pas les miennes.

— C'est parce que je t'ai sauté dessus dès ton arrivée.

— Exact. Il m'a dit que Gil et Margot avaient rompu.

— Et alors ?

348

— Tu crois que c'est vrai ? ai-je demandé.

— Je ne sais pas. Mais rappelle-toi, la colo, c'est comme un cycle de vie en sept semaines. On sort avec l'un, on casse, on se trouve quelqu'un d'autre.

— Certes.

— Mais ?

— Selon la version officielle, les deux couples sont allés dans les bois pour… euh, prendre du bon temps.

— Comme nous.

— Oui. Ma sœur et Doug étaient toujours ensemble. Pas amoureux, non, mais tu vois ce que je veux dire. Or, si Gil n'était plus avec Margot, que faisaient-ils là, hein ?

— Oui, je comprends. Ils avaient rompu… et sachant par ailleurs que Gil n'est pas mort…

J'ai repensé à ce que m'avait dit Raya Singh, qui avait bien connu Gil Perez, alias Manolo Santiago.

— Peut-être que Gil a tué Margot. Et Camille et Doug se sont trouvés là au mauvais moment.

— Du coup, Gil les a réduits au silence.

— Justement. Il est dans le pétrin. Réfléchis un peu. Il vient d'une famille pauvre. Son frère a un casier judiciaire. Forcément, les soupçons se porteront sur lui.

— Alors il met en scène sa propre mort.

Nous nous sommes regardés.

— Il y a quelque chose qui nous échappe, a dit Lucy.

— Je sais.

— Si ça se trouve, on brûle.

— Ou alors on est à côté de la plaque.

— L'un ou l'autre, a-t-elle acquiescé.

Dieu que j'étais bien avec elle…

— Ce n'est pas tout, ai-je ajouté.

— Oui ?

— Ton papier, là. Selon lequel tu m'as trouvé

349

couvert de sang et je t'ai dit de n'en parler à personne…
D'où ça sort ?

— Je ne sais pas.

— Commençons par le début. Au début, tout est vrai.
Le moment où on file dans les bois.

— OK.

— Comment ils ont su tout ça ?

— Aucune idée.

— Comment sauraient-ils que c'est toi qui m'as
entraîné ?

— Ou… (elle a dégluti)… ce que je ressentais pour
toi ?

Silence.

Lucy a haussé les épaules.

— Ça sautait peut-être aux yeux. Il suffisait de voir
comment je te regardais.

— Je me concentre très fort pour ne pas sourire.

— Ne te force pas trop, a-t-elle dit. Bon… ça, c'était
la première partie du récit. Passons à la seconde.

— Cette histoire de sang sur mes vêtements. Où
diable sont-ils allés pêcher ça ?

— Je ne vois pas. Mais tu sais ce qui me glace ?

— Quoi ?

— Ils savent qu'on a été séparés. Qu'on s'est perdus
de vue.

Moi aussi, ça m'avait intrigué.

— Qui pourrait être au courant ? ai-je demandé.

— Je n'ai pas soufflé mot de tout ça à âme qui vive.

— Moi non plus.

— Quelqu'un aurait pu deviner.

Lucy a contemplé le plafond.

— Ou bien…

— Ou bien quoi ?

— Tu n'as jamais dit à personne qu'on avait été séparés, n'est-ce pas ?

— C'est exact.

— Moi non plus, je n'ai jamais dit à personne qu'on avait été séparés.

— Et alors ?

— Je ne vois qu'une seule explication, a déclaré Lucy.

— Laquelle ?

Elle m'a regardé dans les yeux.

— Quelqu'un nous a vus cette nuit-là.

On a marqué une pause.

— Gil peut-être, ai-je dit. Ou Wayne.

— Nos deux assassins potentiels.

— C'est ça.

— Dans ce cas, qui a tué Gil ?

Je me suis immobilisé.

— Gil ne s'est pas tué avant de déplacer son propre cadavre, a-t-elle ajouté. Et Wayne Steubens est dans une prison de sécurité maximale en Virginie.

Je réfléchissais à ce qu'elle venait de dire.

— Alors, si l'assassin n'est pas Wayne ni Gil, a-t-elle conclu, il nous reste qui ?

— Ça y est, je l'ai trouvée, a annoncé Muse en entrant dans mon bureau.

Elle était suivie de Celia Shaker. Celia savait faire une entrée, même si, à mon avis, ce n'était pas conscient. Il y avait quelque chose d'indompté dans sa façon de se mouvoir, comme si l'air même ferait mieux de s'écarter sur son passage. À côté d'elle, Muse ressemblait à une plante en pot.

Elles se sont assises toutes les deux. Celia a croisé ses longues jambes.

— Alors comme ça, vous avez EDC sur le dos.

— J'en ai bien l'impression.

— Ce n'est pas qu'une impression. J'ai vérifié. C'est une opération terre brûlée. Quel qu'en soit le prix, en argent et en vies humaines. Ils ont déjà détruit votre beau-frère. Ils ont expédié un gars en Russie. Ils ont mis des gens dans la rue, je ne sais pas combien. Ils ont essayé de soudoyer votre vieux copain Wayne Steubens. Bref, ils ne se calmeront qu'après vous avoir taillé en pièces.

— Vous n'auriez pas une idée de ce qu'ils ont pu déterrer ?

— Pas encore, non. Rien que vous ne sachiez déjà.

Je lui ai parlé du texte reçu par Lucy. Celia a écouté en hochant la tête.

— Je les ai déjà vus faire ça. Ce récit, à quel point est-il véridique ?

— Il y a des tas de choses fausses. Je n'ai fait aucune découverte sanglante et je n'ai jamais dit à Lucy de garder le secret. Mais ils connaissaient nos sentiments. Ils savaient qu'on s'était aventurés dans les bois et tout ça.

— Intéressant.

— Comment ont-ils fait pour obtenir ces informations ?

— Difficile à savoir.

— Mais vous, vous en pensez quoi ?

Elle a paru réfléchir.

— Comme je l'ai dit tout à l'heure, c'est leur façon de procéder. Ils cherchent à déclencher un scandale. Fondé ou pas, peu importe. Parfois, la réalité a besoin d'un petit coup de pouce. Vous voyez ce que je veux dire ?

— Non, pas vraiment.

— Comment vous expliquer… ?

Celia s'est tue un instant.

— Savez-vous pour quoi EDC m'avait embauchée ? J'ai fait non de la tête.

— Pour choper les époux infidèles. C'est un gros marché, l'adultère. Dans mon propre cabinet, c'est pareil. Ça représentait quarante pour cent du chiffre, voire plus. Ils sont très forts là-dessus, chez EDC, même si leurs méthodes ne sont pas très orthodoxes.

— À savoir ?

— Ça dépend des cas, mais la première étape est toujours la même : déchiffrer le client. Autrement dit, définir son véritable objectif. Veut-il la vérité ? Veut-il qu'on lui mente ? A-t-il besoin d'être rassuré, cherche-t-il un prétexte pour divorcer ou quoi ?

— Je ne vois toujours pas. Ils ne veulent pas tous la vérité ?

— Oui et non. Écoutez, je détestais cet aspect du métier. La filature, les recherches, ça ne me gêne pas… vous savez, suivre le mari ou la femme, vérifier les paiements par carte, les relevés téléphoniques, de genre de choses. Il y a un côté sordide, mais c'est normal. Je peux le comprendre. Alors que l'autre aspect…

— Quel autre aspect ?

— Celui qui veut qu'il y ait un problème. Certaines femmes, par exemple, veulent que leur mari les trompe.

J'ai regardé Muse.

— Je suis perdu.

— Mais non, voyons ! Un homme, c'est censé être fidèle à vie, pas vrai ? Comme ce type à qui j'ai parlé au téléphone – avant qu'on se rencontre – et qui m'a assuré qu'il aimait sa femme, que jamais, jamais il ne la tromperait, et blablabla. Mais vu que c'est un gros naze qui occupe un poste de directeur adjoint ou quelque chose

353

de semblable, je me dis : « Qui c'est qui va s'occuper de lui, hein ? »

— Je vous assure que j'ai du mal à suivre.

— C'est plus facile d'être un type bien, un type honorable en l'absence de toute tentation. Or c'est là qu'EDC donne un petit coup de pouce à la réalité. En m'utilisant comme appât.

— Pour quoi ?

— À votre avis ? Si une femme veut surprendre son mari en flagrant délit d'adultère, mon boulot est de le séduire. C'est ça, la méthode EDC. Admettons que le mari prenne un verre dans un bar. On m'envoie sur le terrain comme… (elle a esquissé des guillemets avec ses doigts)… test de fidélité.

— Eh bien ?

— Je ne voudrais pas vous paraître immodeste, mais enfin… regardez-moi.

Celia a écarté les bras. Même vêtue d'un pull ample, le spectacle était impressionnant.

— Si ça, ce n'est pas un traquenard, alors je ne sais pas ce que c'est.

— Parce que vous êtes belle ?

— Ouais.

J'ai haussé les épaules.

— Quand on respecte ses engagements, peu importe que l'autre femme soit belle ou pas.

Celia Shaker a grimacé.

— Oh, je vous en prie !

— Quoi ?

— Vous faites exprès d'être bouché ? Combien de temps me faut-il, d'après vous, pour qu'un directeur adjoint de mes deux lorgne dans ma direction ?

— Lorgner est une chose. Essayer de vous séduire en est une autre.

Celia s'est tournée vers Muse.

— Il est sérieux, là ?

Muse a haussé les épaules.

— Je vais formuler ça autrement. J'ai dû effectuer, disons, trente ou quarante de ces prétendus tests de fidélité. Devinez combien d'hommes mariés m'ont résisté ?

— Aucune idée.

— Deux.

— La proportion n'est pas terrible, je le reconnais...

— Attendez, je n'ai pas fini. Savez-vous pourquoi ils n'ont pas marché, ces deux-là ?

— Non.

— Ils ont flairé le piège. C'était écrit sur leur figure. « Comment se fait-il qu'une fille comme elle me drague, moi ? » C'est pour cette raison qu'ils n'ont pas mordu à l'hameçon. Valent-ils mieux que les autres pour autant ?

— Oui.

— Ah ! et pourquoi ça ?

— Parce qu'ils n'ont pas marché.

— Mais le gars qui dit non parce qu'il a peur de se faire prendre est-il plus respectable que le gars qui n'a pas peur ? Qui sait si le gars qui n'a pas peur aime davantage sa femme. Peut-être qu'il est meilleur mari, plus responsable. Et l'autre, peut-être qu'il meurt d'envie de baiser, mais trouillard comme il est, il n'ose pas passer à l'acte.

— Et alors ?

— C'est la peur – pas l'amour, les vœux du mariage ou le sens des responsabilités –, la peur seule, qui l'empêche de tromper sa femme. Qu'est-ce qui prévaut, l'intention ou l'action ?

— Vaste question, Celia.

— Et quelle est votre réponse, monsieur le procureur ?

— Justement. En tant que procureur, je m'intéresse aux actes.

— Ce sont les actes qui nous définissent ?

— Aux yeux de la loi, oui.

— Donc, le gars qui a peur... il est clean ?

— Oui. Il n'a pas franchi le pas. Pourquoi, on s'en fiche. Personne ne dit qu'il doit tenir ses engagements par amour. La peur est une garantie comme une autre du respect de l'engagement.

— Alors là, a-t-elle riposté, je ne suis pas d'accord.

— C'est votre droit. Mais quel est l'objet de cette discussion ?

— L'objet est le suivant : EDC cherche à vous compromettre. Par tous les moyens. Si la réalité ne leur en fournit pas – si le mari n'est pas déjà infidèle –, ils se débrouilleront pour lui donner un coup de pouce : ils lui enverront quelqu'un comme moi. Vous comprenez maintenant ?

— Je pense, oui. Je dois prendre garde non seulement à ce que j'ai pu faire, mais à ce que j'ai l'air de faire ou à ce qu'on pourrait m'inciter à faire.

— Voilà.

— Et vous ne voyez vraiment pas qui leur aurait fourni les informations pour ce texte ?

— Pas encore. Mais bon, vous m'avez embauchée pour faire du contre-espionnage. Qui sait ce que je vais trouver ?

Elle s'est levée.

— Vous avez besoin d'autre chose ?

— Non, Celia, je crois qu'on a fait le tour.

— Cool. À propos, j'ai apporté la facture pour l'affaire Jenrette-Marantz. À qui dois-je la donner ?

Muse a dit :

— Je la prends.

Celia m'a souri.

— J'ai bien aimé votre prestation au tribunal, Cope. Vous ne les avez pas loupés, ces petits salopards.

— Grâce à vous, ai-je dit.

— Non. Des procureurs, j'en ai connu des tas. Vous êtes un crack.

— Merci. Mais je me demande… Si on se réfère à votre définition, avons-nous… euh, donné un coup de pouce à la réalité ?

— Non. Vous m'avez envoyée à la pêche aux informations. Sans entourloupe. D'accord, j'ai joué de mon physique pour extorquer la vérité. Où est le mal ?

— Entièrement d'accord.

— Super. On devrait se quitter sur cette note.

Les doigts entrelacés, j'ai mis mes mains derrière ma tête.

— Je suis sûr qu'ils vous regrettent, chez EDC.

— Ils se sont dégotté une nouvelle bombe. Elle est très bonne, paraît-il.

— Je parie qu'elle ne vous arrive pas à la cheville.

— Détrompez-vous. De toute façon, je vais peut-être essayer de la débaucher. Une deuxième bombe, ça peut toujours servir, d'autant qu'elle doit plaire à d'autres types d'hommes.

— Comment ça ?

— Je suis blonde. La nouvelle recrue d'EDC a la peau foncée.

— Une Black ?

— Non.

L'instant d'après, j'ai senti le sol se dérober sous mes pieds quand Celia Shaker a ajouté :

— Je crois qu'elle est originaire d'Inde.

31

J'AI APPELÉ RAYA SINGH SUR SON PORTABLE. Celia Shaker
était partie, mais Muse était encore au bureau.

Raya a décroché à la troisième sonnerie.

— Allô ?

— Vous avez peut-être raison.

— Monsieur Copeland ?

Cet accent bidon. Comment avais-je pu acheter ça...
ou alors, quelque part, je m'en étais douté depuis le
début ?

— Appelez-moi Cope.

— OK... euh, Cope.

La voix était chaleureuse. Enjôleuse même.

— Et en quoi ai-je raison ?

— Comment puis-je savoir que vous n'êtes pas la
femme de ma vie ? Celle qui me comblera de bonheur ?

Levant les yeux au ciel, Muse a fait mine de s'intro-
duire l'index dans la gorge et de vomir copieusement.

J'ai essayé de décrocher un rendez-vous pour le soir
même, mais Raya n'a rien voulu entendre. Je n'ai pas
insisté. Trop d'empressement risquait d'éveiller sa
méfiance. Nous sommes convenus de nous voir dans la
matinée.

J'ai raccroché et regardé Muse. Elle a secoué la tête.

— Ne commencez pas.

— Elle vous a dit ça, vraiment ? Qu'elle allait vous combler de bonheur ?

— J'ai dit : « Ne commencez pas. »

Elle a secoué la tête de plus belle.

J'ai jeté un œil sur l'horloge. Huit heures et demie.

— Je crois que je vais rentrer.

— OK.

— Pas vous, Muse ?

— J'ai des trucs à faire.

— Il est tard. Rentrez chez vous.

Elle a fait la sourde oreille.

— Jenrette et Marantz, a-t-elle dit. Ils ont décidé d'avoir votre peau.

— Pas de problème, je gère.

— Je sais. Tout de même, c'est incroyable jusqu'où des parents peuvent aller pour protéger leurs enfants.

J'allais répondre que je comprenais, qu'étant père moi-même j'aurais fait n'importe quoi pour ma fille. Mais ce genre de discours avait comme un relent de paternalisme.

— Rien ne m'étonne, Muse. Vous qui travaillez ici tous les jours, vous êtes bien placée pour savoir de quoi les gens sont capables.

— Justement.

— Quoi, justement ?

— Jenrette et Marantz apprennent que vous briguez des fonctions plus élevées. Là, ils croient vous tenir. Ils lancent une grande campagne d'intimidation. C'était bien calculé. Un autre que vous aurait déjà cédé. En plus, votre dossier était bancal. Ils pensaient que vous auriez compris le message.

— Ils ont eu tort. Et alors ?

— Croyez-vous qu'ils vont renoncer ? Croyez-vous

qu'ils vous en veuillent, à vous ? Ou y a-t-il une raison pour que le juge Pierce vous ait convoqué à son cabinet demain après-midi ?

En rentrant chez moi, j'ai trouvé un e-mail de Lucy.

« Tu te souviens, chacun faisait écouter des chansons à l'autre ? Je ne sais pas si tu as entendu celle-ci, alors voilà. Je n'aurai pas l'outrecuidance de dire : "Pense à moi quand tu l'écouteras."

Mais j'espère que tu le feras.

Je t'embrasse,

Lucy. »

J'ai téléchargé la chanson qu'elle avait jointe à son e-mail. C'était un classique plutôt rare de Bruce Springsteen intitulé *Back in Your Arms*. Je l'ai écoutée assis devant mon ordinateur. Bruce parlait d'indifférence et de regrets, de tout ce qu'il avait jeté et perdu et qui lui manquait, et suppliait une femme sur un ton poignant de le reprendre dans ses bras.

Je me suis mis à pleurer.

Assis là, tout seul, en écoutant cette chanson, en pensant à Lucy, à la nuit dans les bois, j'ai pleuré pour la première fois depuis la mort de ma femme.

J'ai transféré la chanson sur mon iPod que j'ai emporté dans ma chambre. Je l'ai écoutée encore. Et encore. Au bout d'un moment, le sommeil a fini par me trouver.

Le lendemain matin, Raya m'attendait devant le *Bistro Janice* à Hohokus, une petite ville dans le nord-est du New Jersey. Personne ne sait si son vrai nom est Hohokus, Ho Ho Kus ou Ho-Ho-Kus. Certains disent que ça vient d'un mot indien, employé par les Lenni Lenape qui occupaient ce territoire avant que les Hollandais ne s'y installent en 1698. Mais rien ne le prouve, bien que les anciens continuent à se quereller à ce sujet.

Vêtue d'un jean foncé et d'un chemisier blanc ouvert sur sa gorge, Raya était renversante. Tout simplement renversante. J'avais beau être en colère, j'avais beau savoir qu'elle était là pour me piéger, c'était plus fort que moi. Je m'en voulais du trouble qu'elle m'inspirait.

En même temps, je n'ai pas pu m'empêcher de la comparer à Lucy et, toute jeune et belle qu'elle était, la comparaison a joué en sa défaveur. Cette pensée m'a réconforté. J'ai songé à Lucy, et un drôle de sourire est apparu sur mes lèvres. Mon souffle s'est accéléré. Comme il y a vingt ans, chaque fois que nous étions ensemble.

Allez donc comprendre quelque chose à l'amour.

— Je suis bien contente que vous ayez appelé, a dit Raya.

— Moi aussi.

Elle m'a fait la bise. J'ai capté un léger effluve de lavande. Nous sommes allés nous asseoir dans un box au fond du bistro. Une fresque spectaculaire, peinte par la fille du patron et représentant des clients grandeur nature, occupait tout un pan de mur. Tous ces yeux peints semblaient converger sur nous. Notre box était le dernier, sous une horloge géante. Je fréquentais le *Bistro Janice* depuis quatre ans déjà. Jamais je n'avais vu cette horloge donner l'heure exacte. Une blague des patrons, j'imagine.

Nous avons pris place. Raya m'a gratifié de son sourire le plus éclatant. J'ai pensé à Lucy, et ça m'a aussitôt calmé.

— Alors comme ça, ai-je dit, vous êtes détective.

Je n'avais ni le temps ni la patience de jouer la carte de la subtilité. Avant qu'elle n'ouvre la bouche pour protester, j'ai enchaîné :

— Vous travaillez pour Enquêteurs détectives de choc, une firme de Newark. Vous n'êtes pas vraiment serveuse dans ce restaurant indien. La réceptionniste ne savait pas qui vous étiez… Cela aurait dû m'alerter.

Son sourire s'est crispé sans rien perdre de son éclat. Elle a haussé les épaules.

— Comment avez-vous su ?

— Je vous le dirai plus tard. Dans tout ce que vous m'avez raconté, quelle est la part de mensonge ?

— Je ne vous ai pas beaucoup menti.

— Vous tenez absolument à me faire croire que vous ignoriez la véritable identité de Manolo Santiago ?

— C'est la vérité. J'ai su par vous qu'il était Gil Perez.

Ça m'a laissé perplexe.

— Comment l'avez-vous connu, en réalité ?

Se redressant, elle a croisé les bras.

— Je ne répondrai pas à cette question. Ça relève du dossier personnel et confidentiel de l'avocat qui m'a engagée.

— Cet argument serait recevable si Jenrette vous avait engagée par l'intermédiaire de Flair Hickory ou de Mort Pubin. Mais le problème, c'est que vous enquêtez sur moi. En aucune façon vous ne pouvez prétendre que Gil Perez relève de l'affaire Jenrette-Marantz.

Elle n'a fait aucun commentaire.

— Et puisque vous n'avez guère de scrupules à mon égard, je n'en aurai pas plus vis-à-vis de vous. Vous n'étiez pas censée vous faire prendre, je présume. EDC n'a pas besoin d'être au courant. Ce que je vous propose là, c'est donnant-donnant, tout le monde y gagne, n'hésitez pas à ajouter votre propre cliché.

Ça l'a fait sourire.

— Je l'ai rencontré dans la rue, exactement comme je vous l'ai dit.

— Mais pas par hasard.

— Non, pas par hasard. Ma mission était d'entrer en contact avec lui.

— Pourquoi lui ?

John, le patron du *Bistro Janice* – Janice étant son épouse et chef – s'est matérialisé à notre table. Il m'a serré la main, m'a demandé qui était la jolie demoiselle. J'ai fait les présentations. Il a déposé un baiser sur le dos de sa main. J'ai froncé les sourcils. Il est reparti.

— Il affirmait détenir des informations sur vous.

— Je ne comprends pas. Gil Perez débarque chez EDC...

— Pour nous, il était Manolo Santiago.

— Oui, bon, Manolo Santiago vient vous voir et propose son aide pour me traîner dans la boue.

— L'expression est un peu forte, Paul.

— Monsieur le procureur, ai-je rectifié. C'était bien votre job, non ? Trouver des choses compromettantes sur moi. Pour m'obliger à faire machine arrière.

Elle n'a pas pris la peine de répondre. Du reste, ce n'était pas utile.

— Vous ne pouvez même pas vous réfugier derrière le secret de l'instruction. Jamais Flair Hickory n'aurait laissé son client faire ça. Même Mort Pubin, tout emmerdeur qu'il est, n'est pas à ce point immoral. Non, E. J. Jenrette a fait appel à vous de son propre chef.

— Je ne suis pas habilitée à en parler. Et, sincère-ment, je n'en sais absolument rien. Je travaille sur le terrain. Je ne traite pas avec les clients.

Le fonctionnement interne de sa boîte ne m'intéressait pas, mais je n'ai pas eu l'impression qu'elle me contredisait.

— Donc, Manolo Santiago vient vous voir, ai-je repris. Il dit posséder des renseignements sur moi. Et après ?

— Il n'a pas dit ce que c'était. Il a parlé par ellipses. Et il voulait de l'argent, beaucoup d'argent.

— Vous avez transmis le message à Jenrette.

Elle a haussé les épaules.

— Lequel Jenrette était prêt à mettre la main à la poche. Continuez, je vous prie.

— Nous avons exigé des preuves. Manolo a dit qu'il devait encore régler certains détails. Seulement voilà, nous nous sommes renseignés sur lui. Nous savions que son nom n'était pas Manolo Santiago. Et surtout, qu'il était sur une grosse affaire. Énorme, même.

— Genre ?

Le serveur nous a apporté nos eaux minérales. Raya a bu une gorgée de la sienne.

— Il disait savoir ce qui s'était réellement passé la nuit où quatre ados avaient été assassinés dans les bois. Il affirmait même avoir la preuve que vous aviez menti.

— Comment a-t-il fait pour vous trouver ? ai-je demandé.

— Que voulez-vous dire ?

J'étais en train de réfléchir.

— Vous êtes allée en Russie pour fouiller dans le passé de mes parents.

— Pas moi.

— Non, mais quelqu'un d'autre chez EDC. Vous étiez au courant de ces meurtres, vous saviez que le shérif m'avait interrogé. Et donc…

Je commençais à y voir clair.

— Vous avez contacté tous ceux qui étaient mêlés à cette histoire. Vous avez envoyé quelqu'un parler à Wayne Steubens. Ça signifie aussi que vous avez rendu visite à la famille Perez, n'est-ce pas ?

— Je ne sais pas, mais ça me paraît logique.

— C'est comme ça que Gil l'a su. Et il s'est dit que c'était un bon moyen de gagner un peu d'argent. Il s'est présenté chez vous, mais pas sous son vrai nom. Comme il avait l'air suffisamment renseigné, cela a éveillé votre curiosité. Du coup, on vous a chargée de le séduire.

— De me rapprocher de lui. Pas de le séduire.

— Bonnet blanc, blanc bonnet. Et il a marché ?

— En général, les hommes marchent, oui.

J'ai repensé à ma conversation avec Celia. Franchement, je n'avais pas très envie d'aborder de nouveau ce sujet.

— Et que vous a-t-il révélé ?

— Pas grand-chose, en fait. Il m'a dit que vous étiez avec une fille cette nuit-là. Une certaine Lucy. C'est tout ce que je sais… et que je vous ai rapporté. Le lendemain de notre rencontre, j'ai appelé Manolo sur son portable. C'est l'inspecteur York qui a répondu. Vous connaissez la suite.

— Donc, Gil cherchait à réunir des preuves ? Pour toucher son gros chèque, c'est ça ?

— Oui.

Il était allé voir Ira Silverstein. Pourquoi ? Que pouvait-il lui vouloir ?

— Est-ce que Gil a parlé de ma sœur ?

— Non.

— Et de Gil Perez, tiens ? Ou des autres victimes ?

— Rien. Il a joué les cachottiers, vous dis-je. Mais manifestement, il tenait quelque chose.

— Et là-dessus, il se fait descendre…

Elle a souri.

— Imaginez un peu notre réaction.

Le serveur est revenu prendre la commande. J'ai choisi la salade du chef. Raya a demandé un cheeseburger, saignant.

— Je vous écoute, ai-je dit.

— Un type nous dit posséder des infos compromettantes sur vous. Il est prêt à monnayer les preuves. Et là, juste avant de se mettre à table, il est retrouvé mort.

Raya a arraché un petit bout de pain et l'a trempé dans de l'huile d'olive.

— Vous auriez réagi comment, vous ?

La réponse était par trop évidente.

— Du coup, à la mort de Gil, votre mission a changé de nature.

— Oui.

— Vous étiez censée vous rapprocher de moi.

— Oui. J'ai cru que ma larmoyante histoire de Calcutta vous attendrirait. C'était votre genre.

— Et c'est quoi, mon genre ?

Elle a haussé les épaules.

— Je ne sais pas, moi. Un genre, quoi. Mais comme vous ne rappeliez pas, c'est moi qui ai dû renouer le contact.

— Ce studio meublé à Ramsey. Où Gil avait vécu, selon vous...

— C'est nous qui l'avons loué. Je voulais vous faire parler.

— Et je vous ai dit un certain nombre de choses.

— Oui, mais était-ce la vérité ? Personne ne croyait que Manolo Santiago pouvait être Gil Perez. Nous pensions que ça devait être un parent à lui.

— Et vous ?

— Moi, je vous ai cru.

— Je vous ai aussi dit que Lucy avait été ma petite amie.

— Ça, nous le savions. Nous l'avions déjà retrouvée, en fait.

— Comment ?

— Nous sommes un cabinet de détectives, voilà comment. Mais, d'après Santiago, elle avait également menti sur ce qui s'était passé à l'époque. Une approche directe ne servait donc à rien.

— À la place, vous lui avez envoyé ce texte.

— Oui.

— Comment avez-vous eu ces informations ?

— Ça, je l'ignore.

— Et ensuite, Lonnie Berger a été chargé de l'espionner.

Elle n'a pas répondu.

— Autre chose ? me suis-je enquis.

— Non. En un sens, je me sens plutôt soulagée. Ça allait quand je vous soupçonnais d'être un assassin. Maintenant, je trouve ça glauque, tout simplement.

Je me suis levé.

— Il se pourrait que je vous demande de faire une déposition.

— Ça, c'est hors de question.

— Oui, ai-je dit. C'est ce que j'entends tout le temps.

32

LOREN MUSE MENAIT UNE ENQUÊTE SUR LA FAMILLE PEREZ.

La première chose qu'elle a découverte, ç'a été qu'ils possédaient le bar où Cope avait rencontré M. Perez. Muse a trouvé ça intéressant. Cette famille de pauvres immigrés était aujourd'hui à la tête d'une fortune estimée à plus de quatre millions de dollars. Évidemment, avec huit cent mille dollars au départ, et quelques bons placements, sur une période de vingt ans, ce chiffre n'était pas surprenant en soi.

Pendant qu'elle s'interrogeait, le téléphone a sonné. Elle a attrapé le combiné et l'a coincé entre son oreille et son épaule.

— Muse, j'écoute.

— Yo, poulette, c'est Andrew.

Andrew Barrett était son contact du John Jay College, le gars du labo. Il était censé se rendre ce matin-là sur le site de l'ancienne colonie pour entamer les recherches avec son nouvel appareil de détection.

— Poulette ?

— Je travaille qu'avec des machines, dit-il. Les gens, c'est pas trop mon truc.

— Je vois. Il y a un problème quelque part ?

— Euh… pas vraiment.

Sa voix avait une drôle d'inflexion.

— Vous êtes déjà sur place ? demanda-t-elle.

— Vous rigolez ou quoi ? J'y suis depuis que vous m'avez donné le feu vert. On est partis hier soir, on a dormi dans un motel et, aux aurores, on s'est mis au boulot.

— Alors ?

— Ben, on a commencé à ratisser les bois. Le XRJ – c'est le nom de l'appareil – nous a joué des tours au début, mais on a fini par le régler au poil. Au fait, j'ai amené trois de mes étudiants avec moi. Ça ne vous dérange pas, hein ?

— Je m'en fiche.

— C'est ce que je me suis dit. Vous ne les connaissez pas. C'est normal. Ils sont bien, ces jeunes. Et tout excités de travailler sur le terrain. Vous imaginez… une véritable affaire criminelle. Ils ont passé la nuit sur Google à potasser tout ce qui avait été écrit sur cette colo.

— Andrew ?

— Oui, pardon. Comme je vous l'ai dit, je suis meilleur avec les machines. Bien sûr, je n'enseigne pas aux machines. Mes étudiants sont des êtres humains, en chair et en os, mais tout de même.

Il s'est éclairci la voix.

— Vous vous rappelez, je vous ai dit que ce nouveau joujou, le XRJ, était un appareil miracle ?

— Oui.

— Ben, j'avais raison.

Muse a changé le combiné de main.

— Vous êtes en train de me dire…

— … de rappliquer vite fait. Le médecin légiste ne va pas tarder, mais je pense que vous voudrez voir ça de vos propres yeux.

Le téléphone de l'inspecteur York s'est mis à sonner. Il a décroché.

— York.

— Bonjour, c'est Max, du labo.

Max Reynolds était leur contact technique dans cette affaire. C'était nouveau, le contact technique. Il y en avait un pour chaque enquête criminelle. York aimait bien ce garçon. Il avait de la jugeote et savait transmettre les informations. Contrairement à certains jeunes qui, à force de regarder la télé, considéraient le long monologue explicatif comme un passage obligé.

— Quoi de neuf, Max ?

— J'ai les résultats de l'analyse des fibres textiles. Vous savez, les fragments de moquette prélevés sur le corps de Manolo Santiago ?

— Oui.

D'habitude, le labo se contentait d'envoyer un rapport.

— Il y a quelque chose de particulier ?

— Oui. Ces fibres, elles datent.

— Comment ça ?

— D'habitude, cette analyse est une simple formalité. Toutes les industries automobiles se fournissent chez les mêmes fabricants. Pour une GM par exemple, on peut situer les faits dans un créneau, mettons, de cinq ans. Quelquefois, on a plus de chance. La couleur a été utilisée pour un seul modèle et seulement pendant un an. Des choses comme ça. Et dans le rapport – vous connaissez la chanson – on écrit : marque Ford, intérieur gris, entre 1999 et 2004.

— Oui.

— Eh bien, ces fibres-là, elles sont vieilles.

— Peut-être que ça ne vient pas d'un véhicule. Peut-être qu'on l'avait enveloppé dans une vieille moquette.

370

— C'est ce qu'on a cru au début. Mais on a vérifié. Ça provient bien d'une voiture. Une voiture qui doit avoir plus de trente ans.

— Ben, dites donc !

— Ce type de moquette était utilisé entre 1968 et 1974.

— Autre chose ?

— La marque, dit Reynolds, est allemande.

— Mercedes ?

— Pas aussi classe. Je dirais plutôt Volkswagen.

Lucy a décidé de refaire une tentative auprès de son père.

Quand elle est arrivée, Ira était en train de peindre. Rebecca, l'infirmière, était là aussi. Elle a jeté un regard à Lucy. Son père lui tournait le dos.

— Ira ?

Lorsqu'il s'est retourné, elle a eu un mouvement de recul. Il avait une mine épouvantable. Le teint cireux, il avait dû se raser au petit bonheur car ses joues et son cou étaient hérissés de touffes de poils naissants. Sa tignasse indisciplinée, qui normalement faisait partie du personnage, lui donnait aujourd'hui l'air de quelqu'un qui aurait vécu des années dans la rue.

— Comment tu vas ? a demandé Lucy.

L'infirmière l'a considérée d'un œil torve, comme pour dire : « Je vous avais prévenue. »

— Pas terrible, a-t-il répondu.

— Tu travailles sur quoi ?

Lucy s'est approchée de la toile. En la voyant de près, elle s'est arrêtée net.

Les bois.

Leurs bois, bien entendu. Ceux qui entouraient la colonie. Il avait tout reproduit dans les moindres détails.

Incroyable ! Elle savait qu'il n'avait gardé que quelques rares photos et, de toute façon, il n'existait pas de photos prises sous cet angle-là. L'image avait dû rester gravée dans la mémoire d'Ira.

Le tableau représentait un paysage nocturne. La lune illuminait la cime des arbres.

Lucy a regardé son père. Son père l'a regardée.

— Pourriez-vous nous laisser seuls ? a-t-elle demandé à l'infirmière.

— Je ne crois pas que ce soit une bonne idée.

Rebecca pensait que parler ne ferait qu'aggraver les choses. En fait, c'était l'inverse. Après toutes ces années de silence, il était temps de crever l'abcès.

Ira a dit :

— Rebecca ?

— Oui, Ira ?

— Allez-vous-en.

Comme ça, direct. Pas méchamment, mais fermement. Sans se presser, l'infirmière a lissé sa jupe et s'est levée en soupirant.

— Si vous avez besoin de moi, vous n'avez qu'à appeler. OK, Ira ?

Il n'a pas répondu. Rebecca est sortie, laissant la porte ouverte.

Il n'y avait pas de musique aujourd'hui. Lucy a trouvé ça bizarre.

— Tu veux que je mette un disque ? Un petit Hendrix, peut-être ?

Ira a secoué la tête.

— Pas maintenant.

Il a fermé les yeux. Elle s'est assise à côté de son père et lui a pris les mains.

— Je t'aime, a-t-elle dit.

— Moi aussi, je t'aime. Plus que tout. Toujours. À jamais.

Lucy a attendu. Il n'avait pas rouvert les yeux.

— Tu repenses à ce fameux été, a-t-elle repris.

Ses yeux demeuraient clos.

— Quand Manolo Santiago est venu te voir…

Il a serré les paupières.

— Comment tu sais ?

— Comment je sais quoi ?

— Qu'il est venu ici ?

— C'est marqué sur le registre.

— Mais…

Il a fini par ouvrir les yeux.

— Il n'y a pas que ça, hein ?

— Que veux-tu dire ?

— Toi aussi, il est venu te voir ?

— Non.

Il avait l'air perplexe. Lucy a opté pour une autre approche.

— Tu te souviens de Paul Copeland ?

Il a refermé les yeux, comme si ça lui faisait mal.

— Bien sûr.

— Je l'ai revu.

Les yeux se sont rouverts d'un seul coup.

— Quand ça ?

— Il est venu me rendre visite.

Son père en est resté bouche bée.

— Il est arrivé quelque chose, Ira. Le passé est en train de resurgir, et j'aimerais comprendre pourquoi.

— Non.

— Si. Tu veux bien m'aider, dis ?

— Pourquoi… ? (Sa voix s'est brisée.) Pourquoi Paul Copeland est-il venu te voir ?

373

— Parce qu'il veut savoir ce qui s'est réellement passé cette nuit-là.

Elle a penché la tête.

— Qu'as-tu dit à Manolo Santiago ?

— Rien ! a-t-il crié. Absolument rien !

— C'est bon, Ira. Écoute, il faut que je sache…

— Non, il ne faut pas.

— Il ne faut pas quoi ? Que lui as-tu dit, Ira ?

— Paul Copeland.

— Quoi ?

— Paul Copeland.

— Je t'ai entendu, Ira. Tu veux me dire quoi ?

Son regard était presque limpide.

— Je veux le voir.

— OK.

— Maintenant. Tout de suite.

Son agitation grandissait de minute en minute. Lucy a répondu doucement :

— Je vais l'appeler, d'accord ? Je peux l'amener…

— Non !

Il s'est tourné et a contemplé son tableau. Les larmes aux yeux, il a tendu la main vers les bois, comme s'il pouvait se fondre parmi ces arbres.

— Ira, qu'y a-t-il ?

— Seul. Je veux le voir seul.

— Tu n'as pas envie que je vienne avec lui ?

Il a secoué la tête sans quitter sa peinture des yeux.

— Je ne peux pas t'en parler, Luce. J'aimerais bien, mais je ne peux pas. Paul Copeland. Demande-lui de venir ici. Seul. Je lui dirai ce qu'il veut entendre. Et après ça, peut-être que les fantômes nous laisseront en paix.

Quand je suis revenu au bureau, une nouvelle surprise m'y attendait.

— Glenda Perez est là, a annoncé Jocelyn Durels.

— Qui ça ?

— Elle est avocate. Mais elle dit que vous la connaissez mieux en tant que sœur de Gil Perez.

Le nom m'avait échappé. J'ai foncé dans la salle d'attente et là, je l'ai reconnue tout de suite. Glenda Perez était exactement comme sur les photos dans la maison de ses parents.

— Mademoiselle Perez ?

Se levant, elle m'a serré brièvement la main.

— Je suppose que vous avez du temps à m'accorder.

— Bien sûr.

La tête haute, sans attendre que je l'invite à me suivre, Glenda Perez s'est dirigée vers mon bureau. J'ai fermé la porte. Inutile d'appeler Jocelyn pour lui dire de ne pas nous déranger ; elle avait dû le comprendre d'elle-même en nous voyant.

Je lui ai fait signe de prendre un siège. Elle n'a pas bougé. J'ai contourné mon bureau et me suis assis. Les mains sur les hanches, Glenda Perez m'a fusillé du regard.

— Dites-moi, monsieur Copeland, ça vous amuse de menacer les personnes âgées ?

— Au départ, non. Mais une fois qu'on y prend goût, c'est assez jouissif, en effet.

Elle a laissé retomber ses mains.

— Vous trouvez ça drôle ?

— Asseyez-vous donc, mademoiselle Perez.

— Avez-vous menacé mes parents ?

— Non. Attendez, si. Votre père. Je lui ai promis, s'il ne me disait pas la vérité, de le lui faire payer, ainsi qu'à toute sa famille. Si vous appelez ça une menace, alors, oui, c'est vrai, je l'ai menacé.

Je lui ai souri. Elle s'attendait à des protestations, des excuses, des justifications. Tout sauf ça. Elle a ouvert la bouche, l'a refermée, s'est assise.

— Bon alors, ai-je dit, trêve de postures. Il y a vingt ans, votre frère est sorti indemne de ces bois. Je veux savoir ce qui s'est passé.

Glenda Perez portait un tailleur gris et des bas d'un blanc translucide. Elle a croisé les jambes, feignant la décontraction, mais sans grand succès.

— C'est faux. Mon frère a été assassiné en même temps que votre sœur.

— Je vous le répète : trêve de postures.

Elle s'est tapoté la lèvre.

— Vous aviez vraiment l'intention de poursuivre ma famille ?

— C'est du meurtre de ma sœur dont on parle. Si quelqu'un peut comprendre ça, c'est bien vous, mademoiselle Perez.

— Je suppose que ça veut dire oui.

— Parfaitement, un grand méchant oui.

Elle s'est remise à tapoter sa lèvre. J'attendais.

— Je peux vous soumettre une hypothèse ?

J'ai écarté les mains.

— J'adore les hypothèses.

— Admettons, a commencé Glenda Perez, que l'homme qui est décédé, ce Manolo Santiago, ait été effectivement mon frère. Encore une fois, il s'agit d'une simple hypothèse.

— OK, admettons. Ensuite ?

— Que croyez-vous que ça voudrait dire pour ma famille ?

— Que vous m'avez menti.

376

— Et pas qu'à vous, d'ailleurs.

Je me suis redressé.

— À qui d'autre ?

— À tout le monde.

Et la voilà repartie à se triturer la lèvre.

— Comme vous le savez, nos familles avaient toutes engagé des poursuites judiciaires. Nos indemnités nous ont permis de gagner des millions. Ce serait de l'escroquerie, non ? Hypothétiquement parlant.

Je n'ai rien dit.

— L'argent des indemnités a servi à acheter des commerces, à réaliser des placements, à financer mes études et les soins médicaux de mon frère. Sans ça, Tomas serait mort ou il aurait fini dans un établissement spécialisé. Vous comprenez ?

— Je comprends.

— Hypothétiquement parlant, si Gil était en vie et que nous étions au courant, toute la procédure serait fondée sur un mensonge. Nous pourrions encourir des amendes, voire une action devant les tribunaux. Qui plus est, la police avait enquêté sur un quadruple meurtre. Tout le dossier de l'instruction repose sur la conviction que quatre adolescents ont trouvé la mort cette nuit-là. Or, si Gil a survécu, on risquerait aussi de nous accuser d'entrave à la bonne marche de la justice. Vous me suivez ?

Nous nous sommes regardés. Cette fois, c'est elle qui a attendu ma réaction.

— Votre hypothèse, ai-je dit, pose un autre problème.

— Lequel ?

— Quatre personnes vont dans les bois. Une seule en revient. Elle garde le silence sur le fait de s'en être sortie vivante. Tout porte à croire dès lors qu'elle a tué les trois autres.

Tapotement sur la lèvre.

— J'aurais imaginé que cette conclusion était susceptible de s'imposer à votre esprit.

— Mais ?

— Il ne les a pas tués.

— Je dois vous croire sur parole ?

— Ça change quelque chose ?

— Ça change beaucoup de choses.

— Même si c'était mon frère, de toute façon, c'est fini. Il est mort. Vous ne pouvez pas le ressusciter pour le traîner en justice.

— Bien vu.

— Merci.

— Est-ce votre frère qui a tué ma sœur ?

— Non.

— Alors qui ?

Glenda Perez s'est levée.

— Longtemps, je n'en ai rien su. On est toujours dans notre hypothèse, là. J'ignorais que mon frère était en vie.

— Et vos parents ?

— Je ne peux pas parler pour eux.

— Je veux savoir…

— … qui a tué votre sœur. J'ai bien compris.

— Alors ?

— Je vais vous dire une dernière chose. La dernière. Mais à une condition.

— Laquelle ?

— Que ça reste hypothétique. Arrêtez de crier sur les toits que Manolo Santiago est mon frère. Promettez-moi de laisser mes parents tranquilles.

— Ça, je ne peux pas.

— Dans ce cas, je ne vous dirai pas ce que je sais au sujet de votre sœur.

Et voilà. Échec et mat. Glenda Perez a tourné les talons.

— Vous êtes avocate. Si je vous fais radier du barreau…

— Assez de menaces, monsieur Copeland.

Je me suis tu.

— Je sais ce qui est arrivé à votre sœur cette nuit-là. Si vous tenez à le savoir, acceptez ma proposition.

— Ma parole vous suffira-t-elle ?

— Non. J'ai rédigé un document juridique.

— Vous plaisantez ?

Glenda Perez a sorti des papiers de la poche de sa veste et les a dépliés. C'était essentiellement un engagement de non-divulgation. Je ne devais entreprendre aucune démarche pour prouver que Manolo Santiago était Gil Perez et veiller à ce que ses parents restent à l'abri de toute action judiciaire.

— Vous savez que ça n'a aucune valeur légale, ai-je dit.

Elle a haussé les épaules.

— Je n'ai pas trouvé mieux.

— Je ne dirai rien, à moins d'y être contraint. Je n'ai aucun intérêt à vous nuire, à vous et à votre famille. Je ne dirai plus à York ou à qui que ce soit d'autre que Manolo Santiago est votre frère. Je ferai de mon mieux. Mais c'est tout ce que je peux vous promettre, vous le savez aussi bien que moi.

Glenda Perez a hésité. Puis elle a replié ses papiers, les a fourrés dans sa poche et s'est dirigée vers la porte. La main sur la poignée, elle s'est tournée vers moi.

— Toujours hypothétiquement parlant ? a-t-elle dit.

— Oui.

— En admettant que mon frère soit ressorti des bois, il n'était pas tout seul.

J'ai eu soudain très froid. Je ne pouvais plus bouger. Je ne pouvais plus parler. J'ai essayé, mais aucun son n'est sorti de ma bouche. Nos regards se sont rencontrés. Glenda Perez a hoché la tête. J'ai remarqué qu'elle avait les yeux humides. Elle a tourné la poignée.

— Ne jouez pas avec moi, Glenda.

— Je ne joue pas, Paul. Je n'en sais pas plus. Mon frère a survécu au massacre. Et votre sœur aussi.

LES OMBRES S'ALLONGEAIENT quand Loren Muse est
arrivée sur le site de l'ancienne colonie de vacances.

Le panneau annonçait RÉSIDENCE DU LAC CHARMAINE
– PROPRIÉTÉ PRIVÉE. La propriété, immense, s'étendait de
part et d'autre du fleuve Delaware qui sépare le New
Jersey de la Pennsylvanie. Le lac et les habitations se
trouvent côté Pennsylvanie. Les bois étaient pour
l'essentiel dans le New Jersey.

Muse détestait les bois. Bien que sportive, elle avait
en horreur les supposés bienfaits du grand air. À savoir
les bestioles, la pêche, le crapahutage, la randonnée, les
brocantes, la gadoue, les foires agricoles, les cochons de
concours et tout ce qu'elle considérait comme « rural ».

Elle s'est arrêtée à la petite guérite du gardien et,
sortant sa plaque, a attendu l'ouverture du portail. Le
gardien, un M. Muscle adepte de la gonflette, a pris sa
plaque et est parti téléphoner.

— Dites, je suis pressée.

— Y a pas de quoi faire dans votre culotte.

— Faire dans ma… ?

Elle fulminait.

De l'autre côté, on apercevait la lumière des gyrophares. Ce devaient être des voitures de police. Tous les

flics à cinquante kilomètres à la ronde avaient dû se précipiter sur place.

Le gardien a raccroché le téléphone. Mais il n'est pas ressorti, il est resté assis dans sa cahute.

— Eh ! a appelé Muse.

Pas de réaction.

— Eh, vous ! je vous parle.

Il s'est tourné lentement vers elle. Zut. C'était un type encore jeune. Un gardien âgé est généralement un brave retraité qui s'ennuie. Une gardienne, c'est souvent une mère de famille qui cherche à arrondir ses fins de mois. Mais un homme dans la fleur de l'âge ? Dix contre un qu'il s'agissait d'un abruti de la pire espèce, celle des flics ratés. Pour une raison ou pour une autre, il n'avait pas réussi à entrer dans les forces de l'ordre. Sans vouloir critiquer la profession, si un gars n'est pas admis dans la police, c'est qu'il y a une raison, et on n'a pas forcément envie d'aller y voir de plus près.

Et quoi de mieux pour prendre une revanche sur cette chienne de vie que de faire poireauter un enquêteur principal... de sexe féminin ?

— Excusez-moi ? a-t-elle hasardé, un ton au-dessous.

— Vous ne pouvez pas entrer.

— Et pourquoi donc ?

— Vous devez attendre.

— Quoi ?

— Le shérif Lowell.

— Le shérif Lobo ?

— Lowell. Il a déclaré : « Personne n'entre sans mon autorisation. »

Le bonhomme a remonté son pantalon.

— Je suis enquêteur principal du comté d'Essex, a dit Muse.

Il a ricané.

— Ça ressemble au comté d'Essex, ici ?

— Il y a des gens à moi là-dedans. Il faut que j'entre.

— Eh ! y a pas de quoi faire dans votre culotte.

— Elle est bien bonne, celle-là.

— Quoi ?

— La réplique de la culotte. Ça fait deux fois que vous l'employez. C'est désopilant. Je peux vous l'emprunter, au cas où j'aurai besoin de rembarrer quelqu'un ? Promis, je citerai mes sources.

Faisant mine de l'ignorer, il a pris un journal. Elle s'est demandé si elle n'allait pas foncer droit dans le portail.

— Vous êtes armé ?

Il a reposé le journal.

— Comment ?

— Vous avez une arme ? Vous savez, pour compenser les autres inconvénients.

— La ferme.

— Parce que moi, j'en ai une. Vous savez quoi ? Vous m'ouvrez le portail, et je vous laisse la toucher.

Il n'a pas répondu. Toucher, tu parles. Elle appuierait plutôt sur la détente.

Le gardien lui a lancé un regard noir. Elle s'est gratté la joue, levant ostensiblement l'auriculaire dans sa direction. À en juger par son expression, il avait reçu le message cinq sur cinq.

— Dites donc, vous seriez pas en train de vous payer ma tête ?

— Eh ! a répondu Muse en replaçant les deux mains sur le volant, y a pas de quoi faire dans votre culotte.

C'était stupide, certes, mais ça l'amusait. L'adrénaline était montée d'un seul coup. Elle avait hâte de voir ce qu'Andrew Barrett avait découvert. D'après le nombre de gyrophares, la trouvaille devait être d'importance.

Comme un cadavre, par exemple.

Deux minutes se sont écoulées. Muse était sur le point de sortir son arme pour l'obliger à ouvrir le portail quand un homme en uniforme s'est approché d'un pas chaloupé de sa voiture. Il arborait un chapeau à large bord et un insigne de shérif. Sur son badge, on lisait LOWELL.

— Je peux vous aider, mademoiselle ?

— Mademoiselle ? Il ne vous a pas dit qui je suis ?

— Euh… je regrette, il a juste dit…

— Loren Muse, enquêteur principal du comté d'Essex.

Elle a pointé le doigt sur la guérite.

— C'est Couille-Molle qui a ma plaque.

— Comment vous m'avez appelé ?

Le shérif Lowell a soupiré et s'est essuyé le nez avec un mouchoir. Il avait un nez bulbeux et assez proéminent. Comme tous ses traits, d'ailleurs… longs et affaissés ; on aurait dit que quelqu'un l'avait caricaturé avant de le laisser fondre au soleil. Il a agité la main avec le mouchoir à l'adresse du gardien.

— Du calme, Sandy.

— Sandy, a répété Muse avec un coup d'œil sur la guérite. Ce n'est pas un prénom de fille, ça ?

Le shérif Lowell l'a toisée par-dessus son énorme nez. Avec réprobation, sans doute. Elle ne pouvait pas lui en vouloir.

— Sandy, donnez-moi la plaque de la dame.

Culotte, mademoiselle et maintenant la dame. Muse se retenait de ne pas éclater. À moins de deux heures de New York, elle avait l'impression d'être au cœur de l'Amérique profonde.

Sandy a remis la plaque au shérif, qui s'est mouché énergiquement… Sa peau était si flasque qu'elle a failli partir avec. Il a examiné la plaque et lâché en soupirant :

— Vous auriez dû me dire qui elle était, Sandy.

— Mais vous avez dit que, sans votre autorisation…

— Si vous m'aviez précisé au téléphone qui c'était, je vous l'aurais donnée, l'autorisation.

— Soyez gentils, les gars, s'est interposée Muse. Vos coutumes champêtres, vous en discuterez à la prochaine veillée, OK ? J'ai du taf qui m'attend.

— Garez-vous sur la droite, a rétorqué Lowell, imperturbable. On est obligés d'y aller à pied. Je vous accompagne.

Il a hoché la tête à l'adresse de Sandy qui a appuyé sur un bouton. Le portail a coulissé. Au moment de le franchir, Muse s'est à nouveau gratté la joue, le petit doigt en l'air. Sandy bouillait intérieurement, et elle en était fort aise.

Lowell l'a rejointe avec deux lampes de poche. Il lui en a tendu une. Muse, dont la patience venait d'être mise à rude épreuve, la lui a arrachée des mains.

— Bon, alors, c'est par où ?

— Vous savez y faire, avec les gens.

— Merci, shérif.

— À droite. Allons-y.

Muse, qui habitait un appartement pourri dans un immeuble en brique on ne peut plus banal, était mal placée pour en juger, mais à ses yeux de profane, cette résidence gardée n'était guère différente des autres, si ce n'est que l'architecte, qui avait opté pour un style vaguement rustique, s'était complètement planté. La façade en alu, imitation rondins, frisait le ridicule sur une vaste bâtisse à trois niveaux. Lowell a quitté l'asphalte et s'est engagé dans un chemin de terre.

— Sandy vous a dit qu'il n'y avait pas de quoi faire dans votre culotte ?

— Oui.

— Ne le prenez pas mal. Il dit ça à tout le monde. Même aux gars.

— Il doit être l'âme de votre société de chasse.

Muse a compté sept voitures de police et trois véhicules des services d'urgence. Tous les gyrophares tournaient. Pourquoi, elle n'en avait pas la moindre idée. Attirés par les lumières, les résidents – un mélange de personnes âgées et de jeunes couples avec enfants – s'étaient massés autour de rien.

— C'est loin ? a demandé Muse.

— Un peu plus de deux kilomètres. Vous désirez une visite guidée au passage ?

— Une visite de quoi ?

— De l'ancien lieu du crime. On va passer là où ils ont découvert les corps, il y a vingt ans.

— Vous étiez sur l'affaire ?

— De manière périphérique.

— C'est-à-dire ?

— Chargé des aspects mineurs et sans rapport direct avec l'enquête. Les facteurs secondaires. Périphériques.

Muse l'a regardé. Il avait peut-être souri, mais c'était difficile à dire, avec tous ces plis.

— Pas mal pour un homme des bois qui passe sa vie à la chasse, hein ?

— Je suis épatée.

— Vous devriez peut-être me traiter avec un peu plus d'égards.

— Et pourquoi ça ?

— Primo, vous avez envoyé une équipe sur le terrain dans mon comté sans m'en informer. Secundo, c'est ma scène de crime. Vous êtes là en tant qu'invitée, par pure courtoisie.

— Vous n'allez pas me faire le coup de la juridiction, tout de même ?

— Non. Mais j'aime bien jouer les gros durs. Vous me trouvez comment ?

— Mmm. On continue la visite ?

— Absolument.

Le sentier s'est rétréci jusqu'à disparaître presque totalement. Ils devaient escalader des rochers, contourner certains arbres. Muse, qui avait toujours été un garçon manqué, était ravie de cet exercice. Et – au diable Flair Hickory – elle portait les chaussures adéquates.

— Arrêtez-vous.

Le soleil poursuivait sa descente. Le profil de Lowell se dessinait à contre-jour. Il a ôté son chapeau et à nouveau reniflé dans son mouchoir.

— C'est ici qu'on avait retrouvé le jeune Billingham. Doug Billingham.

Les bois se sont comme figés à ces mots, avant que le vent ne reprenne son murmure intemporel. Muse a regardé en bas. Dix-sept ans. Ce n'était qu'un gamin. Il avait reçu huit coups de couteau. Essentiellement parce qu'il s'était défendu. Elle s'est tournée vers Lowell. La tête baissée, il avait fermé les yeux.

Soudain, ça lui est revenu. Lowell. Ce nom-là figurait au dossier.

— Périphérique, mon œil. C'est vous qui avez mené l'enquête.

Lowell n'a pas répondu.

— Je ne comprends pas. Pourquoi vous ne m'avez rien dit ?

Il a haussé les épaules.

— Pourquoi vous ne m'avez pas dit que vous aviez rouvert le dossier ?

— On ne l'a pas vraiment rouvert. Enfin, je ne pensais pas qu'on avait suffisamment d'éléments pour le faire.

— Et donc, si vos gars ont trouvé le filon, c'est un simple coup de bol, hein ?

Muse n'aimait pas beaucoup le tour que prenait cette conversation.

— On est loin de l'endroit où a été découverte Margot Green ? a-t-elle demandé.

— C'est à huit cents mètres plus au sud.

— C'est elle qu'on a trouvée en premier, n'est-ce pas ?

— Ouais. Vous voyez, par où vous êtes arrivée ? La résidence ? C'était le côté filles du temps de la colonie. Leurs dortoirs, quoi. Les garçons étaient au sud. C'est là-bas qu'on a retrouvé la petite Green.

— Et Billingham, vous l'avez localisé longtemps après ?

— Trente-six heures.

— Ça fait beaucoup.

— Le terrain est vaste.

— Tout de même. Il était là, au ras du sol ?

— Non, dans une tombe peu profonde. C'est sûrement pour ça qu'on ne l'a pas repéré tout de suite. Vous savez ce que c'est. Dès qu'il y a une disparition d'enfant, les gens veulent montrer qu'ils sont bons citoyens et viennent nous aider à ratisser le terrain. Ils ont dû lui marcher dessus, sans s'en rendre compte.

Muse a contemplé le sol. Elle n'a rien vu de particulier. Juste une croix, dans le genre de ces hommages de fortune aux victimes des accidents de la route. Une vieille croix toute de guingois. Il n'y avait pas de photo

388

de Billingham. Pas de souvenirs, pas de fleurs, pas d'ours en peluche. Rien que cette croix délabrée. Perdue dans les bois. Muse en a presque frissonné.

— L'assassin – vous devez le savoir, ça – s'appelle Wayne Steubens. Il était moniteur à la colonie. Il y a des tas d'hypothèses à propos de ce qui s'est passé cette nuit-là, mais on s'accorde à penser qu'il s'est d'abord occupé des deux jeunes qui ont disparu : Perez et Copeland. Il les a enterrés. Il était en train de creuser une tombe pour Douglas Billingham quand on a découvert Margot Green. Du coup, il a déguerpi. D'après le grand spécialiste là-bas, à Quantico, le fait d'enterrer les corps faisait partie de son trip. Vous savez qu'il a enterré toutes ses autres victimes ? Dans les autres États ?

— Oui, je suis au courant.

— Et vous savez que deux d'entre elles étaient encore en vie quand il les a ensevelies ?

Ça aussi, Muse le savait.

— Vous l'aviez interrogé, Wayne Steubens ?

— On a parlé à tout le monde dans cette colonie.

Il a dit ça lentement, en détachant chaque mot. Une sonnette d'alarme a retenti dans la tête de Muse. Mais déjà Lowell poursuivait :

— C'est vrai que ce Steubens, il me donnait la chair de poule… En tout cas, c'est l'impression que j'en ai gardée. Mais c'est peut-être rétrospectif, je ne sais plus. Rien ne reliait Steubens à ces meurtres. Ni lui ni personne d'autre. Mais lui, il était riche. Sa famille a engagé un avocat. Comme vous pouvez l'imaginer, la colonie de vacances a été démantelée sur-le-champ. Tout le monde est reparti. À la rentrée, Steubens a été expédié à l'étranger. Dans une école en Suisse, me semble-t-il.

Muse continuait à regarder fixement la croix.

— On y va ?

Elle a hoché la tête. Ils ont repris leur marche.

— Ça fait combien de temps que vous êtes enquêteur principal ? a demandé Lowell.

— Quelques mois.

— Et avant ça ?

— Trois ans de brigade criminelle.

Il a essuyé son énorme nez.

— Ça ne s'arrange pas, hein ?

Jugeant la question rhétorique, elle a continué à marcher en silence.

— Je ne parle pas des délits, a-t-il dit. Je ne parle même pas des morts. Ils ne sont plus là, les morts. On ne peut rien y changer. C'est ce qui en reste... cette espèce d'écho. Tenez, ces bois que vous traversez, il y a des vieux qui pensent qu'il y aura toujours un écho ici. Moi, ça ne me choque pas. Le jeune Billingham, je suis sûr qu'il a hurlé. Il hurle, ça résonne, l'écho ricoche d'arbre en arbre, de plus en plus faible, mais sans disparaître complètement. Comme si, aujourd'hui encore, une partie de lui continuait à appeler à l'aide. C'est ça, les meurtres.

Tête baissée, Muse surveillait ses pas sur le sol bosselé.

— Vous avez rencontré les familles des victimes ?

Elle a réfléchi brièvement.

— Mon patron en fait partie.

— Paul Copeland, a dit Lowell.

— Vous vous souvenez de lui ?

— Je viens de vous le dire, j'ai interrogé tout le monde à la colonie.

La sonnette d'alarme a retenti de nouveau.

— C'est lui qui vous a chargée de jeter un œil sur le dossier ?

390

Elle n'a pas répondu.

— Le meurtre est une injustice. Comme si quelqu'un décidait d'interférer dans le plan établi par Dieu, l'ordre naturel qu'Il aurait mis en place. Bien sûr, si on résout l'affaire, ça aide. C'est un peu comme une feuille de papier alu qu'on aurait froissée. Le fait d'arrêter l'assassin permet de l'étaler à nouveau, mais la famille ne retrouve jamais sa forme d'origine.

— Une feuille de papier alu ?

Lowell a haussé les épaules.

— Mais vous êtes un philosophe, shérif !

— Regardez donc les yeux de votre patron. Ce qui est arrivé ici, dans ces bois... eh bien, ça y est resté. L'écho continue à résonner, non ?

— Je ne sais pas, a répondu Muse.

— Et moi, je ne sais pas si votre place est ici.

— Pourquoi ?

— Parce que j'ai interrogé votre patron, à l'époque.

Muse a marqué un temps d'arrêt.

— Vous craignez un conflit d'intérêts, c'est ça ?

— C'est exactement ça.

— Paul Copeland était parmi les suspects ?

— L'affaire n'est toujours pas classée. Vous intervenez dans ce qui est mon enquête. Je ne vous répondrai donc pas. Juste une chose : il a menti à propos de ce qui s'était passé.

— Ce n'était qu'un gamin. Il ne s'est pas rendu compte de la gravité de la situation.

— Ce n'est pas une excuse.

— Mais il a avoué un peu plus tard, non ?

Lowell n'a rien dit.

— J'ai lu le dossier. Il a commis une bêtise en abandonnant son poste. Justement, en parlant des dégâts : croyez-vous qu'il ne se sent pas coupable ? Sa sœur lui manque, c'est sûr. Mais, à mon avis, il est surtout rongé par la culpabilité.

— Intéressant.

— Quoi ?

— Vous dites qu'il est rongé par la culpabilité. Par rapport à quoi ?

Elle a continué à marcher en silence.

— Vous ne trouvez pas ça curieux, vous ?

— Quoi donc ?

— Qu'il ait déserté son poste cette nuit-là ? Réfléchissez deux minutes. C'est un garçon responsable. Tout le monde le dit. Or il choisit de se défiler au moment précis où quatre ados prennent la poudre d'escampette et où Wayne Steubens projette de commettre un meurtre…

Muse n'a pas fait de commentaire.

— Et ça, ma chère consœur, j'ai toujours pensé que c'était une sacrée coïncidence.

Lowell a souri et s'est détourné.

— Allez, venez. Il commence à faire sombre, et il faut que vous voyiez ce que nous a trouvé votre ami Barrett.

Après le départ de Glenda Perez, je n'ai pas pleuré, mais tout juste.

Assis tout seul dans mon bureau, hagard, je ne savais plus à quel saint me vouer. Mon corps était parcouru de frissons. J'ai regardé mes mains. Le tremblement était visible à l'œil nu. Alors j'ai fait ce qu'on fait quand on se demande si on ne rêve pas. Je me suis pincé. Non, je ne rêvais pas. Tout cela était bien réel.

Camille était en vie.

Ma sœur était sortie vivante des bois. Tout comme Gil Perez.

J'ai appelé Lucy sur son portable.

— Tu ne vas pas croire ce que la sœur de Gil Perez vient de m'apprendre.

— Quoi ?

Je l'ai mise au courant. Quand je lui ai répété les derniers mots de Glenda Perez, elle a étouffé un cri.

— Tu la crois, toi ? a-t-elle demandé.

— Au sujet de Camille, tu veux dire ?

— Oui.

— Pourquoi aurait-elle dit ça, si ce n'était pas vrai ?

Lucy n'a pas répondu.

— Tu penses qu'elle raconte des bobards ? Dans quel intérêt ?

— Je n'en sais rien, Paul. Mais il y a tant de choses qui nous échappent.

— J'entends bien. Sauf que Glenda Perez n'a aucune raison de me mentir à ce sujet.

Silence.

— Qu'y a-t-il, Lucy ?

— Je trouve ça bizarre, voilà tout. Si ta sœur est en vie, où diable est-elle passée ?

— Je l'ignore.

— Qu'est-ce que tu vas faire maintenant ?

J'ai essayé de réfléchir, de remettre de l'ordre dans mes idées. C'était une bonne question. Dans quelle direction fallait-il chercher à partir de là ?

Lucy a dit :

— J'ai parlé à mon père.

— Et ?

— Visiblement, il s'est souvenu de quelque chose.

— Quoi ?

— Il ne veut pas me le dire. Il ne le dira qu'à toi.

— À moi ?

— Eh oui. Ira demande à te voir.

— Maintenant ?

— Si tu veux.

— Je veux. Je passe te prendre ?

Elle a hésité.

— Quoi ?

— Il souhaite te parler seul à seul. Sans moi.

— OK.

Nouvelle hésitation.

— Paul ?

— Oui ?

— Passe me prendre de toute façon. J'attendrai dans la voiture.

Installés dans le « local technique », les enquêteurs de la criminelle York et Dillon étaient en train de manger une pizza. Ce local technique était en fait une salle de réunion équipée de postes de télévision, de magnétoscopes et tutti quanti.

Max Reynolds est entré.

— Ça roule, les gars ?

— Elle est infecte, cette pizza, a dit Dillon.

— Désolé.

— Nous sommes à New York, bon sang ! La Grosse Pomme. New York, la patrie de la pizza. Et ça, on dirait un truc tombé d'une moto-crottes.

Reynolds a allumé la télé.

— Je regrette que le menu ne soit pas à la hauteur de vos exigences.

— J'exagère ?

Dillon s'est tourné vers York.

— Non, sérieusement, est-ce que ça a un goût de vomi, ou bien c'est moi ?

— C'est votre troisième morceau, a observé York.

— Et le dernier. Histoire de prouver que je ne plaisante pas.

York a regardé Reynolds.

— Qu'est-ce que vous avez pour nous ?

— Je crois avoir trouvé notre homme. Ou du moins sa voiture.

Dillon a arraché une bouchée avec les dents.

— Assez de parlote, place à l'image.

— Il y a une épicerie à deux rues de l'endroit où vous avez découvert le corps, a commencé Reynolds. Le propriétaire a des problèmes avec les chapardeurs qui se servent sur les étals à l'extérieur. Du coup, il a pointé sa caméra dans cette direction.

— Un Coréen ? s'est enquis Dillon.

— Pardon ?

— Le proprio, il est coréen, c'est ça ?

— Je ne sais pas. Quel rapport avec notre affaire ?

— Ma main à couper qu'il est coréen. Il pointe sa caméra dehors parce qu'un petit con lui a piqué une orange. Puis il se met à brailler qu'il paie des impôts alors qu'il fait bosser dix clandestins pour lui. Comme si la police n'avait rien de mieux à faire que de visionner ses bandes merdiques à deux balles pour retrouver son voleur de fruits.

Il s'est interrompu. York a lancé un regard à Max Reynolds.

— Continuez.

— Oui, enfin bref, la caméra nous offre une vue partielle de la rue. On a donc cherché une voiture de l'âge qui nous intéresse – trente ans ou plus – et regardez ce qu'on a trouvé.

Reynolds avait déjà positionné la bande au bon endroit. Une vieille Coccinelle est passée dans le cadre. Il a pressé la touche « Pause ».

— C'est ça, notre voiture ? a demandé York.

— Une Volkswagen Coccinelle de 1971. Notre expert l'a identifiée grâce à la jambe de suspension MacPherson et au coffre à bagages avant. Qui plus est, le plancher de ce modèle était tapissé du type de moquette dont on a prélevé des fibres sur le corps de M. Santiago.

— Nom de Dieu ! a fait Dillon.

— On peut voir la plaque minéralogique ?

— Non. On n'a qu'une vue latérale. On ne distingue rien, pas même l'État.

— Combien de Coccinelle jaunes de cette époque-là sont encore en circulation ? a dit York. On va commencer par le service des immatriculations de New York, puis on élargira au New Jersey et au Connecticut.

Dillon a hoché la tête tout en mastiquant comme une vache.

— On devrait trouver.

York s'est retourné vers Reynolds.

— Autre chose ?

— Dillon a raison, la qualité n'est pas terrible. Mais en agrandissant…

Il a pressé une touche pour zoomer sur l'image.

— On arrive à entrevoir le bonhomme.

Dillon a plissé les yeux.

— On dirait Jerry Garcia.

— Longs cheveux gris, longue barbe grise, a acquiescé Reynolds.

— C'est tout ?

— C'est tout.

— Commençons par les immatriculations, a conseillé York à Dillon. Une bagnole comme celle-ci ne doit pas être bien difficile à retrouver.

34

LES ACCUSATIONS DU SHÉRIF LOWELL RÉSONNAIENT dans le silence des bois.

Nullement dupe, Lowell pensait que Paul Copeland avait menti à propos des meurtres.

Était-ce le cas ? Et, si oui, était-ce important ?

Muse réfléchissait. Elle aimait bien Cope, aucun doute là-dessus. C'était un patron formidable et un excellent procureur. Mais les paroles de Lowell l'avaient rappelée à l'ordre : c'était une affaire criminelle comme une autre. Quitte à ce qu'elle conduise jusqu'à son patron.

Pas de favoritisme.

Quelques minutes plus tard, un bruit leur est parvenu des broussailles. Muse a reconnu la silhouette dégingandée d'Andrew Barrett, longue et anguleuse telle une sculpture d'art moderne. Il traînait derrière lui ce qui ressemblait à une voiture d'enfant. Ça devait être le fameux XRJ. Muse l'a interpellé. Il a levé les yeux, visiblement agacé de cette interruption. Mais, en la voyant, son visage s'est illuminé.

— Muse !

— Andrew.

— Dites donc, ça fait plaisir de vous voir !

— Mmm, a-t-elle répondu. Vous faites quoi, là ?

— Comment ça, je fais quoi ?

Il a lâché son engin. Trois jeunes gens, tous vêtus de sweats à l'emblème de John Jay, lui emboîtaient le pas. Les étudiants, sûrement.

— Je cherche des sépultures.

— Je croyais que vous aviez trouvé quelque chose.

— Oui, c'est là-haut, à cent mètres. Mais comme il vous manque deux corps, je me suis dit : autant faire les choses jusqu'au bout.

Muse a dégluti.

— Vous avez localisé un corps ?

Il a opiné avec une ferveur qu'on rencontre habituellement dans les grands rassemblements de prière.

— Cette machine, Muse, mon Dieu, c'est proprement sidérant ! Bien sûr, on a eu de la chance. Il n'avait pas plu dans la région depuis… combien de temps, shérif ?

— Deux ou trois semaines, a dit Lowell.

— Voilà, ça aide. Beaucoup. Un terrain sec. Vous savez comment ça marche, un radar ? Cette merveille, je l'ai équipée d'un 800 MHz. Ça permet de descendre seulement à un mètre et des poussières… mais alors, quel mètre ! La plupart des détecteurs sondent trop en profondeur. Or un assassin, ça creuse rarement au-delà d'un mètre. L'autre problème, c'est que les machines actuelles ont du mal à différencier les objets de taille similaire. Comme par exemple une pipe ou des racines profondes et ce que nous recherchons : des ossements. Tandis que le XRJ, en plus de vous fournir une coupe transversale du sol, vous permet, grâce à son système en 3D…

— Barrett ? a dit Muse.

Il a remonté ses lunettes.

— Quoi ?

— Comment ça marche, votre joujou, je m'en soucie comme de ma première brosse à dents.

Il a encore remonté ses lunettes.

— Euh…

— Tout ce qui m'intéresse, c'est qu'il marche. Alors dites-moi ce que vous avez trouvé avant que je ne tue quelqu'un.

— Des ossements, Muse, a-t-il répliqué avec un sourire. On a trouvé des ossements.

— Des ossements humains, c'est ça ?

— Absolument. En fait, on est d'abord tombés sur un crâne. C'est là qu'on a arrêté de creuser pour laisser la place aux professionnels.

— Ils ont quel âge ?

— Quoi, les os ?

— Non, Barrett, ces chênes, là. Les os, évidemment.

— Comment voulez-vous que je le sache ? Demandez plutôt au coroner. Justement, elle vient d'arriver.

Muse s'est hâtée dans la direction indiquée, Lowell sur ses talons. Un peu plus loin, on apercevait de puissants projecteurs, presque comme pour le tournage d'un film. Les équipes techniques avaient tendance à les employer même en plein soleil. Comme le lui avait dit un technicien du service de l'identité judiciaire, une lumière intense leur permettait de séparer le bon grain de l'ivraie : « Sans la lumière, c'est comme vouloir lever une nana canon en étant soûl dans un bar mal éclairé. On croit être sur un super coup, et quand vient le matin, on a envie de se les bouffer. »

Lowell a désigné une jolie femme avec des gants en latex. Encore une étudiante, s'est dit Muse – elle ne devait pas avoir moins de trente ans. Ses longs cheveux aile de corbeau étaient tirés en arrière, comme ceux d'une danseuse de flamenco.

— Voici le Dr O'Neill, a dit Lowell.

— C'est elle, votre coroner ?

— Oui. Chez nous, c'est une fonction élective.

— Ah bon, et on fait quoi, une campagne pour se faire élire ? Genre, bonjour, je suis le Dr O'Neill, je suis bonne avec les macchabs ?

— Je vous aurais bien répondu par une repartie spirituelle, mais vous autres, gens de la ville, vous êtes trop fins pour les culs-terreux que nous sommes.

De près, Muse s'est rendu compte que « jolie » était un euphémisme pour Tara O'Neill. Elle était tout simplement ravissante. Ce qui avait tendance à déconcentrer les gars de l'équipe technique. Une scène de crime n'est pas sous la responsabilité du coroner mais sous celle de la police. Cependant tous les regards convergeaient subrepticement sur O'Neill. Muse s'est avancée rapidement.

— Loren Muse, enquêteur principal du comté d'Essex.

La femme lui a tendu une main gantée.

— Tara O'Neill, coroner.

— Que pouvez-vous me dire au sujet du corps ?

Une lueur méfiante a brillé dans son œil, mais Lowell lui a adressé un signe de la tête.

— C'est vous qui avez envoyé M. Barrett ici ? a demandé O'Neill.

— C'est moi, oui.

— Drôle de personnage.

— Je n'en doute pas.

— Quoi qu'il en soit, sa machine fonctionne. Je ne vois vraiment pas comment il a réussi à localiser ces ossements. Il m'épate. À mon avis, le fait d'être d'abord tombé sur le crâne a dû aider.

Elle a cillé et détourné les yeux.

— Un problème ? a dit Muse.

Le Dr O'Neill a secoué la tête.

— J'ai grandi dans le coin. J'ai joué ici même, à cet

endroit. On s'imagine qu'on aurait senti quelque chose, je ne sais pas, moi… un souffle d'air froid. Mais en fait, pas du tout.

Muse, tapotant du pied, attendait.

— J'avais dix ans quand ces jeunes ont disparu. Mes amis et moi, on venait se balader par ici. On allumait des feux. On inventait des histoires sur les deux ados qui n'ont jamais été retrouvés, comme quoi ils étaient toujours là, qu'ils nous épiaient, qu'ils devaient être du genre morts-vivants et qu'ils allaient nous pourchasser et nous tuer. C'était débile. Juste pour que votre petit copain vous donne son blouson et passe un bras autour de vos épaules.

Elle souriait.

— Docteur O'Neill ?

— Oui.

— S'il vous plaît, dites-moi ce que vous avez trouvé.

— Le travail est en cours, mais, d'après ce que j'ai pu constater, il s'agit d'un squelette pratiquement intact. Il reposait à un mètre de profondeur. Il faut que j'envoie les ossements au labo pour l'identification définitive.

— Pouvez-vous m'en dire plus, en attendant ?

— Venez par ici.

Elle a escorté Muse de l'autre côté de l'excavation. Les ossements étaient étiquetés et disposés sur une bâche bleue.

— Pas de vêtements ? a dit Muse.

— Rien.

— Se sont-ils décomposés ou bien le corps a-t-il été enseveli nu ?

— Je ne saurais le dire avec précision. Mais dans la mesure où il n'y a ni pièces de monnaie, ni bijoux, ni boutons, ni fermetures à glissière, ni même chaussures

– qui, en général, se décomposent très lentement –, je pencherais pour la nudité.

Muse a contemplé fixement le crâne brunâtre.

— Cause du décès ?

— Il est trop tôt pour se prononcer. Néanmoins, nous avons relevé deux ou trois petites choses.

— Du genre ?

— Les ossements sont en très mauvais état. Ils n'étaient pas ensevelis très profondément, et ils sont là depuis un moment.

— Combien de temps ?

— Difficile à dire. L'an dernier, j'ai suivi un séminaire sur l'échantillonnage du sol. On peut déterminer, d'après son état, quand la terre a été retournée. Mais ça reste très approximatif.

— Vous avez bien une petite idée ?

— À vue de nez, je dirais que ces ossements sont là depuis une bonne quinzaine d'années. Ce qui correspond tout à fait – pour répondre à la question que vous devez vous poser – à la période où ces meurtres ont été commis.

Muse a dégluti. Une autre question lui brûlait les lèvres.

— Et le sexe ? Vous pouvez me dire s'il s'agit d'un homme ou d'une femme ?

Une voix grave les a interrompues.

— Euh… doc ?

C'était un gars de l'équipe, en tenue de combat, coupe-vent y compris. Barbu et bedonnant, il tenait une petite pelle à la main et haletait comme quelqu'un qui aurait perdu l'habitude de l'exercice physique.

— Oui, Terry ?

— Je crois qu'on a tout.

— On remballe alors ?

— Pour aujourd'hui, oui. On reviendra peut-être

demain, pour voir si on n'a rien oublié. Mais on voudrait emmener le squelette maintenant, si ça ne vous ennuie pas.

— Donnez-moi encore deux minutes, a dit O'Neill.

Terry a hoché la tête et tourné les talons. Tara O'Neill avait les yeux rivés sur les ossements.

— Vous vous y connaissez en squelette humain, inspecteur Muse ?

— Un peu.

— En l'absence d'un examen minutieux, il est difficile d'établir la différence entre le squelette d'un homme et celui d'une femme. Nous nous fondons entre autres sur le volume et la densité des os. Ceux d'un homme étant plus gros et plus épais, naturellement. Quelquefois, la taille de la victime peut nous être utile : normalement, les hommes sont plus grands. Mais ces critères ne sont pas gravés dans le marbre.

— Vous êtes en train de me dire que vous ne savez pas ?

O'Neill a souri.

— Je n'ai rien dit de tel. Tenez, je vais vous montrer.

Elle s'est accroupie. Muse a suivi son exemple. À la main, O'Neill avait une petite torche électrique, au rayon fin mais puissant.

— J'ai dit difficile. Je n'ai pas dit impossible. Regardez.

Elle a pointé le faisceau sur le crâne.

— Savez-vous ce que vous voyez ?

— Non, a dit Muse.

— Tout d'abord, les os ont l'air plutôt délicats. Ensuite, jetez un œil sur les arcades sourcilières. Le nom scientifique, c'est « crête supraorbitaire ». Elle est plus proéminente chez l'homme. Les femmes ont un front vertical. Sur ce crâne-là, malgré l'usure, on voit que la crête n'est pas très marquée. Mais l'élément décisif – que j'aimerais vous montrer ici –, c'est la région pelvienne, plus précisément la cavité pelvienne.

Elle a incliné sa torche.

— Vous la voyez ?

— Oui, je crois. Et alors ?

— Elle est assez large.

— Ce qui veut dire ?

Tara O'Neill a éteint la torche.

— Ce qui veut dire, a-t-elle déclaré en se relevant, que votre victime est de race blanche, un mètre soixante-huit environ – la même taille que Camille Copeland, soit dit en passant – et qu'il s'agit bien d'une femme.

— Vous n'allez pas le croire, a annoncé Dillon.

York a levé les yeux.

— Quoi ?

— J'ai des réponses pour la Volkswagen. Il y en a quatorze en tout dans le secteur qui nous intéresse. Mais le pompon, c'est que l'une d'elles est immatriculée au nom d'Ira Silverstein. Ça ne vous dit rien ?

— Le propriétaire de la colo ?

— Exactement.

— Vous voulez dire que Copeland avait peut-être raison depuis le début ?

— J'ai l'adresse de cet Ira Silverstein, a ajouté Dillon. C'est dans une espèce de maison de retraite.

— Alors qu'est-ce qu'on attend ? Allez, a dit York, on s'arrache.

35

QUAND LUCY EST MONTÉE DANS LA VOITURE, j'ai appuyé
sur la touche du lecteur CD. Bruce Springsteen, *Back in
Your Arms*. Elle a souri.

— Ça y est, tu l'as gravé ?

— Ben oui.

— Tu aimes ?

— Beaucoup. J'en ai ajouté quelques autres. Dont
une version pirate extraite d'un concert de Springsteen :
Drive All Night.

— C'est une chanson qui me fait pleurer.

— Toutes les chansons te font pleurer.

— Sauf *SuperFreak*, de Rick James.

— Exact. Je reconnais mon erreur.

— Tu m'as l'air bien calme pour quelqu'un qui vient
d'apprendre que sa sœur n'est peut-être pas morte.

— Question de compartimentation.

— Ça existe, ce mot ?

— C'est ce que je fais. Je range les choses dans des
casiers. Pour ne pas devenir cinglé. J'ai donc mis ça de
côté, momentanément.

— Compartimentation, a répété Lucy.

— Parfaitement.

— Nous autres psys, on a un autre terme pour ça. On appelle ça « enfoncer sa tête dans le sable ».

— Appelle ça comme tu veux. Les choses bougent, Luce. On va retrouver Camille, tu verras.

— Nous autres psys, on a un terme pour ça aussi. On appelle ça un vœu pieux, voire « on peut toujours rêver ».

Nous avons roulé quelque temps en silence.

— De quoi Ira pourrait-il se souvenir maintenant ? ai-je demandé.

— Je ne sais pas. Mais, à mon avis, la visite de Gil Perez a dû réactiver quelque chose dans sa tête. Ce n'est peut-être rien. Mon père ne va pas bien. Si ça se trouve, il imagine des choses, ou alors il les invente carrément.

Nous nous sommes garés à côté de la Coccinelle d'Ira. Ça faisait drôle de revoir cette vieille caisse. Sa vue aurait dû raviver un tas de souvenirs. Il se baladait dans toute la colo avec. Souriant, il passait la tête par la vitre pour nous faire un petit discours. Ou encore, chaque bungalow la décorait à tour de rôle, après quoi il organisait un mini-défilé. Pourtant, je n'ai pas ressenti grand-chose en la voyant cette fois.

Mon système de compartimentation était en train de s'effriter.

Parce que j'avais un espoir.

L'espoir de retrouver ma sœur. L'espoir de nouer une vraie relation avec une femme pour la première fois depuis la mort de Jane, de sentir mon cœur battre à l'unisson du sien.

J'ai essayé de m'exhorter à la prudence. De me rappeler que l'espoir était le plus traître des compagnons, qu'il pouvait vous broyer l'âme comme une coquille de noix vide. Mais, en cet instant, je n'avais pas envie d'y penser. J'avais envie d'espérer. De me raccrocher à cet espoir et de me laisser porter le temps d'une éclaircie.

J'ai regardé Lucy. Elle m'a souri, et un gouffre s'est ouvert dans ma poitrine. Cela faisait une éternité que je n'avais pas éprouvé ça, cet étourdissement fébrile. Comme malgré moi, j'ai pris son visage à deux mains. Son sourire s'est évanoui. Son regard a cherché le mien. Lui relevant le menton, je l'ai embrassée si doucement que c'en a été presque douloureux. Une décharge électrique m'a parcouru. Le souffle coupé, elle m'a rendu mon baiser.

J'avais l'impression de me liquéfier de bonheur.

Lucy a enfoui la tête dans ma poitrine. Je l'ai entendue sangloter tout bas. J'ai caressé ses cheveux, luttant contre le vertige. J'ignore combien de temps nous sommes restés ainsi. Peut-être cinq minutes, peut-être un quart d'heure. Je ne saurais le dire.

— Tu devrais y aller, a-t-elle dit.

— Tu as l'intention d'attendre ici ?

— Ira a été très clair. Toi, et toi seul. Je vais en profiter pour faire tourner le moteur de la Coccinelle, histoire que la batterie ne se décharge pas.

Je ne l'ai pas embrassée une seconde fois. Je suis descendu de la voiture et me suis dirigé vers la maison de retraite en flottant sur mon nuage. Le cadre était paisible et verdoyant. Le manoir en brique, sans doute début XIXe, était un édifice rectangulaire avec des colonnes blanches. Il faisait penser à une maison de fraternité pour étudiants riches.

J'ai donné mon nom à la réceptionniste. Elle m'a demandé de signer le registre. Puis elle a décroché le téléphone et s'est mise à parler en chuchotant. J'ai attendu, au son d'un morceau de Neil Sedaka version musique d'ascenseur – c'était un peu comme écouter de la musique d'ascenseur version light.

Une rousse en tenue de ville est descendue à ma rencontre. Elle portait une jupe et une paire de lunettes au bout d'une chaînette. Cette femme-là avait l'air d'une infirmière qui faisait tout pour ne pas ressembler à une infirmière.

— Bonjour, je suis Rebecca.

— Paul Copeland.

— Je vais vous conduire auprès de M. Silverstein.

— Merci.

Je pensais la suivre dans le couloir, or nous avons traversé le hall et sommes ressortis de l'autre côté, dans un parc entretenu avec soin. Il était encore tôt, mais l'éclairage extérieur était déjà allumé. Une haie touffue montait la garde tout autour de la propriété.

J'ai tout de suite repéré Ira Silverstein.

Il avait changé et il n'avait pas changé. Il y a des gens comme ça. Ils vieillissent, blanchissent, s'épaississent, rabougrissent… et cependant restent exactement les mêmes. C'était le cas d'Ira.

— Ira ?

Les noms de famille n'étaient pas de mise à la colo. Les adultes, c'était « tonton » ou « tata », mais je me voyais mal continuer à l'appeler « tonton Ira ».

Il avait des sandales aux pieds et un poncho… la dernière fois que j'en avais vu un, c'était dans un documentaire sur Woodstock. Se levant lentement, il m'a ouvert les bras. C'était comme ça, à la colo. Tout le monde s'embrassait. Tout le monde s'aimait. On était tous frères, mon frère. Je me suis laissé happer par son étreinte. Il m'a serré vigoureusement, de toutes ses forces. Je sentais sa barbe contre ma joue.

Me relâchant, il a dit à Rebecca :

— Laissez-nous.

Elle a rebroussé chemin. Il m'a conduit vers un banc de jardin en bois vert et béton. Nous nous sommes assis.

— Tu es toujours le même, Cope.

Il se souvenait de mon surnom.

— Vous aussi, Ira.

— On s'attendrait à être plus marqué par les épreuves de la vie, pas vrai ?

— Peut-être.

— Alors, qu'est-ce que tu deviens ?

— Je suis le procureur du comté.

— Vraiment ?

— Oui.

Il a froncé les sourcils.

— Tu fais partie du système, quoi.

Ira, fidèle à lui-même.

— Je ne poursuis pas les militants antiguerre, l'ai-je rassuré. Je m'occupe de violeurs et d'assassins.

Il a plissé les yeux.

— C'est ça que tu es venu chercher ici ?

— Pardon ?

— Des violeurs et des assassins ?

Ne sachant que penser, j'ai acquiescé :

— En quelque sorte, oui. J'essaie de comprendre ce qui s'est passé cette nuit-là dans les bois.

Les yeux d'Ira se sont fermés.

— Lucy m'a dit que vous vouliez me voir.

— En effet.

— Pourquoi ?

— Je veux savoir pourquoi tu es revenu.

— Mais je ne suis jamais parti.

— Tu l'as fait souffrir, tu sais.

— Je lui ai écrit. J'ai essayé de l'avoir au téléphone. Elle n'a jamais rappelé.

409

— N'empêche. Elle a été très malheureuse.

— Ce n'était pas délibéré de ma part.

— Alors pourquoi cette réapparition soudaine ?

— Je veux savoir ce qui est arrivé à ma sœur.

— Elle a été assassinée. Avec les autres.

— Justement, non.

Il n'a rien dit. J'ai décidé d'augmenter la pression d'un cran.

— Vous le savez bien, Ira. Gil Perez est venu vous voir, n'est-ce pas ?

Il s'est humecté les lèvres.

— C'est tout sec.

— Comment ?

— J'ai le gosier sec. J'avais un copain de Cairns – c'est en Australie –, un gars archicool, qui disait : « Un homme n'est pas un chameau, mon pote. » C'était sa façon à lui de demander à boire.

Ira a fait un large sourire.

— Je doute qu'ils servent à boire ici, Ira.

— Je sais bien. De toute manière, je n'ai jamais été porté sur l'alcool. Mon truc, c'étaient plutôt les drogues dites « douces ». Mais là, je parle d'eau. Il y a du Poland Springs dans la glacière, là-bas. Tu savais que ça vient droit du Maine, Poland Springs ?

Il a ri, et je ne l'ai pas corrigé sur ce vieux spot publicitaire à la radio. Se levant, il a titubé vers la droite. Je l'ai suivi. Il y avait là une glacière en forme de coffre avec un emblème des Rangers de New York. Il a soulevé le couvercle, attrapé une bouteille qu'il m'a tendue, avant d'en prendre une pour lui. Il a dévissé le bouchon et l'a bue d'un trait. L'eau a dégouliné sur son visage, donnant à sa barbe blanche une teinte gris foncé.

— Ahhhh ! a-t-il fait quand il a eu fini.

J'ai essayé de le remettre sur les rails.

— Vous avez dit à Lucy que vous vouliez me voir.

— Oui.

— Pourquoi ?

— Parce que tu es là.

— Je suis là, ai-je dit lentement, parce que vous avez demandé à me voir.

— Non, pas là, *là*. Là, de retour parmi nous.

— Je vous l'ai dit, j'aimerais comprendre…

— Pourquoi maintenant ?

Toujours la même question.

— Parce que Gil Perez n'est pas mort dans les bois. Il est revenu. Et il est passé vous voir.

Le regard d'Ira s'est perdu au loin. Il s'est remis en marche. Je l'ai rattrapé.

— Est-ce qu'il est venu ici, Ira ?

— Ce n'est pas le nom qu'il m'a donné.

J'ai remarqué qu'il boitillait. Son visage s'est tordu de douleur.

— Ça va ? lui ai-je demandé.

— J'ai besoin de marcher.

— Vous voulez aller où ?

— Il y a des sentiers. Dans les bois. Viens avec moi.

— Ira, je ne suis pas là…

— Il a dit que son nom était Manolo quelque chose. Mais je l'ai reconnu. C'était le petit Gilly Perez. Tu te souviens de lui ?

— Oui.

Ira a secoué la tête.

— Un gentil garçon. Mais tellement influençable.

— Qu'est-ce qu'il voulait ?

— Il ne m'a pas dit qui il était. Pas tout de suite. Il avait changé physiquement, mais il avait gardé ses tics. On peut dissimuler des choses. On peut prendre du poids. Sauf qu'il zozotait toujours. Et il se tenait toujours de la même façon, constamment sur le qui-vive. Tu vois ce que je veux dire ?

— Très bien.

Je croyais que le parc était clôturé, mais en fait non. Ira s'est faufilé par une trouée dans la haie. Je l'ai imité. En face de nous se dressait une colline boisée. Il s'est engagé péniblement sur le sentier.

— Vous avez le droit de sortir ?

— Bien sûr. Je suis ici de mon plein gré. Je vais et je viens comme bon me semble.

Il continuait à marcher.

— Qu'est-ce qu'il vous a dit, Gil ?

— Il voulait savoir ce qui s'était passé cette nuit-là.

— Il ne le savait pas ?

— Pas tout. Il voulait en savoir plus.

— Je ne comprends pas.

— Tu n'as pas besoin de comprendre.

— Si, Ira.

— C'est fini. Wayne est en prison.

— Wayne n'a pas tué Gil Perez.

— Je pensais que si.

Là, je n'ai pas vraiment suivi. Il pressait le pas en claudiquant ; manifestement, il avait mal. J'ai voulu lui dire de s'arrêter.

— Gil vous a parlé de ma sœur ?

Il a marqué une brève halte.

— Camille... Pauvre petite...

— Est-ce qu'il a parlé d'elle ?

— J'aimais beaucoup ton papa, tu sais. Il était si gentil. Et il a tellement souffert.

— Gil ne vous a pas dit ce qui est arrivé à ma sœur ?

— Pauvre Camille...

— Oui, Camille. Il n'a rien dit sur elle ?

Ira s'est remis à grimper.

— Tout ce sang versé.

— S'il vous plaît, Ira, tâchez de vous concentrer. Gil vous a-t-il parlé de Camille ?

— Non.

— Alors qu'est-ce qu'il voulait ?

— La même chose que toi.

— C'est-à-dire ?

Il s'est retourné.

— Des réponses.

— À quelles questions ?

— Les mêmes que les tiennes. Sur les événements de cette nuit-là. Il n'a pas compris, Cope. C'est fini. Ils sont morts. L'assassin est derrière les barreaux. Laissons les morts reposer en paix.

— Gil n'était pas mort.

— Jusqu'à ce jour, le jour où il est venu ici, il l'était. Tu comprends ?

— Non.

— C'est fini. Les morts ne sont plus. Les vivants n'ont rien à craindre.

Je l'ai empoigné par le bras.

— Ira, que vous a dit Gil Perez ?

— Tu ne comprends pas.

Nous nous sommes arrêtés. Il a jeté un œil en bas. J'ai suivi son regard. On n'entrevoyait plus que le toit de la maison. Nous nous étions enfoncés dans les bois. Nous étions pantelants tous les deux. Le visage d'Ira était pâle.

— Il faut que ça reste enseveli.

— Quoi ?

— C'est ce que j'ai dit à Gil. C'est fini. La vie continue. C'était il y a longtemps. Il était mort. Et tout à coup, voilà qu'il ne l'est plus. Pourtant il aurait dû l'être.

— Ira, écoutez-moi. Que vous a dit Gil ?

— Tu ne lâcheras pas, hein ?

— Non, je ne lâcherai pas.

L'air attristé, Ira a hoché la tête. Puis il a plongé la main sous son poncho, a sorti une arme et, sans un mot de plus, il a tiré sur moi.

36

— LE FAIT EST QU'ON A UN PROBLÈME.

Le shérif Lowell s'est essuyé le nez avec un mouchoir aussi grand qu'une nappe. Le poste de police était plus moderne que Muse ne l'aurait cru, mais il faut dire qu'elle ne s'attendait à rien de mirobolant. Le bâtiment était neuf, le décor épuré, avec bureaux paysagés dans les tons blancs et gris.

— On a un cadavre, a répondu Muse, voilà ce que l'on a.

— Ce n'est pas ce que j'ai voulu dire.

Lowell a désigné d'un geste la tasse qu'elle avait à la main.

— Il est comment, le café ?

— Excellent, sincèrement.

— Avant, il était infect. Certains le faisaient trop fort, d'autres trop léger. On l'oubliait sur le réchaud. Et puis, l'an dernier, un de nos gentils concitoyens nous a fait don d'une machine à café, vous savez, celles qui marchent avec des dosettes. Vous utilisez ça, les dosettes ?

— Shérif ?

— Oui.

— Vous n'essaieriez pas de me séduire avec votre numéro du grand gars tout simple ?

Il a souri.

— Un peu.

— Bon, admettons que vous m'ayez conquise. C'est quoi, le problème ?

— On vient juste de découvrir un corps qui, d'après les premières estimations, a séjourné un long moment dans les bois. On sait qu'il s'agit d'une femme, blanche, un mètre soixante-huit. C'est tout pour l'instant. J'ai déjà consulté le fichier des disparitions. On n'a personne dans un rayon de cinquante kilomètres qui corresponde à ce signalement.

— Nous savons tous les deux qui c'est, a dit Muse.

— Non, pas encore.

— Vous pensez qu'une autre fille d'un mètre soixante-huit aurait été assassinée dans la même colo à peu près à la même période, et enterrée à côté des deux autres ?

— Je n'ai pas dit ça.

— Alors de quoi parlez-vous ?

— Nous ne l'avons pas identifiée avec certitude. Le Dr O'Neill y travaille. On a demandé le dossier dentaire de Camille Copeland. D'ici un jour ou deux, on sera fixés. Rien ne presse. On a d'autres chats à fouetter.

— Rien ne presse ?

— C'est ce que je viens de dire.

— Dans ce cas, je ne marche pas.

— C'est là que je m'interroge, inspecteur Muse... Vous êtes quoi, au juste ? Un officier de police ou un pion politique ?

— Ça veut dire quoi, votre question ?

— Vous êtes enquêteur principal du comté. Ce poste, j'aime à croire qu'on y accède – surtout à votre âge et quand on est une femme – du fait de son talent et de ses capacités intellectuelles. D'un autre côté, je vis dans le monde réel. Prévarication, favoritisme, léchage de bottes, je comprends tout ça. Je vous demande donc…

— Je l'ai mérité.

— Certainement.

Muse a secoué la tête.

— Dire que je dois me justifier devant vous !

— Hélas, ma chère, il le faut. Imaginez, si c'était votre enquête et que je débarque sans crier gare, sachant que je repartirais en courant pour tout raconter à mon chef – lequel est pour le moins mêlé à l'affaire –, vous réagiriez comment, vous ?

— Vous croyez que je vais zapper son implication ?

Lowell a haussé les épaules.

— Encore une fois, si j'étais, mettons, l'adjoint et que j'aie été nommé par le shérif impliqué dans votre affaire de meurtre, qu'en penseriez-vous ?

Muse s'est rencognée dans son siège.

— D'accord, a-t-elle dit. Et que puis-je faire pour vous rasséréner ?

— Laissez-moi prendre mon temps pour identifier le corps.

— Vous ne voulez pas que Copeland apprenne ce qu'on a découvert ?

— Quand on a attendu vingt ans, on n'en est pas à un ou deux jours près.

Elle a compris où il voulait en venir.

— Je n'ai pas l'intention d'interférer dans votre enquête, mais je n'ai pas très envie de mentir à quelqu'un qui a toute mon estime et ma confiance.

— La vie n'est pas un long fleuve tranquille, inspecteur Muse.

Elle a froncé les sourcils.

— Autre chose, a repris le shérif. J'aimerais savoir pourquoi ce type, Barrett, est venu ici avec son joujou à la recherche de cadavres.

— Je vous l'ai déjà dit. Il voulait tester sa machine sur le terrain.

— Vous êtes basée à Newark, dans le New Jersey. Il n'y a pas un seul cimetière dans votre coin où vous auriez pu l'envoyer ?

Il avait raison. C'était le moment de se mettre à table.

— Un homme a été trouvé assassiné à New York, a dit Muse. Mon patron pense qu'il s'agit de Gil Perez.

Le masque impassible du shérif est tombé d'un coup.

— Redites-moi ça ?

Elle allait lui résumer la situation quand Tara O'Neill a fait irruption dans la pièce. Bien qu'ennuyé par cette interruption, Lowell a demandé gentiment :

— Qu'y a-t-il, Tara ?

— J'ai trouvé quelque chose sur le corps, a-t-elle annoncé. Quelque chose d'important, je crois.

Cope parti, Lucy est restée cinq bonnes minutes dans la voiture, l'ombre d'un sourire aux lèvres. La tête lui tournait. Jamais elle n'avait ressenti cela... ses grandes mains sur son visage, cette façon de la regarder ; non seulement son cœur s'était remis à battre, mais il exultait.

C'était un sentiment merveilleux. Et effrayant.

Elle a examiné sa collection de CD et, sortant l'album de Ben Folds, a mis la chanson *Brick*. Elle n'a jamais très bien su de quoi ça parlait – overdose, avortement, dépression –, mais, à la fin, la femme est une brique et elle se noie.

Une chanson triste, c'était mieux que l'alcool. Mais pas de beaucoup.

En coupant le moteur, elle a vu une voiture, une Ford verte immatriculée à New York, s'arrêter juste devant la maison de retraite. Sur une place marquée STATIONNE-MENT INTERDIT. Deux hommes en sont sortis, un grand et un râblé, et ont pénétré dans le hall. Lucy s'est demandé qui ils étaient. Ce n'était probablement rien.

Elle a fouillé dans son sac à la recherche des clés de la Coccinelle. Puis elle a glissé un chewing-gum dans sa bouche. Pas question d'avoir mauvaise haleine si d'aventure Cope l'embrassait à nouveau.

Qu'est-ce qu'Ira pouvait bien lui raconter ? Se souvenait-il seulement de quelque chose ? Ils n'avaient jamais discuté de cette nuit-là, le père et la fille. Pas une fois. Dommage. Peut-être que ç'aurait tout changé. Ou pas. Les morts seraient toujours morts, les vivants, toujours vivants. Ce n'était pas une pensée très profonde, mais que voulez-vous…

Lucy a songé à la vie qu'elle avait vécue, à toutes les erreurs qu'elle avait commises. Cette impression de dégringoler d'une colline dont elle avait parlé à Cope, c'était vrai. Il avait essayé de la retrouver, et elle était restée cachée. Elle aurait dû le contacter plus tôt. Elle aurait dû affronter ce qui s'était passé. Au lieu de l'occulter. De se voiler la face. Quand on cherche à fuir la réalité, tous les moyens sont bons. Lucy avait choisi le plus classique, la bouteille. On ne se réfugie pas au fond d'une bouteille.

On se trouve une cachette.

En s'installant au volant de la Coccinelle, elle a tout de suite senti que quelque chose n'allait pas.

Le premier indice visuel gisait sur le plancher côté passager. Elle a froncé les sourcils.

Une canette de soda.

Coca light, plus précisément.

Elle l'a ramassée. Il restait encore un peu de liquide à l'intérieur. Depuis combien de temps elle n'était pas montée dans cette voiture ? Trois ou quatre semaines, au moins. Il n'y avait pas de canette à ce moment-là. Ou alors, elle ne l'avait pas remarquée. C'était possible.

C'est là que l'odeur lui est montée au visage.

Elle s'est rappelé un épisode survenu dans les bois à côté de la colonie, à l'époque où elle avait une douzaine d'années. Ira et elle étaient partis se promener. Ils avaient entendu des coups de fusil, et son père avait piqué une crise. Des chasseurs s'étaient introduits chez eux. Il les avait débusqués et s'était mis à hurler que c'était une propriété privée. L'un des chasseurs avait commencé à hurler aussi. Il s'était approché d'eux, se cognant presque à Ira ; Lucy se souvenait de l'odeur horrible qu'il dégageait.

Cette odeur, elle la sentait maintenant dans la voiture.

Se retournant, elle a jeté un œil sur la banquette arrière.

Il y avait du sang sur le plancher.

Au même instant, elle a entendu un lointain coup de feu.

Les ossements étaient disposés sur une table métallique percée de trous minuscules qui permettaient de nettoyer la table plus facilement, à l'aide d'un simple jet d'eau. Le sol carrelé était incliné vers une grille d'évacuation centrale, comme dans les douches d'un club de gym. Une fois de plus, ça facilitait l'élimination des déchets. Muse préférait ne pas penser à ce qui s'accumulait dans les canalisations, avec quoi on les purgeait, un déboucheur ménager ou quelque chose de plus puissant.

Lowell s'est posté d'un côté de la table, Muse de l'autre avec Tara O'Neill.

— Alors, qu'est-ce que c'est ? a demandé le shérif.

— Pour commencer, il nous manque des os. J'y retournerai plus tard pour jeter un œil. De petites choses, rien d'important. C'est normal dans des cas comme celui-ci. J'allais faire des radios, vérifier les centres d'ossification, surtout au niveau de la clavicule.

— Et ça va nous donner quoi ?

— Déjà, une idée de l'âge. En vieillissant, les os arrêtent de grandir. Le dernier point d'ossification est là, pratiquement à la jonction de la clavicule avec le sternum. Le processus s'interrompt autour des vingt-deux ans. Mais là, c'est autre chose qui nous intéresse.

Lowell a regardé Muse. Elle a haussé les épaules.

— Et c'est quoi, votre grande découverte ?

— Ceci.

O'Neill a indiqué le bassin.

— Vous me l'avez déjà montré, a dit Muse. C'est la preuve que le squelette est celui d'une femme.

— Exactement. Le bassin est plus large. Ajoutons à cela une crête moins marquée et une plus faible densité osseuse... tous les signes de l'appartenance au sexe féminin. Personnellement, je n'ai aucun doute là-dessus. Ce sont les restes d'une femme.

— Et vous vouliez nous montrer quoi ?

— L'os pubien.

— Oui, qu'est-ce qu'il a ?

— Vous voyez, ici ? Ces encoches sur le pubis.

— Oui.

— C'est le cartilage qui maintient les os ensemble. Je vous parle d'anatomie de base. Vous devez savoir ça. Quand on parle de cartilage, on pense le plus souvent à celui du genou ou à celui du coude. Il est élastique.

Extensible. Mais vous voyez, là ? Ces marques à la surface de l'os pubien ? Elles se sont formées sur le cartilage, à l'endroit où les os se sont écartés.

O'Neill a levé la tête. Son visage s'était illuminé.

— Vous me suivez ?

Muse a dit :

— Non.

— Les encoches se forment quand le cartilage est soumis à une tension. Quand les os pubiens s'écartent.

Muse a regardé Lowell. Il a haussé les épaules.

— Ce qui veut dire ? a-t-elle hasardé.

— Ce qui veut dire que, à un moment donné de sa vie, les os de la victime se sont écartés. En d'autres termes, inspecteur Muse, votre victime a enfanté.

37

QUAND ON EST FACE À UN PISTOLET, le monde ne tourne pas au ralenti.

Au contraire, tout s'accélère. Lorsque Ira a pointé son arme sur moi, j'ai cru qu'il n'était pas trop tard pour réagir. J'ai voulu lever les mains, geste séculaire pour prouver qu'on est inoffensif. J'ai ouvert la bouche pour parlementer, pour l'assurer que j'étais prêt à coopérer, que je ferais tout ce qu'il exigerait de moi. Mon cœur battait à tout rompre. Le souffle coupé, je ne voyais qu'une chose, la gueule du canon, le trou noir et béant à la hauteur de mes yeux.

Mais je n'ai pas eu le temps. Je n'ai pas eu le temps de demander pourquoi. De demander ce qui était arrivé à ma sœur, si elle était morte ou vivante, comment Gil s'en était sorti cette nuit-là, si Wayne Steubens était coupable ou non. Je n'ai pas eu le temps de dire à Ira qu'il avait eu raison, que j'aurais mieux fait de lâcher l'affaire, que j'abandonnais et qu'on allait tous reprendre le cours de nos vies respectives.

Je n'ai pas eu le temps.

Parce que Ira avait déjà le doigt sur la détente.

L'an passé, j'avais lu un bouquin intitulé *La Force de l'intuition*, de Malcolm Gladwell. Sans vouloir caricaturer sa pensée, je dirais seulement qu'il conseille de se fier davantage à son propre instinct, à ce cerveau primitif qui nous pousse à faire un bond de côté devant le camion qui fonce droit sur nous. Il remarque aussi que nous faisons des jugements à l'emporte-pièce, qui a priori semblent injustifiés – c'est ce qu'on appelle la petite voix intérieure –, alors que, par la suite, l'expérience nous donne raison. C'est peut-être ce qui explique ma réaction. Quelque chose dans la posture d'Ira, dans sa façon de me tenir en joue m'a fait comprendre qu'il était inutile de négocier, qu'il allait tirer et que j'allais mourir.

Instinctivement, je me suis écarté d'un bond.

Mais la balle m'a touché quand même.

Il m'avait visé à la poitrine. Le projectile m'a atteint au flanc, me transperçant telle une lance chauffée à blanc. J'ai roulé sur le côté, cherchant à me réfugier derrière un arbre. Ira a tiré à nouveau. Cette fois, il m'a manqué. J'ai continué à rouler.

Ma main a trouvé une pierre. Je n'ai pas vraiment réfléchi. Je l'ai ramassée et je l'ai lancée dans sa direction. Mon geste était pitoyable, dicté par le désespoir, un réflexe d'enfant tombé à plat ventre.

Je n'y ai mis aucune force. La pierre l'a frappé, mais, à mon avis, sans lui faire grand mal. C'était donc ça, son plan. C'était pour ça qu'il avait demandé à me voir seul. Et qu'il m'avait entraîné dans les bois. C'était pour me tuer.

Sous ses dehors de doux rêveur, Ira était un assassin.

Je me suis retourné. Il était trop près. En un éclair, j'ai revu cette scène de la comédie *Ne tirez pas sur le dentiste* où, pour éviter les balles, on recommande à Alan Arkin de courir en zigzag. Sauf qu'ici, ça ne marcherait pas. Mon agresseur était à deux mètres de moi et je sentais le sang couler le long de ma jambe.

J'allais mourir.

Nous dévalions la colline, moi, toujours en roulant, Ira en trébuchant et essayant de recouvrer son équilibre pour pouvoir tirer à nouveau. Je savais qu'il le ferait. Il me restait une poignée de secondes à peine.

Ma seule chance était de changer de direction.

Je me suis agrippé au sol pour me freiner dans ma chute. Pris au dépourvu, Ira a tenté de ralentir. Je me suis raccroché à un arbre et j'ai lancé mes jambes en avant. C'était une tentative tout à fait pathétique, on aurait dit un mauvais gymnaste sur un cheval-d'arçons. Seulement, Ira était juste à la portée de mon pied et juste assez chancelant. Le coup l'a atteint à la cheville droite. Pas très fort. Mais suffisamment quand même.

Il a poussé un cri et s'est écroulé.

Le flingue, me suis-je dit. Attrape le flingue.

J'ai rampé jusqu'à lui. J'étais plus grand. J'étais plus jeune. J'étais en bien meilleure forme. Lui était un vieillard à moitié gâteux. Il savait encore tirer, certes. Il avait encore de la force dans les membres. Mais l'âge et l'abus de drogue avaient diminué ses réflexes.

J'ai grimpé sur lui. Le pistolet. Il l'avait tenu dans la main droite. *Pense au bras. Ne pense qu'au bras.* J'ai saisi son bras à deux mains et, l'écrasant de tout mon poids, l'ai déplié.

La main était vide.

J'étais tellement concentré sur la main droite que la gauche, je ne l'ai même pas vue arriver. Elle a décrit un grand arc de cercle. En tombant, Ira avait dû lâcher le pistolet. À présent, il le serrait telle une pierre dans sa main gauche. Et il a abattu la crosse sur mon front.

J'ai eu l'impression de recevoir le ciel sur la tête. Mon

cerveau a basculé à droite, comme si on avait coupé ses attaches, et s'est mis à trembler. J'ai senti mon corps se convulser.

Je l'ai relâché.

Levant les yeux, j'ai vu le pistolet pointé sur moi.

— Ne bougez plus, police !

J'ai reconnu la voix : c'était York.

L'air immobile grésillait tout autour de nous. Mon regard s'est déplacé du pistolet aux yeux d'Ira. On était presque nez à nez, le canon à quelques centimètres de mon visage. Et j'ai compris. Il allait tirer. Ils n'arriveraient pas à temps. La police était là. C'était fini pour lui. Il devait le savoir. Mais il allait tirer quand même.

— Papa ! Non !

C'était Lucy. Au son de sa voix, l'expression de son regard a changé.

— Lâchez votre arme ! Tout de suite !

York à nouveau.

Ira et moi ne nous quittions pas des yeux.

— Ta sœur est morte, m'a-t-il dit.

Puis, retournant le pistolet, il l'a enfoncé dans sa bouche et a pressé la détente.

38

J'AI PERDU CONNAISSANCE.

C'est ce qu'on m'a raconté. Je garde cependant quelques bribes de souvenirs. Je me souviens d'Ira s'affalant sur moi, la calotte crânienne arrachée. Je me souviens d'avoir entendu Lucy hurler. Je me souviens du ciel bleu, des nuages qui passaient au-dessus de moi. Je devais être sur le dos, dans une civière, pendant qu'on me transportait dans l'ambulance. Les souvenirs s'arrêtaient là. Avec le ciel bleu. Avec les nuages cotonneux.

Puis, juste au moment où je commençais à me détendre, à me sentir presque en paix, je me suis souvenu des dernières paroles d'Ira.

Ta sœur est morte…

J'ai secoué la tête. Non. Glenda Perez m'avait dit qu'elle s'en était sortie. Ira ne pouvait pas savoir. Il ne savait pas.

— Monsieur Copeland ?

J'ai cligné des yeux. J'étais dans un lit. Un lit d'hôpital.

— Je suis le Dr McFadden.

Mon regard a fait le tour de la chambre. Derrière lui, j'ai aperçu York.

— Vous avez reçu une balle dans les côtes. Nous vous avons recousu. Ce sera un peu douloureux, mais…

— Docteur ?

McFadden, qui s'était embarqué dans le laïus traditionnel, ne s'attendait pas à être interrompu de sitôt. Il a froncé les sourcils.

— Oui ?

— Je vais bien, n'est-ce pas ?

— Oui.

— Dans ce cas, on reprendra cette conversation tout à l'heure. Il faut absolument que je parle à l'inspecteur York.

York a dissimulé un sourire. Je croyais que le médecin allait se rebiffer. Côté arrogance, le corps médical n'a rien à envier aux gens de robe. Mais il n'a pas moufté. Haussant les épaules, il a répondu :

— Bien sûr. Dites à l'infirmière de me prévenir quand vous en aurez terminé.

— Merci, docteur.

Il est sorti sans un mot. York s'est rapproché du lit.

— Comment avez-vous su, pour Ira ? ai-je demandé.

— Le labo a analysé les fibres de moquette trouvées sur le corps de… hum…

York a marqué une pause.

— Bref, on ne l'a toujours pas identifié, mais si vous voulez, appelons-le Gil Perez.

— Bonne idée.

— Oui, enfin, ces fibres provenaient d'une vieille voiture. Nous avons également trouvé une caméra de surveillance à proximité de l'endroit où le corps avait été abandonné. Et on a repéré une Coccinelle jaune, immatriculée au nom de Silverstein. Alors on a foncé.

— Où est Lucy ?

— Dillon a deux ou trois questions à lui poser.

428

— Je ne comprends pas. Ira a tué Gil Perez ?

— Eh oui !

— C'est sûr et certain ?

— Parfaitement. Primo, on a trouvé du sang sur la banquette arrière de la Coccinelle. Je parie que c'est celui de Perez. Secundo, le personnel de la maison de retraite a confirmé que Perez – qui s'était présenté sous le nom de Manolo Santiago – avait rendu visite à Silverstein la veille du meurtre. Ils confirment aussi avoir vu Silverstein partir le lendemain matin avec sa Coccinelle. Sa première sortie depuis six mois.

J'ai esquissé une grimace.

— Ils n'ont pas pensé à le dire à sa fille ?

— Les personnes qui l'ont vu n'étaient pas de service la fois où Lucy Gold est venue. En plus, comme ils me l'ont dit et répété, Silverstein n'avait pas été déclaré irresponsable ni rien. Il était libre de ses mouvements.

— Mais enfin, pourquoi Ira l'aurait-il tué ?

— Pour la même raison qu'il a voulu vous éliminer, j'imagine. Vous cherchiez tous deux à savoir ce qui s'était passé vingt ans auparavant dans sa colonie de vacances. Et M. Silverstein n'y était pas favorable.

Je m'efforçais de rassembler mes idées.

— C'est donc lui qui aurait tué Margot Green et Doug Billingham ?

York n'a pas répondu dans la seconde, comme s'il attendait que j'ajoute ma sœur à cette liste.

— Possible, a-t-il dit finalement.

— Et que faites-vous de Wayne Steubens ?

— Peut-être qu'ils opéraient ensemble, je n'en sais rien. Ce que je sais, c'est qu'Ira a tué mon bonhomme. Ah ! autre chose : l'arme avec laquelle il a tiré sur vous. Elle est du même calibre que celle qui a tué Gil Perez. L'analyse balistique est en cours, mais on peut d'ores et déjà dire que c'est la même. Ajoutez à ça le sang sur le siège de la Coccinelle, la cassette de vidéosurveillance où on les voit, lui et sa voiture, à côté du lieu où on a découvert le corps... Bref, c'en est presque trop. Mais bon, Ira Silverstein est mort, et, en tant que procureur, vous savez qu'il est difficile de juger un mort. Quant à ce qu'il a commis ou n'a pas commis il y a vingt ans... (York a haussé les épaules.) Moi aussi, je suis curieux. Mais ce sera à quelqu'un d'autre de résoudre le mystère.

— Vous nous aiderez, en cas de besoin ?

— Évidemment. Avec plaisir. Et quand vous aurez débrouillé l'écheveau, revenez en ville, je vous emmènerai dîner.

— Ça marche.

Nous avons échangé une poignée de main.

— Je devrais vous remercier de m'avoir sauvé la vie, ai-je dit.

— Si vous y tenez, mais, à mon avis, ce n'est pas vraiment moi qui vous ai tiré de là vivant.

Je me suis rappelé l'expression d'Ira, sa détermination à me liquider. York s'en était rendu compte aussi : Ira allait tirer, et au diable les conséquences. C'est la voix de Lucy qui m'a sauvé plus que les sommations des policiers.

York est parti. Je suis resté seul dans la chambre. Il y a sûrement des lieux plus déprimants que ça au monde, mais, pour l'instant, je n'en voyais guère. J'ai songé à ma Jane, ma courageuse Jane, qui n'avait peur que d'une chose : se retrouver seule dans une chambre d'hôpital. Je lui avais donc tenu compagnie. J'avais dormi dans un de ces fauteuils qui se transforment en lits d'un inconfort à toute épreuve. Je ne dis pas ça pour qu'on m'applaudisse. Ç'a été un de ses rares moments de faiblesse, sa première nuit à l'hôpital, quand elle s'est cramponnée à ma main et, s'efforçant de chasser la détresse de sa voix, m'a dit : « S'il te plaît, ne me laisse pas seule ici. »

Je ne l'avais pas laissée seule. Pas cette fois-là. Ç'a été bien plus tard, quand elle est rentrée à la maison et qu'elle avait envie de mourir, car rien qu'à l'idée de retourner dans une chambre comme celle-ci…

Aujourd'hui, c'était mon tour. J'étais tout seul là-dedans. Ça ne m'angoissait pas trop. J'ai réfléchi à la tournure qu'avait prise ma vie. Sur qui pouvais-je compter en cas de crise ? Qui serait là, à mon chevet, quand je me réveillerais dans un hôpital ? Les premiers noms qui me sont venus à l'esprit furent Greta et Bob. L'an passé, quand je m'étais ouvert la main en coupant du pain, Bob m'avait emmené aux urgences, et Greta s'était occupée de Cara. Ils étaient ma famille… la seule famille qui me restait. Et voilà qu'eux aussi je les avais perdus.

La dernière fois que j'avais été hospitalisé, j'avais douze ans. Le rhumatisme articulaire aigu était une affection rare ; elle l'est encore plus maintenant. J'avais passé dix jours à l'hôpital. Je me souviens, Camille était venue me voir. Parfois, elle m'amenait ses insupportables copines car elle savait que ça me changerait les idées. On jouait beaucoup au Boggle. Elle m'apportait aussi des cassettes que des garçons – qui l'adoraient – avaient enregistrées pour elle : des groupes comme Steely Dan, Supertramp ou les Doobie Brothers. Elle m'expliquait quels groupes étaient géniaux et quels groupes étaient nazes, et je suivais ses avis à la lettre.

Avait-elle souffert dans ces bois ?

C'est la question qui m'a toujours hanté. Qu'avait-elle subi entre les mains de Wayne Steubens ? Est-ce qu'il l'avait ligotée et terrorisée comme Margot Green ? S'était-elle défendue comme l'avait fait Doug

Billingham ? L'avait-il enterrée vivante, comme certaines de ses victimes en Virginie ou dans l'Indiana ? Ses derniers instants avaient-ils été un supplice ?

Et là, une nouvelle interrogation : Camille avait-elle réussi à s'en sortir… vivante ?

Mes pensées se sont tournées vers Lucy. J'imaginais sa réaction en voyant ce père tendrement chéri se faire sauter la cervelle, cherchant à comprendre le pourquoi du comment. J'aurais voulu être auprès d'elle, lui parler, tâcher de lui apporter un peu de réconfort.

On a frappé à ma porte.

— Entrez.

Je croyais que c'était l'infirmière. C'était Muse. J'ai souri. Pas elle… Son visage était complètement fermé.

— Ne faites pas cette tête. Je vais bien.

Elle s'est approchée du lit. Son expression n'avait pas changé.

— Je vous assure…

— J'ai déjà parlé au médecin. Il dit que vous pourriez même sortir ce soir.

— Alors pourquoi faites-vous cette tête ?

Elle a attrapé une chaise.

— Il faut qu'on cause.

J'avais déjà vu cette expression-là sur le visage de Loren Muse. Cet air d'amazone. L'air de « Je vais me le faire, ce salaud. » L'air de « Et tu imagines que je vais te croire ? » D'habitude, elle le réservait aux assassins, aux violeurs en série et aux pirates de la route. Cette fois, c'est moi qui y avais droit.

— Qu'y a-t-il ?

Son visage ne s'est pas radouci.

— Comment ça s'est passé avec Raya Singh ?

— C'est bien ce qu'on pensait.

432

Je lui ai résumé notre entrevue, brièvement, car parler de Raya maintenant me semblait presque déplacé.

— Mais la grande nouvelle, c'est que la sœur de Gil Perez est venue me voir. Elle m'a dit que Camille était toujours en vie.

Quelque chose a changé dans son regard. Elle était très forte, certes, mais moi non plus je n'étais pas né de la dernière pluie. Quand quelqu'un se trahit, il paraît qu'on a moins d'un dixième de seconde pour s'en apercevoir. J'y suis parvenu. Elle n'était pas franchement surprise par ce que je venais de lui annoncer. Néanmoins, ça l'a secouée.

— Qu'est-ce qu'il y a, Muse ?

— J'ai parlé au shérif Lowell aujourd'hui.

J'ai froncé les sourcils.

— Il n'a toujours pas pris sa retraite ?

— Non.

J'allais lui demander pourquoi elle l'avait contacté, mais je connaissais son professionnalisme. C'était normal qu'elle consulte le shérif qui avait enquêté sur les meurtres. Et ça expliquait en partie son attitude à mon égard.

— Laissez-moi deviner. Il pense que j'ai menti à propos de ce qui s'est passé.

Elle est demeuré impassible.

— C'est tout de même bizarre, non ? Que vous ayez déserté votre poste précisément cette nuit-là.

— Vous connaissez la raison. Vous avez lu le papier envoyé à Lucy Gold.

— Oui. Vous êtes parti batifoler avec votre copine. Et ensuite, vous n'avez pas voulu la mouiller.

— C'est ça.

— Mais, il est aussi écrit que vous étiez couvert de sang. Est-ce vrai ?

Je l'ai regardée.

— Quelle mouche vous pique, hein ?

— Je fais comme si vous n'étiez pas mon chef.

J'ai voulu m'asseoir. Ma cicatrice me faisait un mal de chien.

— Lowell vous a dit que j'étais sur sa liste des suspects ?

— Il n'a pas eu besoin de le dire. Et vous n'avez pas besoin d'être suspect à mes yeux pour que je vous pose ces questions. Vous avez menti à propos de cette nuit…

— Oui, afin de protéger Lucy. Vous le savez très bien.

— Je sais seulement ce que vous m'avez raconté. Mettez-vous à ma place. Je dois mener ces investigations en toute objectivité et sans prendre parti. Qu'auriez-vous fait, vous ?

— D'accord, je vois. Allez-y, posez toutes les questions que vous voulez.

— Votre sœur a-t-elle jamais été enceinte ?

Sidéré, j'ai eu l'impression de recevoir un coup de poing à l'estomac. C'était sûrement ce qu'elle voulait.

— Vous parlez sérieusement ?

— On ne peut plus sérieusement.

— Pourquoi diable vous me demandez ça ?

— Répondez à ma question.

— Non, ma sœur n'a jamais été enceinte.

— Vous en êtes sûr ?

— Je pense que je l'aurais su.

— Ah oui ?

— Je ne comprends pas. Pourquoi vous me posez cette question ?

— On a eu des cas où des filles l'avaient caché à leurs familles. Vous savez bien. Nom d'une pipe, on a même eu un cas où la fille elle-même ne s'est doutée de rien jusqu'au jour où elle a accouché. Vous vous en souvenez ?

Certes.

— Écoutez, Muse, là je vous parle en tant que supérieur hiérarchique. Pourquoi cette question ?

Elle a scruté mon visage ; ses yeux s'accrochaient à moi comme des ventouses.

— Ça va, ai-je dit.

— Il faut vous retirer de l'enquête, Cope.

— Sûrement pas.

— Si. C'est toujours Lowell qui mène la danse. C'est son enfant.

— Lowell ? Ce péquenaud n'y a pas touché depuis dix-huit ans, depuis l'arrestation de Wayne Steubens.

— N'empêche. C'est lui le chef.

Je ne savais plus trop que penser.

— Il est au courant, Lowell, que Gil Perez a été vivant tout ce temps ?

— Je lui ai fait part de votre théorie.

— Alors pourquoi cherchez-vous à me piéger avec ces questions sur la supposée grossesse de Camille ?

Elle n'a pas répondu.

— Soit, faites comme bon vous semble. Écoutez, j'ai promis à Glenda Perez de garder sa famille en dehors de tout ça. Mais parlez-en à Lowell. Peut-être qu'il vous laissera participer à son enquête – j'ai beaucoup plus confiance en vous qu'en ce shérif du dimanche. L'essentiel, c'est que, d'après Glenda Perez, ma sœur s'en est sortie.

— Et d'après Ira Silverstein, a dit Muse, elle est morte.

Cette fois, son expression l'a trahie davantage. Je l'ai dévisagée fixement. Elle s'est efforcée de soutenir mon regard, mais elle a fini par craquer.

435

— Bon Dieu, que se passe-t-il, Muse ?

Elle s'est levée. La porte derrière elle s'est ouverte. Une infirmière est entrée. Elle m'a à peine dit bonjour et elle a enroulé le manchon du tensiomètre autour de mon bras et s'est mise à pomper. Puis elle m'a collé un thermomètre dans la bouche.

Muse a dit :

— Je reviens.

J'avais toujours le thermomètre dans la bouche. L'infirmière a pris mon pouls. Ce rythme-là ne devait même pas figurer dans les livres de médecine. J'ai essayé de l'interpeller malgré le thermomètre :

— Muse !

Elle est partie. En me laissant prisonnier de mon lit.

Enceinte ? Camille aurait-elle pu être enceinte ?

Je ne voyais pas. J'ai fouillé ma mémoire. S'était-elle mise à porter des vêtements amples ? Depuis combien de temps aurait-elle été enceinte… combien de mois ? Mon père aurait remarqué les symptômes : il avait été gynéco-obstétricien tout de même. Elle n'aurait pas pu lui cacher son état.

J'aurais juré que c'était une histoire à dormir debout, qu'il était totalement impossible que ma sœur soit tombée enceinte. À ceci près : Muse en savait plus qu'elle ne voulait me le dire. Sa question n'était pas fortuite. Parfois, un bon procureur se doit d'accorder le bénéfice du doute à l'hypothèse la plus folle. Juste pour voir. Pour voir à quel point elle concorde avec les faits.

L'infirmière avait terminé. J'ai tendu la main vers le téléphone et composé le numéro de la maison pour avoir des nouvelles de Cara. À ma surprise, c'est Greta qui a répondu, d'un chaleureux :

— Allô ?

— Salut, ai-je dit.

La chaleur s'est évaporée.

— Il paraît que tu n'as rien de sérieux.

— C'est ce qu'on m'a dit ici.

— Je suis avec Cara, a dit Greta sur le ton de la femme affairée. Si tu veux, elle peut dormir chez nous cette nuit.

— Ce serait génial, merci.

Il y a eu une courte pause.

— Paul ?

D'habitude, elle m'appelait Cope. Ce « Paul » ne me disait rien qui vaille.

— Je tiens beaucoup au bien-être de Cara. Elle est toujours ma nièce. Elle est toujours la fille de ma sœur.

— J'entends bien.

— Toi, en revanche, tu n'es plus rien pour moi.

Et elle a raccroché.

Retombant sur les oreillers, j'ai attendu le retour de Muse. Je tournais et retournais les données dans ma tête endolorie. Le mieux était de procéder par étapes.

Glenda Perez a dit que ma sœur avait survécu.

Ira Silverstein a dit qu'elle était morte.

Qui croire ?

Glenda Perez avait l'air à peu près normale. Alors qu'Ira Silverstein était barjo.

Un point pour Glenda.

Ira, me suis-je rappelé, insistait pour que les choses restent ensevelies. Il a tué Gil Perez – et a failli me tuer, moi – pour nous empêcher de creuser plus loin. Tant que je croyais ma sœur en vie, se disait-il, je continuerais à chercher. Je remuerais ciel et terre pour retrouver Camille. Et ça, Ira ne le voulait pas.

Quitte à mentir... à me dire qu'elle était morte.

Glenda Perez, de son côté, tenait aussi à ce que j'arrête mes recherches. Une investigation en cours mettait sa famille en danger. Ils risquaient d'être inculpés pour fraude et autres délits qu'elle m'avait énumérés. Elle ne pouvait ignorer que la meilleure façon de me faire lâcher l'affaire était de me convaincre que rien n'avait changé, que Wayne Steubens avait bel et bien assassiné ma sœur. Elle avait tout intérêt à soutenir que ma sœur était morte.

Or elle ne l'a pas fait.

Un deuxième point pour Glenda.

J'ai senti l'espoir – encore ce mot – renaître au fond de moi.

Loren Muse est rentrée dans la chambre, puis a fermé la porte derrière elle.

— Je viens de parler au shérif Lowell.

— Ah oui ?

— C'est son dossier, je vous l'ai déjà dit. Je ne pouvais aborder certaines choses sans son accord.

— C'est au sujet de votre histoire de grossesse ?

Muse s'est assise comme si elle craignait que la chaise ne se disloque. Elle a posé les mains sur ses genoux. Ça ne lui ressemblait guère. Elle était plutôt du style à gesticuler comme un Sicilien sous amphètes qui se serait fait frôler par un bolide. Je ne l'avais encore jamais vue aussi abattue. Elle baissait les yeux. C'en était presque touchant. Elle voulait bien faire. Elle voulait toujours bien faire.

— Muse ?

Elle a levé les yeux. Son regard ne présageait rien de bon.

— Mais que se passe-t-il, à la fin ?

— Vous vous souvenez, j'ai expédié Andrew Barrett sur l'ancien site de la colonie ?

— Bien sûr. Il voulait tester un nouveau gadget, un détecteur radar ou je ne sais quoi. Et alors ?

Muse m'a regardé. Elle m'a regardé sans rien dire, et j'ai vu ses yeux s'emplir de larmes. Tristement, elle a hoché la tête.

J'ai senti mon monde voler en éclats.

L'espoir. Cet espoir qui m'avait bercé le cœur en sourdine venait de déployer ses serres pour le broyer. J'en avais le souffle coupé.

Muse continuait à hocher la tête.

— Il a découvert de vieux ossements non loin de l'endroit où se trouvaient les deux autres corps.

J'ai secoué la tête. Pas maintenant. Pas après tout ça.

— Ce sont les restes d'une femme, un mètre soixante-huit, et ils auraient séjourné dans la terre entre quinze et trente ans.

J'ai secoué la tête de plus belle. Muse s'est interrompue pour me laisser le temps de reprendre mes esprits. J'ai essayé de fermer les écoutilles, de me déconnecter, de revenir en arrière. Soudain, je me suis souvenu.

— Attendez, vous m'avez demandé si Camille n'était pas enceinte. Ce squelette… on a donc pu établir que cette femme était enceinte ?

— Plus qu'enceinte, a dit Muse. Elle avait accouché.

J'avais beau faire, je n'arrivais pas à encaisser le choc. Une chose est d'apprendre une hypothétique grossesse. C'était du domaine du possible. Elle aurait pu avorter, que sais-je. Mais avoir mené cette grossesse à terme, avoir mis un enfant au monde pour se faire assassiner juste après…

— Trouvez ce qui s'est passé, Muse.

— Promis.

— Et s'il y a un enfant quelque part…

— On le trouvera aussi.

39

— J'AI DU NOUVEAU.

Malgré sa laideur, Alexei Tokarev restait quelqu'un d'imposant. À la fin des années quatre-vingt, juste avant la chute du mur et les bouleversements qui s'étaient ensuivis, il avait travaillé à l'Intourist sous les ordres de Sash. C'était cocasse, quand on y pensait. Chez eux, dans leur pays d'origine, ils avaient fait partie de l'élite du KGB. En 1974, ils étaient entrés dans la Spetz-grouppa A – le groupe Alfa –, censé lutter contre le crime et le terrorisme. Mais, par une froide matinée de Noël 1979, leur unité avait pris d'assaut le palais de Darulaman à Kaboul. Peu de temps après, Sash avait obtenu ce poste à l'Intourist et déménagé à New York. Tokarev, un type qu'il n'avait jamais beaucoup apprécié, l'avait suivi. Tous deux avaient laissé leurs familles au pays. C'était comme ça, à l'époque. New York exerçait une attraction quasi magnétique. Seuls les plus loyaux serviteurs du régime soviétique avaient le droit de s'y rendre. Mais même le plus loyal des servi-teurs devait être surveillé par un collègue avec qui il ne sympathisait pas forcément. Et même le plus loyal des serviteurs ne devait pas oublier qu'il avait des proches au pays, des proches susceptibles de payer la moindre de ses défaillances.

— Je t'écoute, a dit Sash.

Tokarev était un ivrogne. Depuis toujours. Dans sa jeunesse, ç'avait presque joué en sa faveur. Il était fort, débrouillard, et l'alcool le rendait particulièrement mauvais. Il obéissait au doigt et à l'œil, comme un chien. Mais l'âge avait eu raison de lui. Ses enfants étaient grands et vivaient leur vie. Sa femme l'avait quitté des années plus tôt. L'homme était pitoyable, mais il incarnait aussi le passé. Le lien était là, même s'ils n'avaient jamais sympathisé. Tokarev avait fini par devenir un fidèle de Sash. Du coup, il l'avait gardé à son service.

— Ils ont trouvé un corps dans les bois, a annoncé Tokarev.

Sash a fermé les yeux. Il ne s'y attendait pas et, en même temps, ce n'était pas vraiment une surprise. Pavel Copeland voulait exhumer le passé. Sash avait espéré l'en dissuader. Il y a des choses comme ça, qu'il vaut mieux ne pas savoir. Gavril et Alena, son frère et sa sœur, avaient été enterrés dans une fosse commune. Pas de stèle, pas de cérémonial. Sash, ça ne le gênait pas. Tu redeviendras poussière et tout le reste. Mais parfois il se demandait. Il se demandait si Gavril ne se relèverait pas, pointant un doigt accusateur sur le petit frère qui avait volé une bouchée de pain il y a plus de soixante ans. Juste une bouchée. De toute façon, ça n'aurait rien changé. Pourtant, Sash y repensait, à ce morceau de pain volé, chaque matin de sa vie.

Était-ce la même chose ici ? Les morts criaient-ils vengeance ?

— Comment tu sais ça ? a-t-il demandé.

— Depuis la visite de Pavel, je regarde les actualités locales. Sur Internet. C'est là qu'ils en ont parlé.

Sash a souri. Deux vieux briscards du KGB cherchant des informations sur le Net américain… quelle ironie !

— Qu'est-ce qu'on va faire ? s'est enquis Tokarev.

— Faire ?

— Oui. Qu'est-ce qu'on va faire ?

— Mais rien, Alexei. C'est de l'histoire ancienne.

— Il n'y a pas de prescription pour meurtre dans ce pays. Ils vont ouvrir une enquête.

— Et trouver quoi ?

Tokarev n'a pas répondu.

— C'est fini. On n'a plus d'agence ni d'État à protéger.

Silence. Le regard vague, Alexei se caressait le menton.

— Qu'y a-t-il ?

— Ça ne te manque pas, ce temps-là, Sash ?

— Ce qui me manque, c'est ma jeunesse. C'est tout.

— Les gens nous craignaient, a dit Tokarev. Ils trem-blaient sur notre passage.

— Et alors, c'était une bonne chose, Alexei ?

Son sourire était monstrueux – une bouche trop grande pour ses dents –, on aurait dit un rongeur.

— Ne fais pas semblant. On avait le pouvoir. On était des dieux.

— On était des brutes. Pas des dieux, non… les sbires des dieux, payés pour faire le sale boulot. Eux avaient le pouvoir. Nous, comme on avait peur, on essayait de faire encore plus peur aux autres. C'était ça, notre force : terroriser les faibles.

Alexei a balayé ce discours d'un geste de la main.

— Tu vieillis, Sash.

— On vieillit tous les deux.

— Ça ne me plaît pas, que cette histoire revienne sur le tapis.

— Quand Pavel est venu, ça ne t'a pas plu non plus. C'est parce qu'il te fait penser à son grand-père, hein ?

— Non.

— L'homme que tu as arrêté. Le vieil homme avec son épouse.

— Tu crois que tu valais mieux, Sash ?

— Non. Certainement pas.

— Ce n'est pas moi qui décidais. Tu le sais bien. Ils ont été dénoncés, on a pris les mesures qu'il fallait.

— Précisément, a dit Sash. Les dieux l'ont ordonné, tu l'as fait. Et tu te sens toujours aussi fort, hein ?

— Ce n'était pas comme ça.

— C'était exactement ça.

— Tu aurais fait pareil.

— Absolument.

— On était au service d'une grande cause.

— Et tu y croyais, Alexei ?

— Oui. Et j'y crois toujours. Je ne suis pas sûr qu'on se soit trompés. Quand je vois ce qu'engendre la liberté quelquefois… Non, je n'en suis pas sûr.

— Moi, si, a répliqué Sash. On était des bandits.

Silence.

Puis Tokarev a repris :

— Alors, que va-t-il se passer maintenant… maintenant qu'ils ont trouvé le corps ?

— Peut-être pas grand-chose. Ou peut-être qu'il y aura d'autres morts. Peut-être que Pavel aura enfin l'occasion d'affronter son passé.

— Tu ne lui as pas dit de laisser tomber… de ne pas remuer le passé ?

— Si, mais il ne m'a pas écouté. Va savoir lequel de nous deux aura eu raison.

Le Dr McFadden m'a dit que j'avais eu de la chance : la balle était passée entre deux côtes sans toucher aucun organe interne. J'ai toujours trouvé ça dingue, que le héros se fasse tirer dessus et continue sa petite vie comme si de rien n'était. Mais le fait est que bon nombre de blessures par balle guérissent de cette façon-là. Que je reste dans ce lit ou que je me repose à la maison ne changeait rien à l'affaire.

— Ce qui m'inquiète plus, a-t-il ajouté, c'est le coup que vous avez reçu à la tête.

— Mais je peux rentrer chez moi ?

— Il faudrait que vous dormiez un peu, OK ? On verra comment vous vous sentez au réveil. Personnellement, je vous garderais bien pour la nuit.

J'allais protester, mais d'un autre côté, rentrer maintenant ne m'avancerait pas à grand-chose. J'avais mal, j'étais fourbu et nauséeux. Et puis, vu ma sale tête, je risquais de faire peur à ma fille.

Ils avaient trouvé un corps dans les bois. Je n'arrivais pas à me faire à cette idée.

Muse avait faxé à l'hôpital le rapport préliminaire de l'autopsie. Même en l'absence de données plus précises, il était difficile de croire que ce n'était pas ma sœur. Muse et Lowell avaient examiné à la loupe tous les cas de disparition dans la région, pour voir s'il y avait d'autres femmes répondant à ce signalement. Peine perdue : le seul nom qui est sorti du fichier a été celui de Camille.

Jusque-là, le coroner n'avait pas établi la cause du décès. C'était un peu normal, vu l'état du squelette. Si elle avait été égorgée ou enterrée vivante, on n'en saurait probablement rien. Les os n'en porteraient aucune trace. Le cartilage et les organes avaient depuis longtemps servi de festin à toutes sortes de parasites.

Je me suis arrêté sur l'information principale. Les marques sur l'os pubien.

La victime avait enfanté.

Je me suis demandé, encore et encore, dans quelle mesure c'était possible. En d'autres circonstances, j'en aurais déduit que ce n'était pas forcément ma sœur qu'on avait exhumée. Mais alors, que faudrait-il en conclure ? Qu'à peu près à la même époque, une autre fille – dont la disparition serait passée inaperçue – avait été assassinée et enterrée au même endroit que nos deux adolescents ?

Ça ne tenait pas debout.

Quelque chose m'échappait. Plein de choses, à vrai dire.

J'ai sorti mon téléphone portable. Il n'y avait pas de réseau dans l'hôpital, mais j'ai cherché le numéro d'York dans le répertoire et l'ai composé sur le téléphone de ma chambre.

— Vous avez du nouveau ? lui ai-je demandé.

— Vous savez l'heure qu'il est ?

J'ai regardé la pendule.

— Il est dix heures passées. Vous avez du nouveau ?

Il a poussé un soupir.

— L'examen balistique a confirmé ce que nous supposions déjà. L'arme avec laquelle Silverstein a tiré sur vous est la même qui a servi à tuer Gil Perez. Les tests ADN vont nous prendre quelques semaines, mais le groupe sanguin prélevé dans la Coccinelle correspond à celui de Perez. En termes de tennis, je dirais que, sur ce coup-là, c'est jeu, set et match.

— Et Lucy, qu'a-t-elle dit ?

— D'après Dillon, l'interrogatoire n'a pas donné grand-chose. Elle était en état de choc. Elle dit que son père était malade, qu'il avait probablement cru à une sorte de complot.

— Et Dillon a avalé ça ?

— Bien sûr, pourquoi ? D'une manière ou d'une autre, l'affaire est classée. Comment vous sentez-vous ?

— En pleine forme.

— Dillon s'est déjà pris une balle une fois.

— Seulement une fois ?

— Très drôle. Bref, il montre sa cicatrice à toutes les femmes qu'il rencontre. Ça les excite, paraît-il. Pensez-y.

— La séduction selon Dillon. Je vous remercie.

— Et devinez ce qu'il leur dit après avoir montré sa cicatrice ?

— Tiens, chérie, tu veux voir mon arme ?

— Bigre, comment le savez-vous ?

— Où Lucy est-elle allée après l'interrogatoire ?

— Nous l'avons raccompagnée chez elle, au campus.

— OK, merci.

J'ai raccroché et composé le numéro de Lucy. Je suis tombé sur sa boîte vocale. J'ai laissé un message, puis j'ai appelé Muse sur son portable.

— Où êtes-vous ?

— Je rentre chez moi, pourquoi ?

— Je pensais que vous passeriez peut-être à Reston pour interroger Lucy.

— J'y suis déjà allée.

— Et ?

— Elle ne m'a pas ouvert. Mais j'ai vu de la lumière. Elle est chez elle.

— Elle va bien ?

— Comment voulez-vous que je le sache ?

Je n'aimais pas ça. Son père venait de mourir, et elle était seule dans son appartement.

— Vous êtes loin de l'hôpital ?

— Un quart d'heure.

— Si vous veniez me chercher ?

— Vous avez le droit de sortir ?

— Qui m'en empêcherait ? De toute façon, ce ne sera pas long.

— Vous, mon patron, vous me demandez de vous conduire chez votre dulcinée ?

— Non, moi, procureur du comté, je vous demande de me conduire chez un témoin clé dans une récente affaire d'homicide.

— Que ce soit l'un ou l'autre, a répondu Muse, j'accours.

Personne ne m'a empêché de quitter l'hôpital.

Je n'étais pas très bien, mais j'avais déjà connu pire. Je m'inquiétais pour Lucy... plus que de raison, peut-être.

Elle me manquait.

Elle me manquait comme quelqu'un dont on est en train de tomber amoureux. Je pourrais nuancer mon propos, invoquer la nervosité dans laquelle je me trouvais, ou alors la nostalgie du bon vieux temps, le temps de l'innocence, où mes parents étaient ensemble et ma sœur toujours en vie, et où même Jane, pardi, était encore belle, en bonne santé et heureuse quelque part. Mais il ne s'agissait pas de ça.

J'aimais être avec Lucy. J'aimais ça comme on aime la compagnie de quelqu'un dont on est en train de tomber amoureux. Toute tentative d'explication serait vaine.

Muse avait une petite voiture à l'habitacle exigu.

N'étant pas expert en la matière, je n'aurais su dire ce que c'était, mais ça empestait la fumée de cigarette. Elle avait dû surprendre mon expression car elle a dit :

— Ma mère fume comme un pompier.

— Mmm.

— Elle habite chez moi. Temporairement. En attendant de trouver le mari numéro cinq. Je lui dis de ne pas fumer dans la voiture.

— Et elle n'écoute pas.

— Au contraire, ça l'incite à fumer encore plus. Pareil dans l'appartement. Quand je rentre du boulot, j'ai l'impression d'avaler de la cendre.

J'aurais voulu qu'elle roule un peu plus vite.

— Ça ira pour le tribunal, demain ? a-t-elle demandé.

— Je pense que oui.

— Le juge Pierce a convoqué les deux parties dans son cabinet.

— Vous savez pourquoi ?

— Aucune idée.

— À quelle heure ?

— Neuf heures pétantes.

— J'y serai.

— Vous voulez que je passe vous prendre ?

— S'il vous plaît.

— Je pourrai avoir une voiture de société ?

— Nous ne travaillons pas pour une société. Nous travaillons pour le comté.

— Une voiture de comté, alors ?

— On verra.

— Cool.

Après un silence, elle a ajouté :

— Je suis désolée, pour votre sœur.

Je n'ai rien dit. J'avais encore du mal à assimiler.

Peut-être que j'avais besoin d'une confirmation. Ou bien, après vingt ans de deuil, il ne me restait plus de larmes. Ou, plus vraisemblablement encore, j'avais mis mes émotions en stand-by.

Deux autres personnes étaient mortes entre-temps.

Les gamins avaient sans doute raison… ceux qui parlaient d'un monstre, d'un croque-mitaine qui hantait les bois. Cette chose qui avait tué Margot Green, Doug Billingham et très probablement Camille Copeland vivait et respirait toujours, et continuait à se nourrir de vies humaines. Il se pouvait qu'elle ait dormi pendant deux décennies. Il se pouvait qu'elle ait migré, gagné d'autres bois, d'autres États. Mais, aujourd'hui, le monstre était de retour, et je voulais bien être pendu si je le laissais faire.

Le lieu de vie des enseignants de Reston était carrément sinistre. Des immeubles en brique vieillots et agglutinés les uns contre les autres. C'était mal éclairé, par-dessus le marché, mais ça, me suis-je dit, ça tombait plutôt bien.

— Ça ne vous ennuie pas de rester dans la voiture ?

— J'ai un truc à faire, a dit Muse. Je reviens tout de suite.

J'ai remonté l'allée. Il n'y avait plus de lumière chez Lucy, mais on entendait de la musique. J'ai reconnu la chanson, *Somebody*, de Bonnie McKee. Déprimant à souhait : ce « quelqu'un » étant l'homme de sa vie qui existe mais qu'elle ne trouvera jamais. C'était Lucy toute crachée. Elle adorait le mélo. J'ai frappé à la porte. Pas de réponse. J'ai sonné, frappé à nouveau. Toujours rien.

— Luce ?

Rien.

— Luce !

J'ai frappé de plus belle. L'antalgique que le médecin m'avait administré n'agissait presque plus. Je sentais les points de suture… c'était comme si chacun de mes mouvements me déchirait la peau.

— Luce !

J'ai secoué la poignée. C'était fermé à clé. J'ai jeté un œil par les fenêtres mais il faisait trop sombre à l'intérieur. J'ai essayé de les ouvrir. Elles étaient verrouillées toutes les deux.

— Allez, je sais que tu es là.

J'ai entendu un bruit de voiture derrière moi. C'était Muse.

— Tenez.

— Qu'est-ce que c'est ?

— Un passe. Je l'ai emprunté au service de sécurité.

Cette Muse…

Elle me l'a lancé et est retournée à sa voiture. J'ai glissé la clé dans la serrure, frappé encore une fois avant de la tourner. La porte s'est ouverte.

— N'allume pas.

La voix de Lucy.

— Laisse-moi, Cope, OK ?

L'iPod est passé à la chanson suivante. Alejandro Escovedo a demandé en musique quel est cet amour qui brise une mère et l'envoie s'écraser contre des arbres enchevêtrés.

— Tu devrais t'offrir une de ces compils dont on faisait autrefois la pub à la télé. Genre « *Time-Life* présente les chansons les plus déprimantes de tous les temps ».

Je l'ai entendue pouffer brièvement. Mes yeux commençaient à s'habituer à l'obscurité. Je l'ai vue : elle était assise sur le canapé. Je me suis approché.

— S'il te plaît, non.

450

Je me suis assis à côté d'elle. Elle avait une bouteille de vodka à la main, une bouteille à moitié vide. J'ai regardé autour de moi. Il n'y avait aucune touche personnelle dans cet appartement, aucune touche de couleur ni de gaieté.

— Ira, a-t-elle dit.

— Je suis vraiment désolé.

— Les flics disent qu'il a tué Gil.

— Et toi, qu'en penses-tu ?

— J'ai vu du sang dans sa voiture. Il a tiré sur toi. Donc oui, forcément, je pense qu'il a tué Gil.

— Pourquoi ?

En guise de réponse, elle a bu une longue gorgée.

— Donne-moi ça, ai-je dit.

— C'est ce que je suis, Cope.

— Non, ce n'est pas ce que tu es.

— Je ne suis pas faite pour toi. Tu ne peux pas me sauver.

J'avais bien plusieurs répliques en tête, mais elles sentaient le cliché à plein nez.

— Je t'aime, a-t-elle ajouté. Depuis toujours, je veux dire. J'ai connu d'autres hommes. J'ai eu des liaisons. Mais chaque fois, tu étais là, avec nous. Dans la même pièce. Jusque dans le lit. C'est débile, je sais, on n'était que des mômes à l'époque, mais voilà, c'est comme ça.

— Message reçu.

— Ils croient qu'Ira a aussi tué Margot et Doug.

— Et toi ?

— Il voulait juste ne plus en entendre parler. Tu comprends ? C'était trop douloureux, trop destructeur. Quand il a vu Gil, il a dû penser que c'était un fantôme du passé qui revenait le hanter.

— Je suis désolé, ai-je répété.

— Rentre chez toi, Cope.

— J'aimerais rester.

— Ce n'est pas à toi de décider. C'est ma maison. Ma vie. Rentre chez toi.

Elle a repris une lampée.

— Je n'ai pas envie de te laisser dans cet état.

Son rire était teinté d'amertume.

— Tu crois que ce serait la première fois ?

Son regard me défiait de la contredire.

— Je fais toujours ça. Je bois dans le noir en écoutant ces foutues chansons. Puis je finis par m'assoupir ou sombrer, appelle ça comme tu voudras. Et demain, j'aurai à peine mal aux cheveux.

— Je veux rester.

— Et moi, je ne veux pas que tu restes.

— Ce n'est pas pour toi. C'est pour moi. J'ai envie d'être avec toi. Surtout ce soir.

— Si tu restes, ce sera encore pire.

— Mais…

— S'il te plaît.

Sa voix s'était faite implorante.

— Laisse-moi seule. Demain. On pourra reprendre tout ça demain.

40

LE DR TARA O'NEILL DORMAIT RAREMENT plus de quatre ou cinq heures par nuit. Elle n'avait tout simplement pas besoin de sommeil. À six heures, aux premières lueurs du jour, elle était de retour dans les bois. Elle aimait ces bois – comme tous les bois, d'ailleurs. Elle avait fait ses études à l'université de Pennsylvanie, à Philadelphie. Les gens croyaient que ça allait lui plaire. Elle était si jolie, disaient-ils, et la ville, c'est tellement vivant, tellement animé, il s'y passe tant de choses.

Pourtant, durant ces années-là, O'Neill était rentrée chez elle tous les week-ends. Elle avait fini par se présenter au poste de coroner et, pour arrondir ses fins de mois, elle travaillait comme médecin légiste à Wilkes Barres. Pour définir sa philosophie de la vie, elle n'avait rien trouvé de mieux que les propos d'un chanteur célèbre – Eric Clapton, à ce qui lui semblait – entendus dans une interview : il disait qu'il n'était pas très fana… euh, des gens. Elle ne l'était pas non plus. Elle préférait, bizarrement, sa propre compagnie. Elle aimait lire et regarder des films sans commentaire. Elle n'avait que faire des hommes, de leur nombrilisme, de leurs fanfaronnades et de leurs angoisses existentielles. Elle ne voulait personne dans sa vie.

C'était ici, dans des bois comme ceux-ci, qu'elle se sentait le plus heureuse.

O'Neill avait emporté sa trousse, mais à tous les gadgets dernier cri payés avec les deniers publics, elle préférait le plus simple des ustensiles : le tamis. Elle avait presque le même dans sa cuisine.

Le tamis permettait de retrouver des dents et de petits os.

C'était une tâche fastidieuse, un peu comme les fouilles archéologiques auxquelles elle avait participé après son année de terminale au lycée. Elle avait suivi un stage dans les Badlands du Dakota du Sud, un endroit connu sous le nom de Big Pig Dig car, à l'origine, on y avait découvert un *Archaeotherium*, un énorme cochon préhistorique. Elle avait travaillé avec des fossiles de porcs et de rhinocéros. ç'avait été une expérience fabuleuse.

Elle fouillait maintenant avec la même patience méticuleuse ce lieu de sépulture – corvée que beaucoup de gens auraient jugée assommante. Tara O'Neill, elle, exultait.

Une heure plus tard, elle est tombée sur un petit bout d'os.

Son pouls s'est accéléré. Elle s'attendait à quelque chose de ce genre, c'était envisageable après la radio des points d'ossification. Mais tout de même. Trouver la pièce manquante…

— Mince alors !

Elle l'avait dit tout haut. Sa voix a résonné dans le silence des bois. Elle n'en croyait pas ses yeux. La preuve était là, dans la paume de sa main gantée de latex.

C'était l'os hyoïde.

La moitié, en tout cas. Largement calcifié, presque friable. Elle a repris ses recherches, tamisant aussi vite qu'elle le pouvait. Ça n'a pas été long. Cinq minutes plus tard, O'Neill a trouvé l'autre moitié. Elle a rapproché les deux fragments.

Même après tant d'années, ils s'emboîtaient comme les pièces d'un puzzle.

Le visage de Tara O'Neill s'est fendu d'un sourire béat. Elle a contemplé sa trouvaille en hochant la tête.

Puis elle a sorti son téléphone portable. Pas de réseau. Elle a dû parcourir huit cents mètres pour voir apparaître deux barres. Elle a composé alors le numéro du shérif Lowell. Il a décroché à la deuxième sonnerie.

— C'est vous, docteur ?

— C'est moi.

— Où êtes-vous ?

— Sur le lieu de la sépulture.

— Vous m'avez l'air tout émoustillée.

— Il y a de quoi.

— Ah bon ?

— J'ai trouvé quelque chose dans la terre, a dit Tara O'Neill.

— Et ?

— Ça change tout ce que nous pensions savoir sur cette affaire.

Réveillé par un bip à l'extérieur de ma chambre, je me suis étiré tout doucement et, ouvrant les yeux, j'ai vu Mme Perez assise à côté de moi.

Elle avait placé la chaise tout contre le lit. Son sac à main sur les genoux, elle se tenait très droite. J'ai risqué un coup d'œil sur son visage. Et il m'a semblé qu'elle avait pleuré.

— J'ai appris, pour M. Silverstein.

Une pause.

— J'ai su aussi qu'on a découvert des ossements dans les bois.

La gorge desséchée, j'ai tourné la tête à droite. La carafe en plastique jaunâtre, de celles qu'on trouve seulement dans les hôpitaux et qui sont spécialement conçues pour rendre l'eau imbuvable, était posée sur la tablette. J'allais l'attraper, mais Mme Perez s'est levée avant que j'aie le temps de tendre la main. Elle a rempli un verre et me l'a donné.

— Vous voulez vous asseoir ? a-t-elle demandé.

— Bonne idée.

Elle a actionné la télécommande, et mon dos a commencé à se redresser en position assise.

— C'est bon comme ça ?

— Oui, parfait.

Elle a repris sa place.

— Vous ne voulez pas lâcher, a-t-elle dit.

Je n'ai pas pris la peine de répondre.

— Il paraît que M. Silverstein a assassiné mon Gil. Vous croyez que c'est vrai ?

Mon Gil… L'heure n'était donc plus aux faux-semblants. Fini de se planquer derrière un mensonge ou derrière sa fille avocate. Finies, les hypothèses.

— Oui.

Elle a hoché la tête.

— J'ai parfois l'impression que Gil est vraiment mort dans les bois. Les années qui ont suivi, c'était juste du rab. Quand ce policier m'a téléphoné l'autre jour, j'ai tout de suite compris. Je m'y attendais, quoi. Quelque part, Gil n'a jamais réussi à sortir de ces bois.

— Racontez-moi ce qui s'est passé.

— Je croyais savoir. Depuis tout ce temps. Mais peut-être qu'on m'a caché la vérité. Et que Gil m'a menti.

— Dites-moi ce que vous savez.

— Vous y étiez, à la colonie. Vous connaissiez mon Gil.

— Oui.

— Et cette fille aussi. Cette Margot Green.

J'ai fait oui de la tête.

— Gil était fou amoureux d'elle. On était pauvres. On habitait un quartier pourri d'Irvington. M. Silverstein avait mis en place un programme pour accueillir des enfants d'ouvriers. Moi, je travaillais à la lingerie. Vous vous en souvenez ?

Je m'en souvenais.

— J'aimais beaucoup votre maman. Elle était très intelligente. On discutait beaucoup. De tout. De livres, de la vie, de nos déceptions. Natacha était ce qu'on appelle une vieille âme. Si belle et en même temps si fragile. Vous voyez ce que je veux dire ?

— Je pense que oui.

— Bref, Gil était raide amoureux de Margot Green. Ça pouvait se comprendre. Il avait dix-sept ans. À ses yeux, elle ressemblait presque à un mannequin de revue de mode. C'est ça, les hommes. Le désir les aveugle. Mon Gil n'était guère différent. Mais elle lui a brisé le cœur. Ça aussi, c'est courant. Il aurait été malheureux pendant quelques semaines, puis tout serait rentré dans l'ordre.

Elle s'est tue.

— Et alors, qu'est-il arrivé ?

— Wayne Steubens.

— Quoi, Wayne Steubens ?

— Il a monté la tête à Gil. Lui répétant qu'il ne fallait pas qu'il se laisse faire. Il a joué sur son orgueil d'homme. Margot, disait-il, se moquait de lui. Il devait

457

lui rendre la monnaie de sa pièce. Et au bout d'un moment, Gil a suivi ses conseils.

J'ai esquissé une grimace.

— Et donc, ils l'ont égorgée ?

— Non. Mais Margot se pavanait dans toute la colonie. Vous vous en souvenez, n'est-ce pas ? Wayne l'avait dit. C'était une allumeuse.

— Beaucoup de jeunes avaient envie de lui rabattre son caquet. Mon fils. Doug Billingham également. Peut-être votre sœur aussi. Ou alors elle s'est laissé entraîner par Doug. Peu importe.

Une infirmière a ouvert la porte.

— Pas maintenant s'il vous plaît, ai-je dit.

Je m'attendais à ce qu'elle proteste, mais quelque chose dans ma voix a dû l'en dissuader. Elle a battu en retraite, laissant la porte se refermer toute seule. Les yeux baissés, Mme Perez regardait son sac à main comme si elle craignait de se le faire arracher.

— Wayne avait tout organisé, d'après ce que Gil m'a dit. Ils allaient attirer Margot dans les bois. Ça devait être un canular. Votre sœur était dans le coup. Elle lui a dit qu'elles avaient rendez-vous avec de beaux garçons. Gil portait un masque. Il a attrapé Margot et l'a ligotée. Normalement, c'était tout. Ils allaient la planter là pendant quelques minutes. Soit elle parviendrait à se libérer, soit ils la détacheraient. C'était stupide et puéril, mais ça n'avait rien de bien méchant.

Effectivement. Des « canulars », il y en avait tout le temps à la colo. Une fois, on a déplacé le lit d'un gamin jusque dans les bois. Il s'est réveillé le lendemain matin… seul, dehors, mort de peur. D'autres fois, on braquait une torche sur les yeux d'un dormeur, on imitait le bruit du train et on le secouait en criant : « Sors des rails, vite ! » Évidemment, il tombait du lit. Je me rappelle deux abrutis qui traitaient tous les autres de pédés. Un soir tard, alors qu'ils dormaient à poings fermés, on leur a ôté leurs pyjamas, on en a pris un et on l'a mis dans le lit de l'autre. Le matin, tout le monde les a vus nus dans le même lit. Ensuite, les insultes ont cessé.

Ligoter une petite allumeuse et l'abandonner un moment dans les bois était tout à fait dans les us de l'époque.

— Mais les choses ont très mal tourné, a repris Mme Perez.

Une larme s'est échappée de sous ses paupières. Tirant un paquet de mouchoirs de son sac, elle s'est tamponné les yeux.

— Wayne Steubens a sorti une lame de rasoir.

À ces mots, mes yeux ont dû s'agrandir. J'imaginais très bien la scène, la stupeur sur les visages.

— Voyez-vous, Margot avait très bien compris ce qui se passait. Elle est entrée dans leur jeu. Elle s'est laissé ligoter. Puis elle s'est moquée de mon fils. Elle rigolait, disant qu'il ne savait pas s'y prendre avec une vraie femme. Bref, les sempiternelles insultes que les femmes jettent au visage des hommes depuis des siècles. Mais Gil, il n'a rien fait. Que pouvait-il faire ? Et voilà que Wayne brandit cette lame de rasoir. Au début, Gil a cru que ça faisait partie de la mise en scène. Pour faire peur à Margot. Mais Wayne n'a pas hésité. Il s'est approché de Margot et lui a tranché la gorge d'une oreille à l'autre.

J'ai fermé les yeux. Je voyais la lame entamer la peau satinée, le sang jaillir, la vie s'enfuir. Pendant ce temps, à quelques centaines de mètres de là, j'étais en train de faire l'amour avec ma copine. Ç'avait quelque chose de poignant, cette proximité entre le plus abominable et le plus merveilleux des actes humains, mais je n'avais pas le cœur à philosopher.

— Tout d'abord, personne n'a bougé. Ils étaient là, immobiles. Puis Wayne leur a souri en disant : « Merci de votre aide. »

J'ai froncé les sourcils. En un sens, je commençais à comprendre. Camille avait attiré Margot dans les bois, Gil l'avait ligotée...

— Wayne a levé la lame de rasoir. D'après Gil, on sentait qu'il savourait ce qu'il venait de faire. Et cette façon de regarder le cadavre de Margot. Il n'était pas rassasié. Il en voulait encore. Il s'est dirigé vers eux. Et ils ont détalé. Ils ont couru dans différentes directions. Wayne les a poursuivis. Gil a couru sur des kilomètres. Je ne sais pas exactement ce qui s'est passé. Mais c'est facile à deviner. Wayne a rattrapé Doug Billingham. Il l'a tué. Mais Gil s'est échappé. Et votre sœur aussi.

L'infirmière est revenue.

— Désolée, monsieur Copeland, je dois prendre votre pouls et votre tension.

Je lui ai fait signe d'entrer. J'avais besoin de reprendre mon souffle. Mon cœur battait la chamade. Décidément. Si je ne me calmais pas, ils allaient me garder ici ad vitam æternam.

L'infirmière travaillait vite et en silence. Mme Perez examinait la pièce comme si elle venait juste d'arriver, comme si elle venait de prendre conscience de l'endroit où elle se trouvait. J'ai eu peur qu'elle ne flanche.

— Ça va ? lui ai-je demandé.

Elle a hoché la tête.

L'infirmière avait terminé.

— Normalement, on vous laisse sortir ce matin.

— Super.

Elle a souri jaune avant de quitter la chambre. J'ai attendu que Mme Perez reprenne le fil de son récit.

— Gil était terrifié, vous pensez bien. Votre sœur aussi. Mettez-vous à leur place. Ils étaient jeunes. Ils venaient d'échapper à la mort. Ils avaient vu Margot Green se faire massacrer sous leurs yeux. Mais, par-dessus tout, ils étaient obsédés par la phrase de Wayne : « Merci de votre aide. » Vous comprenez ?

— Il les a fait passer pour ses complices.

— C'est ça.

— Alors qu'ont-ils fait ?

— Ils se sont cachés. Pendant plus de vingt-quatre heures. Votre mère et moi, on était mortes d'inquiétude. Mon mari était à Irvington. Votre père était à la colonie, et il s'est joint aux recherches. On était ensemble, votre mère et moi, quand on a reçu l'appel. Gil connaissait le numéro du taxiphone de l'arrière-cuisine. Il a appelé trois fois, mais comme chaque fois quelqu'un d'autre répondait, il raccrochait. Finalement, le surlendemain de leur disparition, c'est moi qui ai décroché.

— Il vous a tout raconté ?

— Oui.

— Et vous l'avez dit à ma mère ?

Elle a hoché la tête. Je commençais à entrevoir le tableau.

— Vous avez approché Wayne Steubens ? ai-je demandé.

— C'était inutile. Il avait déjà abordé votre maman.

— Pour lui dire quoi ?

— Oh, rien de compromettant. Mais il a été très clair : il avait un alibi pour cette nuit-là. De toute façon, nous avions déjà compris. Les mères, c'est comme ça.

— Vous aviez compris quoi ?

— Eduardo, le frère de Gil, purgeait une peine de

461

prison. Gil avait un casier : avec quelques copains, ils avaient volé une voiture. Nous étions pauvres, votre famille aussi. Il y aurait des empreintes digitales sur la corde. La police se demanderait pourquoi votre sœur avait entraîné Margot Green dans les bois. Wayne s'était débarrassé de toutes les pièces à conviction. Il était riche, populaire et ses parents pouvaient se payer les meilleurs avocats du pays. Vous qui êtes procureur, monsieur Copeland, dites-moi : si Gil et Camille refaisaient surface, qui les croirait ?

J'ai fermé les yeux.

— Vous leur avez donc dit de rester cachés.

— Oui.

— Et leurs vêtements tachés de sang, qui les a planqués dans les bois ?

— C'est moi. Gil et moi, on s'était donné rendez-vous.

— Vous avez vu ma sœur ?

— Non. Il m'a juste remis les vêtements. Il s'est coupé et a pressé sa chemise contre la plaie. Je lui ai dit de rester caché jusqu'à ce qu'on ait un plan. Votre mère et moi réfléchissions à un moyen détourné de révéler la vérité à la police. Mais on n'en trouvait aucun. Les jours passaient. Je connais la police. Même s'ils nous avaient crues, Gil et Camille risquaient quand même d'être accusés de complicité.

Une autre pensée m'a traversé l'esprit.

— Vous avez un fils handicapé. Vous aviez besoin d'argent pour le soigner. Et peut-être pour payer les études de Glenda.

Mon regard s'est planté dans le sien.

— Quand avez-vous pris conscience que vous pouviez vous faire indemniser par la justice ?

— Au début, on n'y avait pas pensé. C'est venu plus

tard… quand le père de Doug Billingham s'est mis à hurler que M. Silverstein avait été incapable de protéger son fils.

— Vous vous êtes dit que c'était une aubaine.

Elle a remué sur sa chaise.

— M. Silverstein était responsable de leur sécurité. Ils n'auraient jamais dû se trouver dans ces bois à un moment pareil. Il n'était donc pas tout blanc. J'ai vu ça comme une aubaine, oui. Et votre mère aussi.

La tête me tournait. J'ai essayé de me ressaisir, le temps de comprendre ce que cet aveu signifiait.

— Vous êtes en train de m'expliquer que…

Je me suis interrompu.

— Mes parents savaient que ma sœur était en vie ?

— Pas vos parents, non.

Une main glacée m'a étreint le cœur.

— Oh non…

Mme Perez se taisait.

— Elle ne l'a pas dit à mon père ?

— Non.

— Mais pourquoi ?

— Parce qu'elle le détestait.

Pétrifié, j'ai repensé aux disputes, à l'amertume, à la tristesse.

— À ce point-là ?

— Comment ?

— Détester quelqu'un est une chose. Mais détester son mari au point de lui laisser croire que sa propre fille est morte ?

Elle n'a fait aucun commentaire.

— Je vous ai posé une question, madame Perez.

— Désolée, je ne sais pas quoi vous répondre.

— Vous en avez parlé à votre mari, vous ?

— Oui.

463

— Mais pas elle.

Silence.

— Il allait creuser dans les bois pour essayer de la retrouver. Il y a trois mois, il m'a dit sur son lit de mort qu'il fallait continuer à chercher. Elle le haïssait à ce point-là, madame Perez ?

— Je ne sais pas, a-t-elle répété.

La vérité m'a frappé soudain, comme de grosses gouttes de pluie, des coups martelés.

— Elle cherchait à gagner du temps, n'est-ce pas ?

Mme Perez n'a pas répondu.

— Elle a caché ma sœur. Elle ne l'a dit à personne, même pas… même pas à moi. Elle attendait de toucher l'argent du procès. C'était ça, son plan. Et dès qu'elle l'a eu… elle est partie. Elle a pris une certaine somme et elle est allée retrouver ma sœur.

— C'était son plan, oui.

— Pourquoi, ai-je bredouillé, pourquoi ne m'a-t-elle pas emmené ?

Mme Perez s'est contentée de me regarder. Cette question me taraudait l'esprit. Pourquoi ? Soudain, j'ai compris.

— Si elle m'avait emmené, mon père aurait entrepris des recherches. Il aurait fait appel à l'oncle Sash et à tous ses vieux potes du KGB. Ma mère, il l'aurait laissée partir… il n'y avait plus d'amour entre eux. Ma sœur, il la croyait morte, donc ça ne comptait pas non plus. Mais ma mère savait qu'il ne renoncerait jamais à moi.

Je me suis rappelé ma conversation avec Sash. Il m'avait dit qu'elle était retournée en Russie. Se pouvait-il qu'elles y soient toujours ?

— Gil a changé de nom, a poursuivi Mme Perez. Il a voyagé un peu partout. Sa vie a été tout ce qu'il y a d'ordinaire. Quand ces détectives privés se sont présentés chez nous, il l'a appris et s'est dit que c'était un moyen de gagner un peu d'argent. Parce que, bizarrement, il vous en voulait aussi.

— À moi ?

— Vous aviez abandonné votre poste de garde cette nuit-là.

Je n'ai rien dit.

— Quelque part, il vous jugeait responsable. Pour lui, c'était une occasion de prendre sa revanche.

Ça collait parfaitement avec ce que m'avait dit Raya Singh.

Elle s'est levée.

— Voilà tout ce que je sais.

— Madame Perez ?

Elle m'a regardé.

— Ma sœur était-elle enceinte ?

— Je n'en sais rien.

— L'avez-vous jamais revue ?

— Pardon ?

— Camille. Gil vous a dit qu'elle était en vie. Ma mère vous a dit qu'elle était en vie. Mais l'avez-vous vue de vos propres yeux ?

— Non, a-t-elle répliqué. Je n'ai jamais revu votre sœur.

41

JE NE SAVAIS QUE PENSER.

D'ailleurs, je n'en avais pas le temps. Cinq minutes après le départ de Mme Perez, Muse a poussé la porte de ma chambre.

— On vous attend au tribunal.

Nous avons quitté l'hôpital sans problème. J'avais un costume de rechange dans mon bureau. Après m'être changé, je me suis rendu au cabinet du juge. Flair Hickory et Mort Pubin y étaient déjà. Ils avaient entendu parler de ma mésaventure, mais ça ne suffirait pas à les convaincre de me témoigner leur sollicitude.

— Messieurs, a déclaré le juge, j'espère que nous serons en mesure de parvenir à un règlement de cette affaire.

Je n'étais pas d'humeur.

— C'était donc ça ?

— Oui.

J'ai regardé le juge. Il m'a regardé. J'ai secoué la tête. C'était logique, somme toute. S'ils avaient tenté de faire pression sur moi en allant remuer la boue, pourquoi n'auraient-ils pas agi de même avec le juge ?

— Le parquet n'a pas l'intention de négocier.

Je me suis levé.

— Asseyez-vous, monsieur Copeland, a dit le juge Pierce. Il se pourrait que votre DVD ne soit pas recevable en tant que preuve matérielle à charge. Je vais peut-être devoir l'exclure du dossier.

Je me suis dirigé vers la porte.

— Monsieur Copeland !

— Je ne reste pas, ai-je dit. J'en prends la responsabilité, monsieur le juge. Vous avez rempli votre contrat. Considérez que c'est ma faute.

Flair Hickory a froncé les sourcils.

— De quoi parlez-vous ?

Sans répondre, j'ai tendu la main vers la poignée de la porte.

— Asseyez-vous, monsieur Copeland, ou je vous poursuis pour outrage à magistrat.

— Parce que je ne veux pas d'un arrangement ?

Je me suis retourné vers Arnold Pierce. Sa lèvre inférieure a frémi.

— Quelqu'un pourrait-il m'expliquer ce qui se passe, à la fin ? a demandé Mort Pubin.

Personne ne lui a répondu. J'ai fait signe à Pierce que je comprenais. Mais je refusais de céder. Je suis sorti dans le couloir. Ma blessure me faisait mal et ma tête palpitait. J'avais envie de m'asseoir pour pleurer dans un coin. De m'asseoir pour réfléchir à tout ce que je venais d'apprendre sur ma mère et ma sœur.

— Je savais que ça ne marcherait pas.

J'ai pivoté sur moi-même. C'était E. J. Jenrette.

— J'essaie seulement de sauver mon fils, a-t-il dit.

— Votre fils a violé une jeune femme.

— Je sais.

Je me suis arrêté. Il avait une enveloppe kraft à la main.

— Venez vous asseoir une seconde.

— Non.

— Imaginez votre fille. Votre Cara. Un jour, elle sera grande. Peut-être qu'elle aura bu un coup de trop dans une soirée. Elle renversera quelqu'un avec sa voiture. La personne mourra. Elle aura commis une erreur.

— Le viol n'est pas une erreur.

— Mais si. Vous savez qu'il ne recommencera pas. Il s'est planté. Il se croyait invincible. Maintenant, il a compris.

— On ne va pas reparler de ça, ai-je dit.

— D'accord. Mais tout le monde a ses secrets. Tout le monde commet des erreurs, des crimes, que sais-je encore. Il y en a qui les enterrent mieux que d'autres, c'est tout.

Je n'ai rien dit.

— Jamais je ne m'en suis pris à votre enfant, a continué Jenrette. C'est vous que je visais. À travers votre passé. À travers votre beau-frère, même. Mais votre fille, jamais. C'est une question d'éthique personnelle.

— Vous êtes un prince, ai-je rétorqué. Et le juge Pierce, vous avez quoi sur lui ?

— Bah, ça n'a pas d'importance.

Il avait raison. Que m'importait de le savoir ?

— Que puis-je faire pour aider mon fils, monsieur Copeland ?

— Je n'ai pas de solution à vous donner.

— Vous croyez que sa vie est finie ?

— Votre fils risque de prendre cinq, six ans maxi. Ce qu'il fera pendant son incarcération et en sortant de prison... c'est ça qui décidera de ce que sera sa vie.

E. J. Jenrette a brandi l'enveloppe kraft.

— Je ne sais pas très bien que faire de ceci.

Je n'ai rien dit.

— Un homme est prêt à tout pour protéger ses enfants. C'était peut-être ça, mon excuse. Comme celle de votre père.

— Mon père ?

— Votre père travaillait pour le KGB. Vous étiez au courant ?

— Je n'ai pas de temps pour ça.

— Voici un résumé de son dossier. Mes hommes l'ont traduit en anglais.

— Je n'ai pas envie de le voir.

— Vous devriez, monsieur Copeland.

Il me l'a tendu. Je n'ai pas bougé.

— Si vous voulez savoir jusqu'où un père peut aller pour que ses enfants aient une vie meilleure, lisez ceci. Peut-être que vous me comprendrez un peu mieux.

— Je ne tiens pas à vous comprendre.

E. J. Jenrette s'obstinait à me tendre le dossier. J'ai fini par le prendre. Il s'est éloigné sans ajouter un mot.

J'ai regagné mon bureau et fermé la porte. Puis je me suis assis et j'ai ouvert l'enveloppe. J'ai parcouru la première page. Rien de nouveau. J'ai commencé à lire la deuxième page, et alors même que je pensais avoir touché le fond, les mots m'ont lacéré le cœur et l'ont mis en pièces.

Muse est entrée sans frapper.

— Le squelette découvert à la colonie, a-t-elle annoncé, ce n'est pas celui de votre sœur.

J'étais incapable de proférer un son.

— Le Dr O'Neill a trouvé un truc qui s'appelle l'os hyoïde. C'est dans la gorge, je crois. Ç'a la forme d'un fer à cheval. Bref, il était brisé en deux. Ce qui signifie que la victime a probablement été étranglée. Seulement, voyez-vous, l'os hyoïde n'est pas aussi fragile chez les gens jeunes – il ressemble plus à un cartilage. O'Neill l'a radiographié pour déterminer le degré d'ossification. En clair, il y a de fortes chances que cet os ait appartenu à une femme de quarante, voire de cinquante ans, plutôt qu'à quelqu'un de l'âge de Camille.

Je continuais à fixer en silence les pages étalées devant moi.

— Vous m'avez entendue ? Ce n'est pas votre sœur.

J'ai fermé les yeux. Une gigantesque chape de plomb pesait sur mes épaules.

— Cope ?

— Je sais, ai-je dit.

— Quoi ?

— Que ce n'était pas ma sœur qui était là-bas, dans les bois. C'était ma mère.

42

SASH N'A PAS ÉTÉ SURPRIS DE ME VOIR.

— Tu savais, n'est-ce pas ?

Il était au téléphone. La main sur le combiné, il a dit :

— Assieds-toi, Pavel.

— Je t'ai posé une question.

Il a terminé sa conversation et replacé le combiné sur son support. Puis, voyant l'enveloppe kraft dans ma main :

— Qu'est-ce que c'est ?

— Un résumé du dossier KGB de mon père.

Ses épaules se sont affaissées.

— Il ne faut pas croire tout ce qu'on raconte là-dedans.

Ses paroles sonnaient creux, comme s'il était en train de lire sur un prompteur.

— Page deux, ai-je rétorqué, s'efforçant de maîtriser le tremblement de ma voix, il y a une liste des activités de mon père.

Sash m'a dévisagé sans mot dire.

— Il a dénoncé mes grands-parents, hein ? Il les a trahis. Mon propre père.

Sash continuait à se taire.

— Réponds-moi, nom de Dieu !

— Tu n'as toujours pas compris.

— Est-ce mon père qui a livré mes grands-parents aux autorités, oui ou non ?

— Oui.

Je me suis figé.

— Ton père a été accusé d'avoir bâclé un accouchement. J'ignore si c'est vrai ou pas. Peu importe. Il était dans le collimateur du régime. Je t'ai déjà parlé des pressions qu'on subissait à l'époque. Toute votre famille y serait passée.

— Du coup, il a vendu mes grands-parents pour sauver sa peau ?

— Ils auraient fini par se faire arrêter de toute façon. Mais en effet, Vladimir a choisi de sauver ses enfants plutôt que ses beaux-parents qui avaient déjà un certain âge. Il ne pensait pas que ça irait aussi loin. Il croyait à une manœuvre d'intimidation, sans plus. Au pire, on allait mettre tes grands-parents au frais pendant quelques semaines. Et, en échange, sa famille bénéficierait d'une seconde chance. Ton père voulait assurer l'avenir de ses enfants et de ses petits-enfants. Tu comprends ?

— Non, désolé, je ne comprends pas.

— Parce que tu es riche et que tu as la belle vie.

— Arrête tes conneries, Sash. On ne vend pas les membres de sa famille. Tu devrais savoir ça, toi qui as survécu au blocus. Les habitants de Leningrad n'ont pas capitulé. Ils l'ont payé au prix fort, mais ils ont tenu tête aux nazis.

— Et tu trouves ça malin ? s'est-il écrié, serrant les poings. Dieu que tu peux être naïf ! Mon frère et ma sœur sont morts de faim. Tu piges ? Si on s'était rendus, si on avait livré cette putain de ville à ces salopards, Gavril et Alena seraient toujours en vie. L'armée

472

allemande aurait fini par se prendre une déculottée, de toute façon. Mais mon frère et ma sœur auraient survécu, auraient vieilli ; ils auraient eu des enfants, des petits-enfants. Au lieu de quoi…

Il s'est détourné.

— Quand est-ce que ma mère l'a appris ? ai-je demandé.

— Ça le rongeait. Ton père, j'entends. À mon avis, ta mère s'est toujours posé des questions. C'est pour ça qu'elle avait un tel mépris pour ton père. Mais après la disparition de Camille, qu'il croyait morte, il a craqué et lui a tout avoué.

C'était logique. D'une logique implacable. Jamais ma mère n'aurait pardonné à mon père d'avoir trahi ses parents chéris. Elle n'a pas hésité une seconde à le faire souffrir, à lui laisser croire que sa fille était morte.

— Donc, ai-je dit, ma mère a caché ma sœur. En attendant de toucher l'argent du procès. Après quoi, elle projetait de disparaître avec Camille.

— Oui.

— Ce qui nous ramène à la question centrale.

— Quelle question ?

J'ai écarté les mains.

— Et moi alors, son propre fils ? Comment pouvait-elle m'abandonner comme ça ?

Sash n'a rien répondu.

— Toute ma vie, ai-je déclaré. J'ai passé toute ma vie à penser que ma mère ne m'aimait pas assez. Vu la façon dont elle s'est évanouie dans la nature. Comment as-tu pu me laisser croire ça, Sash ?

— Tu imagines que la vérité, c'est mieux ?

Je me suis revu en train d'espionner mon père dans les bois. Il creusait sans relâche à la recherche de sa fille. Et puis, un jour, il s'est arrêté. Je pensais que c'était à cause

473

du départ de ma mère. Je me suis souvenu de ce qu'il m'avait dit, ce dernier jour : « Pas aujourd'hui, Paul. Aujourd'hui, j'irai seul. »

Ce jour-là, il avait creusé son dernier trou. Pas pour retrouver ma sœur. Mais pour ensevelir ma mère.

Était-ce simplement justice, qu'il l'enterre dans le sol même où était censée reposer ma sœur, ou bien y avait-il un élément de calcul là-dedans... qui songerait à chercher dans un lieu qu'on avait déjà si minutieusement fouillé ?

— Papa a découvert qu'elle envisageait de le quitter.

— Oui.

— Comment ?

— C'est moi qui le lui ai dit.

Sash a affronté mon regard. Je me suis tu.

— J'ai appris que ta mère avait retiré cent mille dollars sur leur compte joint. C'était un protocole d'usage au KGB : se surveiller les uns les autres. J'en ai parlé à ton père.

— Et il est allé lui demander des comptes.

— Oui.

— Et ma mère...

Ma voix s'est brisée. J'ai cillé et me suis raclé la gorge.

— Ma mère n'a jamais eu l'intention de m'abandonner. Elle allait m'emmener avec elle.

Sash a hoché la tête sans baisser les yeux.

Cette vérité-là aurait dû me réconforter un peu. Mais non.

— Tu savais qu'il l'avait tuée, Sash ?

— Oui.

— C'est tout ce que ça te fait ?

À nouveau, il a préféré se taire.

— Et tu n'as pas réagi... ?

— Nous travaillions encore pour le gouvernement. S'il était accusé de meurtre, ça nous mettait tous en danger.

— Tu risquais de perdre ta couverture.

— Pas seulement moi. Ton père connaissait beaucoup de monde.

— Du coup, tu as laissé courir.

— C'était comme ça entre nous. On se sacrifiait pour la cause. Ton père a dit qu'elle menaçait de nous dénoncer tous.

— Et tu l'as cru ?

— Qu'importe ce que j'ai cru ? Il n'avait pas prémédité son geste. Il a craqué. Imagine, Natacha allait partir sans laisser d'adresse. Et elle allait emmener ses enfants...

Je me suis rappelé les dernières paroles de mon père sur son lit de mort : « Paul, il faut absolument qu'on la retrouve... »

Parlait-il du cadavre de Camille ? Ou de Camille elle-même ?

— Mon père a découvert que ma sœur était toujours en vie ?

— Ce n'est pas si simple.

— Comment ça, pas si simple ? Il l'a su, oui ou non ? Ma mère ne le lui a pas dit ?

— Natacha ? Sûrement pas. Tu parles de courage, de résistance face à l'adversité. Ton père a eu beau faire, elle n'a pas dit un mot.

— Y compris en l'étranglant ?

Il n'a pas répondu.

— Alors, comment il a su ?

— Après la mort de ta mère, il a fouillé dans ses papiers, dans les relevés téléphoniques. Et il a compris... du moins, il a eu des soupçons.

— Donc, il savait ?

— Comme je l'ai dit, ce n'est pas si simple.

— Ça ne tient pas debout, Sash. A-t-il fait des recherches pour retrouver Camille ?

Sash a contourné son bureau.

— Tu as parlé tout à l'heure du siège de Leningrad. Tu sais ce que ça m'a appris ? Les morts ne sont rien. Ils ne sont plus. On les enterre, et la vie continue.

— Je tâcherai de m'en souvenir, Sash.

— Toi, tu t'es embarqué dans cette quête. Tu n'as pas voulu laisser les morts en paix. Et où ça t'a mené, hein ? Deux autres personnes sont mortes. Tu as appris que ton cher papa avait assassiné ta mère. Est-ce que ça en valait la peine, Pavel ? Est-ce que ça valait la peine de réveiller les fantômes du passé ?

— Ça dépend, ai-je rétorqué.

— De quoi ?

— De ce qui est arrivé à ma sœur.

« Tu étais au courant ? » m'avait demandé mon père avant de mourir.

J'avais eu l'impression qu'il m'accusait, qu'il avait lu la culpabilité sur mon visage. Mais sa question portait sur autre chose. Il parlait du véritable sort de ma sœur. Et aussi de ce qu'il avait fait à ma mère.

— Qu'est-ce qu'elle est devenue, Sash ?

— C'est à ça que je pensais quand je t'ai dit que ce n'était pas si simple.

J'attendais qu'il poursuive.

— Comprends-moi bien. Ton père n'était sûr de rien. Il a trouvé quelques indices, oui, mais sa seule certitude était que ta mère allait partir avec l'argent et t'emmener avec elle.

— Et donc ?

— Il m'a demandé de l'aider. Il m'a montré ce qu'il avait découvert. Il voulait que je retrouve ta sœur.

Je l'ai regardé.

— Alors ?

— J'ai jeté un œil, oui.

Il a fait un pas vers moi.

— Et j'ai dit à ton père qu'il s'était trompé.

— Quoi ?

— Je lui ai dit que ta sœur était morte avec les autres dans les bois.

J'étais complètement déboussolé.

— C'est vrai ?

— Non, Pavel. Elle n'est pas morte.

J'ai senti mon cœur se dilater dans ma poitrine.

— Tu lui as menti. Pour qu'il cesse les recherches.

Il est resté silencieux.

— Et maintenant ? Où est-elle maintenant ?

— Ta sœur savait ce que ton père avait fait. Mais elle n'avait aucune preuve. Qui plus est, elle aurait dû expliquer pourquoi elle avait disparu. Et puis, elle avait peur de ton père. Comment aurait-elle pu retourner chez un homme qui avait assassiné sa mère ?

J'ai songé à la famille Perez, aux charges d'escroquerie et autres qui pesaient sur eux. C'était pareil pour ma sœur. Il lui était difficile de se manifester au grand jour.

Une fois de plus, mon cœur s'est gonflé d'espoir.

— Tu l'as retrouvée, pour finir ?

— Oui.

— Et ?

— Je lui ai donné de l'argent.

— Tu l'as aidée à se cacher ?

Il n'a pas répondu. Il n'avait pas besoin de répondre.

— Où est-elle maintenant ? ai-je répété.

— Ça fait des années qu'on n'est plus en contact. Il faut que tu comprennes que Camille ne voulait pas te faire de mal. Elle a pensé que tu pourrais partir avec elle. Mais ce n'était pas réaliste. Elle connaissait ton attachement à ton père. Plus tard, quand tu es devenu un personnage public, elle s'est dit que son retour, et le scandale qui s'ensuivrait, risquait de compromettre ta carrière.

— Elle est déjà compromise.

— Oui. Ça, nous le savons aujourd'hui.

Nous. Il avait dit « nous ».

— Alors, où est Camille ?

— Elle est ici, Pavel.

L'air a déserté la pièce. Le souffle coupé, j'ai secoué la tête.

— J'ai mis du temps à la localiser après toutes ces années, a-t-il dit. Mais j'y suis arrivé. On a parlé. Elle ignorait que votre père était mort. Ce qui, bien entendu, change toute la donne.

— Attends une seconde. Tu...

Je me suis interrompu.

— Tu as parlé à Camille ?

Je crois bien que c'était ma voix.

— Oui, Pavel.

— Je ne comprends pas.

— Quand tu es entré, j'étais avec elle au téléphone.

J'étais glacé de la tête aux pieds.

— Elle est descendue dans un hôtel à deux rues d'ici. Je lui ai dit de venir.

Il a regardé l'ascenseur.

— C'est elle qui est en train de monter, là.

Lentement, je me suis retourné. J'ai suivi des yeux les chiffres qui grimpaient. La sonnerie a tinté. Je me suis avancé. Je n'y croyais pas vraiment. C'était encore une

478

blague cruelle du destin. L'espoir se plaisait à me mener par le bout du nez.

L'ascenseur s'est immobilisé. Les portes n'ont pas coulissé, non, elles se sont écartées à contrecœur, comme si elles craignaient de livrer passage à la visiteuse. Le cœur battant, je ne les ai pas quittées des yeux.

Quelques secondes de plus, et… vingt ans après avoir disparu dans les bois, ma sœur Camille refaisait son entrée dans ma vie.

Épilogue

Un mois plus tard

LUCY N'EST GUÈRE EMBALLÉE PAR MON PROJET.

— C'est fini, terminé, me dit-elle juste avant mon départ pour l'aéroport.

— J'ai déjà entendu ça, dans le temps.

— Tu n'as pas besoin de retourner le voir, Cope.

— Si. Il reste encore une ou deux choses que je voudrais éclaircir.

Lucy ferme les yeux.

— Qu'y a-t-il ?

— Notre situation est tellement précaire, tu sais.

Je sais.

— Je n'ai pas envie que tu ailles remuer la boue.

Je comprends. Mais je n'ai pas le choix.

Une heure plus tard, je regarde par le hublot de l'avion. En l'espace d'un mois, presque tout est rentré dans l'ordre. L'affaire Jenrette-Marantz a pris un tour étrange et surprenant pour s'achever en fanfare. Les familles des deux accusés n'ont pas baissé les bras. Elles ont fait pression sur le juge Arnold Pierce qui a fini par craquer. Il a rejeté le DVD porno sous prétexte qu'on l'avait présenté trop tard. On était dans le pétrin. Mais le jury n'a pas été dupe – comme c'est souvent le cas – et les a reconnus coupables. Évidemment, Hickory et Pubin ont fait appel.

Je voudrais poursuivre le juge Pierce, mais ce serait perdu d'avance. Je voudrais poursuivre E. J. Jenrette et EDC pour chantage, mais, là non plus, je ne pense pas que ça va marcher. En tout cas, pour Chamique, l'issue s'annonce plutôt bien. Ils ont hâte, paraît-il, de se débarrasser d'elle. On parle d'un montant à sept chiffres pour les dommages-intérêts. J'espère qu'elle l'aura. Mais dans ma boule de cristal, je ne vois pas vraiment d'avenir radieux pour elle. Compte tenu de son existence chaotique, je doute que l'argent puisse y changer grand-chose.

Mon beau-frère, Bob, est en liberté conditionnelle. Sur ce coup-là, j'ai capitulé. J'ai déclaré aux autorités fédérales me souvenir « vaguement » que Bob m'avait parlé d'un emprunt et que j'avais donné mon accord. J'ignore si ça va le faire. J'ignore même si j'ai tort ou raison (je dois probablement avoir tort), mais je ne veux pas ficher en l'air la famille de Greta. Traitez-moi d'hypocrite – je ne dirai pas le contraire –, mais l'aveuglant soleil du monde réel brouille parfois la frontière entre le bien et le mal.

Tout comme l'obscurité des bois, d'ailleurs.

Une rapide mise à jour concernant Loren Muse : Muse sera toujours Muse. Et j'en suis heureux. Le gouverneur Dave Markie n'a pas encore réclamé ma démission, et je n'ai pas offert de démissionner non plus. Je devrais le faire sans doute et je le ferai, mais pour l'instant, je laisse courir.

Raya Singh a fini par quitter Enquêteurs détectives de choc pour s'associer avec… Celia Shaker. Celia dit qu'elles recherchent une troisième « bombe » pour pouvoir baptiser leur nouvelle agence « Drôles de dames ».

L'avion se pose. Je descends et consulte mon Black-Berry. Il y a un court message de ma sœur Camille :

« Salut, frangin ! Cara et moi, on va manger et faire les boutiques en ville. Énormes bisous, Camille. »

Camille, ma petite sœur. C'est fabuleux de l'avoir retrouvée. Je n'arrive pas à croire qu'elle ait pu s'installer aussi vite dans notre vie. À vrai dire, il y a encore une tension latente entre nous. Ça s'arrange. Ça va s'arranger. Mais la tension est là, indéniable, et quel-quefois nous nous mettons en quatre pour la combattre à grands coups de « frangin », « frangine » et autres « énormes bisous ».

Je ne connais pas toute l'histoire de Camille. Il reste des détails qu'elle me cache. Je sais qu'elle a vécu à Moscou sous une fausse identité, mais elle n'y est pas restée. Elle a passé deux années à Prague et une autre à Begur, sur la Costa Brava, en Espagne. De retour aux États-Unis, elle a continué à bouger, puis elle s'est mariée et s'est installée du côté d'Atlanta pour divorcer trois ans plus tard.

Elle n'a jamais eu d'enfants, mais c'est une tata d'enfer. Elle adore Cara, qui le lui rend au centuple. Camille habite chez nous. C'est merveilleux – mieux que je ne l'avais espéré – et ça aide vraiment à apaiser les tensions.

Quelque part, je me demande pourquoi elle a mis autant de temps à revenir à la maison : là se situe, la prin-cipale source du malaise. Je comprends, comme l'a dit Sash, qu'elle ait voulu me protéger, moi, ma réputation, le souvenir que j'avais de mon père. Et qu'elle ait eu peur de papa, tant qu'il était encore de ce monde.

Mais je crois qu'il y a autre chose.

Camille a choisi de garder le silence sur ce qui s'était passé dans les bois. Elle n'a pas dénoncé Wayne Steubens. Son choix, bon ou mauvais, a permis à Wayne de commettre d'autres meurtres. Je ne sais pas ce qui aurait été mieux : si le fait de se manifester aurait réglé ou au contraire aggravé le problème. On peut arguer que Wayne s'en serait tiré quand même, qu'il aurait pu fuir ou bien rester en Europe, qu'il aurait agi avec plus de circonspection. Allez donc savoir. Seulement, les mensonges, ç'a tendance à gangrener. Camille a cru pouvoir les enterrer. On l'a tous cru, peut-être.

Mais aucun d'entre nous n'est sorti indemne de ces bois.

Pour ce qui est de ma vie sentimentale, ma foi, je suis amoureux. C'est aussi simple que ça. J'aime Lucy de tout mon cœur. On n'y est pas allés mollo… On s'est jetés à l'eau comme pour rattraper le temps perdu. Il y a peut-être un désespoir maladif là-dessous, une obsession, un côté « se raccrocher à l'autre comme à une bouée de sauvetage ». On se voit très souvent, et lorsqu'on n'est pas ensemble je me sens désemparé, à la dérive, et j'ai envie d'être avec elle. Nous nous parlons au téléphone. Nous échangeons en permanence e-mails et textos.

Mais c'est ça, l'amour, non ?

Lucy est drôle, candide, chaleureuse, intelligente et me subjugue dans le bon sens du terme. Nous sommes d'accord sur tout, semble-t-il.

Sauf sur ma décision de faire ce voyage.

Je comprends ses craintes. Moi aussi, je ne suis que trop conscient de la précarité de notre relation. Mais on ne peut pas marcher sur des œufs toute sa vie. Du coup, me voici de nouveau à la prison d'État de Red Onion à Pound, en Virginie, pour recueillir les ultimes vérités.

Wayne Steubens arrive. Nous sommes dans la même pièce que la dernière fois. Il s'assied à la même place.

— Ben dis donc, tu n'as pas chômé, hein, Cope ?

— C'est toi qui les as tués. Le fin mot de l'histoire, c'est que l'assassin, c'est toi.

Wayne sourit.

— Tu avais tout prévu, pas vrai ?

— Est-ce que quelqu'un nous écoute, là ?

— Non.

Il lève la main droite.

— J'ai ta parole là-dessus ?

— Tu as ma parole.

— OK, dans ce cas, pourquoi pas. C'est moi, oui. J'ai programmé ces meurtres.

Nous y voilà. Lui aussi a décidé de remettre les pendules à l'heure.

— Et tu as exécuté ton plan, exactement comme Mme Perez me l'a dit. Tu as égorgé Margot. Gil, Camille et Doug ont pris la fuite. Tu les as poursuivis. Tu as rattrapé Doug et tu l'as tué aussi.

Il brandit son index.

— J'ai commis une erreur stratégique. Vois-tu, j'ai brûlé les étapes avec Margot. Elle devait être la dernière, vu qu'elle était déjà ligotée. Mais ce cou offert, vulnérable... je n'ai pas pu résister.

— Il y a des choses que je n'ai pas saisies au début, dis-je. Mais maintenant, je crois avoir deviné.

— Je t'écoute.

— Ce texte que les privés ont fait parvenir à Lucy.

— Ahh...

— Je me demandais qui nous avait vus dans les bois,

485

mais Lucy a compris tout de suite. Une seule personne pouvait être au courant : l'assassin. Toi, Wayne.

Il écarte les mains.

— La modestie m'empêche d'en dire davantage.

— C'est toi qui as fourni les informations à EDC. C'est toi, leur source.

— La modestie, Cope. Je revendique la modestie.

Il a l'air de bien s'amuser.

— Comment as-tu fait pour obliger Ira à t'aider ?

— Cher tonton Ira. Le ravi de la crèche.

— Alors, Wayne ?

— Il ne m'a pas aidé. Je voulais juste ne pas l'avoir dans les pattes. Figure-toi que, au risque de te choquer, Cope, Ira se droguait. J'avais des preuves, des photos. Si ça venait à se savoir, c'en était fini de sa précieuse colonie de vacances. Et de lui par la même occasion.

Sourires.

— Donc, dis-je, quand Gil et moi avons menacé de tout remettre sur le tapis, Ira a eu peur. Effectivement, il n'était déjà pas net à l'époque… et ça n'a fait qu'empirer. La paranoïa lui a obscurci le cerveau. Tu étais en prison de toute façon ; notre démarche, à Gil et à moi, ne présageait rien de bon pour lui. Alors Ira a paniqué. Il a réduit Gil au silence et essayé de faire pareil avec moi.

Nouveau sourire de Wayne.

Mais un peu différent cette fois.

— Wayne ?

Il ne répond pas. Son sourire s'élargit. Je n'aime pas ça. Je repense à ce que je viens de dire. Non, décidément, je n'aime pas ça du tout.

Il sourit toujours.

Je demande :

— Quoi, qu'y a-t-il ?

486

— Il y a une chose qui t'échappe, Cope.

J'attends.

— Ira n'est pas le seul à m'avoir aidé.

— Je sais. Gil a ligoté Margot. Ma sœur était là aussi. C'est elle qui a entraîné Margot dans les bois.

Plissant les yeux, Wayne écarte légèrement le pouce et l'index.

— Il y a encore une toute petite chose. Un secret minuscule que j'ai gardé toutes ces années.

Je retiens ma respiration. Il se contente de sourire. Je finis par rompre le silence et répète :

— Quoi ?

Il se penche en avant et chuchote :

— Toi, Cope.

Je reste sans voix.

— Tu oublies ton rôle dans tout ça.

— Je n'oublie rien du tout. J'ai abandonné mon poste.

— C'est vrai. Et si tu ne l'avais pas fait ?

— Je serais intervenu.

— Oui, répond Wayne d'une voix traînante. Justement.

J'attends la suite. Qui ne vient pas.

— C'est ça que tu voulais entendre, Wayne ? Que je me sens en partie responsable ?

— Non. C'est plus compliqué.

— Quoi alors ?

Il secoue la tête.

— Tu n'y es toujours pas.

— Comment ça ?

— Réfléchis, Cope. D'accord, tu as abandonné ton poste. Mais tu l'as dit toi-même, j'avais tout prévu.

Il met ses mains en porte-voix et baisse à nouveau le ton.

— Alors, réponds-moi : comment pouvais-je savoir que tu ne serais pas à ton poste cette nuit-là ?

Lucy et moi nous rendons dans les bois.

Comme j'ai une autorisation du shérif Lowell, le gardien – celui-là même contre lequel Muse m'a mis en garde – nous fait signe de passer. Je me gare sur le parking de la résidence. Ça fait bizarre… ni Lucy ni moi n'avons remis les pieds ici depuis vingt ans. À l'époque, ces constructions n'existaient pas, bien sûr. Néanmoins, et malgré tout ce temps, nous savons exactement où nous sommes.

Toutes ces terres ont autrefois appartenu au père de Lucy, à son cher Ira. Il avait débarqué ici tel Magellan à la découverte d'un nouveau monde. En regardant ces bois, Ira y a vu l'occasion de réaliser son vieux rêve : une colonie de vacances, une communauté, un lieu de vie naturel à l'abri des turpitudes des hommes, un lieu de paix et d'harmonie… Bref, quelque chose qui pourrait incarner ses valeurs.

Pauvre Ira.

À l'origine de la plupart des crimes dont je connais les dossiers, il y a de toutes petites choses. Un mari se fâche contre sa femme pour des broutilles – un dîner froid, la télécommande –, et ensuite, c'est l'escalade. Ici, c'est tout le contraire. Le point de départ est un tueur fou assoiffé de sang.

Nous lui avons tous facilité la tâche, d'une manière ou d'une autre. Finalement, la peur a été la meilleure alliée de Wayne. J'ai appris ça avec E. J. Jenrette : si on fait suffisamment peur aux gens, ils s'inclinent. Sauf que ça n'a pas marché pour le procès de son fils. Il n'a pas réussi à faire peur à Chamique Johnson. Ni à moi, d'ailleurs.

Sans doute parce que j'avais peur d'autre chose déjà.

Lucy a apporté un bouquet de fleurs. Pourtant – elle devrait savoir ça – chez nous, on ne met pas de fleurs sur les tombes. On met des pierres. Je ne sais pas non plus pour qui sont ces fleurs : ma mère ou son père. Les deux, vraisemblablement.

Nous longeons le vieux sentier, qui est toujours là, bien qu'envahi par la végétation, jusqu'à l'endroit où Barrett a découvert les restes de ma mère. La fosse dans laquelle elle a reposé toutes ces années n'a pas été comblée. Des morceaux de ruban jaune de la police scientifique volettent au vent.

Lucy s'agenouille. Je tends l'oreille pour essayer d'entendre les cris dans la brise. Mais je n'entends rien. Rien que les sourds battements de mon cœur.

— Pourquoi sommes-nous allés dans les bois cette nuit-là, Lucy ?

Elle ne bronche pas.

— Je n'y ai jamais vraiment réfléchi. Contrairement aux autres. Tout le monde s'est demandé comment j'ai pu me comporter d'une manière si irresponsable. Pour moi, c'était évident. J'étais amoureux. J'allais retrouver ma copine. Quoi de plus naturel, hein ?

Elle dépose les fleurs avec soin. Elle fuit toujours mon regard.

— Ce n'est pas Ira qui a aidé Wayne Steubens cette nuit-là, dis-je à la femme que j'aime. C'est toi.

J'entends le procureur qui parle par ma voix. Je voudrais qu'il se taise, qu'il nous lâche. Mais il s'y refuse.

— Wayne me l'a dit. Tout avait été minutieusement préparé. Comment pouvait-il savoir que je ne serais pas à mon poste ? Parce qu'il t'avait chargée de m'en éloigner.

J'ai l'impression de la voir se rabougrir, rapetisser.

— Voilà pourquoi tu étais incapable de m'affronter. C'est de là que vient cette sensation de perpétuelle dégringolade. Pas parce que vous avez perdu tous vos biens, votre réputation ou votre argent. Mais parce que tu as aidé Wayne Steubens.

Lucy baisse la tête. Je suis derrière elle. Elle se cache le visage et éclate en sanglots. Ses épaules tremblent. De la voir pleurer me fend le cœur. Je fais un pas vers elle. Tant pis, me dis-je. On s'en fout. Ce coup-ci, l'oncle Sash a raison. Je n'ai pas besoin de tout savoir. Je n'ai pas besoin de revenir en arrière.

J'ai juste besoin d'elle. Alors je m'approche.

Elle m'arrête d'un geste et se reprend avec effort.

— J'ignorais ce qu'il avait l'intention de faire, explique-t-elle. Il a dit que, si je ne l'aidais pas, il dénoncerait Ira à la police. Je croyais… que c'était simplement pour faire peur à Margot. Tu comprends ? Une blague de potache.

Ma gorge se noue.

— Wayne savait qu'on a été séparés.

Elle hoche la tête.

— Comment il l'a su ?

— Parce qu'il m'a vue.

— Toi, dis-je. Pas nous.

Elle acquiesce à nouveau.

— Tu as trouvé le corps, n'est-ce pas ? Celui de Margot. C'était ça, le sang dans ton récit. Wayne ne parlait pas de moi. Il parlait de toi.

— Oui.

Terrifiée, elle a dû se précipiter chez son père. Et il avait paniqué aussi.

— Ira t'a vue en sang. Il a cru…

Elle ne répond pas. Mais tout s'éclaire à présent.

— Ira n'aurait pas tiré sur Gil ou moi pour se protéger. Malgré ses idées de partage, de paix et d'amour universel, c'était un père comme les autres. Qui aurait tué pour protéger sa petite fille.

Elle recommence à sangloter.

Tout le monde s'était tu. Tout le monde avait eu peur : ma sœur, ma mère, Gil, sa famille et maintenant Lucy. Ils sont tous partiellement fautifs, et tous l'ont payé très cher. Et moi dans tout ça ? Je me plais à invoquer des excuses telles que mon jeune âge et le besoin de… comment dire ?… de jeter ma gourme. Mais est-ce vraiment une excuse ? Mon devoir était de surveiller les ados. Et cette nuit-là, j'ai failli.

Les arbres semblent se refermer sur nous. Je les regarde, puis je regarde le visage de Lucy. Je vois la beauté. Je vois les ravages. J'ai envie d'aller vers elle. Mais je ne peux pas. Je ne sais pas pourquoi. Je suis sûr que c'est la seule chose à faire. Et je n'y arrive pas.

Je tourne le dos à la femme que j'aime. Je m'attends à ce qu'elle me retienne, mais elle n'esquisse aucun geste. Elle me laisse partir. J'entends ses sanglots. Je m'éloigne jusqu'à sortir des bois et rejoindre la voiture. Je m'assieds par terre et ferme les yeux. Elle finira bien par rebrousser chemin. Alors j'attends. Je me demande où nous irons une fois qu'elle sera revenue. Repartirons-nous ensemble ou bien, après toutes ces années, les bois auront-ils fait une nouvelle et dernière victime ?

Remerciements

N'étant pas moi-même expert en grand-chose, heureusement, je connais de généreux génies qui le sont. Sans vouloir me vanter de mes relations, j'ai été aidé par mes amis et/ou collègues, le Dr Michael Baden, Linda Fairstein, le Dr David Gold, le Dr Anne Armstrong-Coben, Christopher J. Christie et le véritable Jeff Bedford.

Merci à Mitch Hoffman, Lisa Johnson, Brian Tart, Erika Imranyi et tout le monde chez Dutton. Merci à Jon Wood chez Orion et à Françoise Triffaux chez Belfond. Merci à Aaron Priest et à toute son équipe de l'agence littéraire éponyme.

Pour finir, j'aimerais remercier tout particulièrement l'excellente Lisa Erbach Vance qui a appris en dix ans à gérer à merveille mes humeurs et mes angoisses. Tu es trop cool, Lisa.

Collection Thriller

Des livres pour serial lecteurs

Profilers, détectives ou héros ordinaires, ils ont décidé de traquer le crime et d'explorer les facettes les plus sombres de notre société. Attention, certains de ces visages peuvent revêtir les traits les plus inattendus... notamment les nôtres.

Vos enquêteurs favoris vous donnent rendez-vous sur www.pocket.fr

UN PASSÉ PEUT
EN CACHER UN AUTRE

● Harlan COBEN
Promets-moi

Un mystérieux enlèvement

Myron Bolitar a fait une promesse. Celle d'être là pour Aimee, la fille d'une amie. N'importe où, n'importe quand. Quelques jours plus tard, l'adolescente disparaît. Myron est la dernière personne à l'avoir vue… Fugue ? Enlèvement ? Myron mène l'enquête, pour prouver son innocence, mais aussi parce qu'il a promis aux parents d'Aimee de retrouver leur fille. Et une promesse est une promesse…

Pocket n° 13521

Harlan COBEN **●**
Ne le dis à personne...

Faux-semblants

Imaginez… Votre femme a été tuée par un serial killer. Lentement, votre vie bascule. Vous avez beau essayer, vous ne parvenez pas à oublier. Huit ans plus tard, vous recevez un e-mail anonyme. Vous cliquez : une image. C'est son visage, au milieu d'une foule, filmé en temps réel. Impossible, pensez-vous ? Et si vous lisiez *Ne le dis à personne...* ?

Pocket n° 11688

Pour en savoir plus : www.pocket.fr

Harlan COBEN
Une chance de trop

La rançon

Douze coups de feu puis, le trou noir. Douze jours de coma. Lorsque Marc se réveille, sa femme est morte et Tara, sa fille de six mois, a disparu. La demande de rançon est claire : deux millions de dollars et Tara aura la vie sauve. Avocats véreux, filières d'adoption douteuses, trafic de bébés, enlèvements crapuleux, tueurs à gages, psychopates... Pour Marc, la vie est désormais infernale.

Pocket n° 12484

Harlan COBEN
Juste un regard

Bas les masques

Et si votre vie n'était qu'une vaste imposture ? Si l'homme que vous aviez épousé dix ans auparavant n'était pas celui que vous croyez ? Si tout votre univers s'effondrait brutalement ? Pour Grace Lawson, il aura suffit d'un seul regard sur une vieille photo prise vingt ans plus tôt et porteuse d'une incroyable révélation pour que tout s'écroule. Ses souvenirs, son mariage, ses amis. Tout n'était qu'un tissu de mensonges. Et la descente aux enfers ne fait que commencer...

Pocket n° 12897

Pour en savoir plus : www.pocket.fr

Harlan COBEN
Innocent

Adultère...

Un ami en danger. Une bagarre qui dégénère. Un accident.
Matt Hunter est devenu un assassin à vingt ans. Treize
ans plus tard, il mène enfin une vie paisible avec la
femme qu'il aime, Olivia, enceinte de leur premier enfant.
Et puis un jour, sur son portable, il reçoit une vidéo
d'Olivia dans une chambre d'hôtel en compagnie d'un
inconnu. Le cauchemar recommence...

Pocket n° 13286

Harlan COBEN
Balle de match

Jeu mortel

Dans le monde du tennis professionnel, certains n'hésitent
pas à remplacer la balle jaune par une autre d'un plus petit
calibre aux effets mortels. Comme celle qui a mis définitivement fin à la carrière de l'ancienne championne Valérie
Simpson par exemple. Pour l'agent sportif Myron Bolitar,
c'est une nouvelle enquête semée d'embûches qui commence. Qui avait intérêt à tuer Valérie ? Et pourquoi celle-ci
a-t-elle cherché à le joindre la veille de son assassinat, après
un long silence ?

Pocket n° 12555

Pour en savoir plus : www.pocket.fr

Harlan COBEN
Faux rebond

Mauvais joueur

Nouveau challenge pour l'agent sportif Myron Bolitar : l'ex-champion de basket se voit en effet proposer un poste de remplaçant au sein de la glorieuse équipe des Dragons du New Jersey. En échange Myron doit mener une enquête officieuse auprès des autres joueurs. Objectif ? Retrouver la trace de Greg Downing, basketteur superstar mystérieusement disparu. Myron va tenter de gagner cette partie qui s'annonce riche en rebondissements sanglants…

Pocket n° 12544

Harlan COBEN
Du sang sur le green

Un univers impitoyable

Myron Bolitar n'aime pas le golf. Mais pour un agent sportif, difficile de faire une croix sur un sport aussi populaire. Aussi est-ce sur les greens de l'US Open que Myron va tenter de dénicher son nouveau client… Et comme toujours, ce sont avant tout des ennuis qu'il va récolter : le fils du leader de l'épreuve a été enlevé, et c'est à lui que la famille demande de résoudre discrètement l'affaire. Pas sûr que cette histoire change l'opinion de Myron sur la petite balle blanche…

Pocket n° 13150

Pour en savoir plus : www.pocket.fr

Faites de nouvelles découvertes sur
www.pocket.fr

Cet ouvrage a été imprimé en France par

C P I
Bussière

à Saint-Amand-Montrond (Cher)
en octobre 2009

POCKET - 12, avenue d'Italie - 75627 Paris Cedex 13

— N° d'imp. : 91430. —
Dépôt légal : mars 2009.
Suite du premier tirage : octobre 2009.